Medo da vida

CIP-BRASIL. CATALOGAÇÃO NA PUBLICAÇÃO
SINDICATO NACIONAL DOS EDITORES DE LIVROS, RJ

L953m

Lowen, Alexander, 1910-2008
    Medo da vida : caminhos da realização pessoal pela vitória sobre o medo / Alexander Lowen; tradução Maria Silvia Mourão Netto; revisão da tradução Janaína Marcoantonio. - [11. ed., rev.]. – São Paulo : Summus, 2022.
    256 p. ; 21 cm.

    Tradução de: Fear of life
    ISBN 978-65-5549-067-1

1. Neuroses. 2. Medo. 3. Vida. I. Netto, Maria Silvia Mourão. II. Marcoantonio, Janaína. III. Título.

22-75893
    CDD: 616.852
    CDU: 616.85

Meri Gleice Rodrigues de Souza - Bibliotecária – CRB-7/6439

www.summus.com.br

EDITORA AFILIADA

Compre em lugar de fotocopiar.
Cada real que você dá por um livro recompensa seus autores
e os convida a produzir mais sobre o tema;
incentiva seus editores a encomendar, traduzir e publicar
outras obras sobre o assunto;
e paga aos livreiros por estocar e levar até você livros
para a sua informação e o seu entretenimento.
Cada real que você dá pela fotocópia não autorizada de um livro
financia o crime
e ajuda a matar a produção intelectual de seu país.

Medo da vida

Caminhos da realização pessoal pela vitória sobre o medo

Alexander Lowen

summus editorial

Do original em língua inglesa
FEAR OF LIFE
Copyright © 1980, 2022 by Alexander Lowen
Direitos desta tradução adquiridos por Summus Editorial

Editora executiva: **Soraia Bini Cury**
Tradução: **Maria Silvia Mourão Netto**
Revisão da tradução: **Janaína Marcoantonio**
Projeto gráfico, diagramação e montagem
de capa: **Crayon Editorial**
Capa original: **Lowen Foundation**

Summus Editorial
Departamento editorial
Rua Itapicuru, 613 – 7º andar
05006-000 – São Paulo – SP
Fone: (11) 3872-3322
http://www.summus.com.br
e-mail: summus@summus.com.br

Atendimento ao consumidor
Summus Editorial
Fone: (11) 3865-9890

Vendas por atacado
Fone: (11) 3873-8638
e-mail: vendas@summus.com.br

Impresso no Brasil

Dedicado com amor a
Rowfreta L. Walker.
Com você, o céu é o limite.

Que coisa é o homem! Dentre todas as maravilhas
A maravilha do mundo é o próprio homem.

Sim, assombrosa é a Sagacidade do homem:
Por ela, atinge os cumes
Por ela, também cai.
Na confiança de seu poder, tropeça;
Na obstinação de sua vontade, é derrotado.

SÓFOCLES, *Antígona*

Sumário

Introdução 11

1. O CARÁTER NEURÓTICO. 19
O problema edipiano 19
A lenda de Édipo 30
O complexo de Édipo. 32

2. DESTINO E CARÁTER 43
O funcionamento do destino 43
A natureza do destino. 52
O destino do amor 65

3. SER E DESTINO 73
Ser como autenticidade 73
Ser como sexualidade. 83
Ser enquanto não fazer. 94

4. O MEDO DE SER 105
Medo de viver e de morrer. 105
Medo do sexo. 115
Medo da insanidade. 124

5. UMA TERAPIA PARA SER. 133
Espiral de crescimento 133
Ruptura e colapso. 140
Ansiedade de castração. 151

6. UMA ATITUDE HEROICA PERANTE A VIDA 161
Regressão e progressão 161
Desespero, morte e renascimento 172

7. O CONFLITO EDIPIANO TORNA-SE UM FATO DA VIDA MODERNA 189
Surge a dominância do ego 189
Hierarquia de poder e lutas pelo poder 197
Progredir produz conflito 209

8. A SABEDORIA DO FRACASSO 219
O enigma da Esfinge 219
Reconciliando contradições 229
A sabedoria da Esfinge 239

Notas 251

Introdução

A neurose não costuma ser definida como medo da vida, mas é exatamente isso. A pessoa neurótica tem medo de abrir o coração ao amor, medo de se relacionar ou de se lançar no mundo; medo de ser plenamente quem é. Podemos explicar esses temores psicologicamente. Quando abrimos o coração ao amor, ficamos vulneráveis ao risco da mágoa; quando nos relacionamos, arriscamo-nos à rejeição; quando nos lançamos no mundo, há a possibilidade de sermos destruídos. Existe, contudo, outra dimensão desse problema. Viver ou sentir com mais intensidade do que se está habituado é assustador, pois ameaça inundar o ego, ultrapassar seus limites, liquidar sua identidade. É assustador sentir mais vitalidade, ter sensações mais intensas. Trabalhei com um rapaz cujo corpo estava bastante destituído de vitalidade. Ele era tenso e contraído, tinha os olhos opacos, a pele pálida, a respiração superficial. Com exercícios de respiração profunda e outros movimentos terapêuticos, seu corpo tornou-se mais vivo. Seus olhos se iluminaram, a cor da pele melhorou, ele passou a sentir formigamento em algumas partes do corpo, suas pernas começaram a vibrar. Então ele me disse: "Cara, é vida demais. Não consigo aguentar".

Acredito que, em certa medida, estamos todos na mesma situação desse rapaz. Queremos nos tornar mais cheios de vida, sentir mais, e temos medo disso. Nosso medo da vida se manifesta na maneira como nos mantemos ocupados a fim de não sentir, ficamos na correria a fim de não olharmos para nós mesmos, nos alcoolizamos ou drogamos a fim de não sentir nosso ser. Por termos medo da vida, procuramos controlá-la, dominá-la. Acreditamos que é ruim ou perigoso sermos levados pelas emoções. Admiramos a pessoa fria, capaz de agir sem sentimentos. Nosso herói é James Bond. A ênfase de nossa cultura recai sobre o fazer, sobre o atingir resultados. O indivíduo de nosso tempo está comprometido com seu sucesso, não em ser uma pessoa. Justificadamente, pertence à "geração da ação", cujo lema é: faça mais, sinta menos. Essa atitude caracteriza grande parte da sexualidade moderna: mais atuação, menos paixão.

Independentemente de quão bem nos saiamos, como pessoas somos um fracasso. Penso que a maioria de nós sente o fracasso em si mesma. Temos uma vaga percepção da dor, da angústia, do desespero que jazem logo abaixo da superfície. Mas estamos determinados a superar nossas fraquezas, dominar nossos temores, conter nossas ansiedades. Eis por que são tão populares os livros a respeito do autoaperfeiçoamento, ou do tipo "como fazer". Infelizmente, esses esforços estão fadados ao fracasso. Ser não é uma função. Não implica desempenho. Talvez exija uma parada nas atividades desenfreadas para termos tempo de respirar e sentir. Nesse processo, talvez sintamos a dor e, se tivermos coragem para aceitá-la, também sentiremos prazer. Se conseguirmos encarar nosso vazio interior, encontraremos plenitude. Se pudermos atravessar nosso desespero, descobriremos a alegria. Talvez precisemos de ajuda para esse empreendimento terapêutico.

Será destino do homem moderno ser neurótico, ter medo da vida? Minha resposta é sim, se por homem moderno definirmos o membro de uma cultura cujos valores predominantes são o poder e o progresso. Uma vez que esses valores caracterizam a cultura ocidental atual, decorre que todo aquele criado nessa cultura é neurótico.

O neurótico está em conflito consigo mesmo. Parte de seu ser está tentando sobrepujar outra parte. Seu ego busca dominar seu corpo; sua mente racional, controlar seus sentimentos; sua vontade, superar seus medos e ansiedades. Embora esse conflito seja em grande parte inconsciente, seu efeito consiste em esvaziar nossa energia e destruir nossa paz de espírito. A neurose é um conflito interno. O caráter neurótico assume muitas formas, mas todas elas implicam uma luta, no interior da pessoa, entre o que ela é e o que acredita que deva ser. Todo ser humano neurótico é prisioneiro desse conflito.

Como surge esse estado de conflito interno? Por que o homem moderno padece dele? No caso individual, a neurose emerge no bojo de um contexto familiar. A situação familiar, contudo, reflete a cultural, pois a família está sujeita a todas as forças do grupo maior do qual faz parte. Para entender a condição existencial do homem moderno e conhecer seu destino, devemos investigar as fontes de conflito de sua cultura.

Estamos familiarizados com determinados conflitos de nossa cultura. Por exemplo, falamos de paz, mas nos preparamos para a guerra. Defende-

Medo da vida

mos a preservação ecológica, mas sem piedade exploramos os recursos naturais da Terra visando ao lucro financeiro. Estamos comprometidos com metas de poder e progresso e, no entanto, desejamos prazer, paz de espírito e estabilidade. Não nos damos conta de que poder e prazer são valores opostos e que o primeiro exclui o segundo. O poder desencadeia, inevitavelmente, o conflito pela posse, o qual com frequência coloca pai contra filho, irmão contra irmão. É uma força divisional na comunidade. O progresso denota uma atividade constante para substituir o velho pelo novo, devido à crença de que este sempre é superior àquele. Embora isso possa ser verdade em algumas áreas técnicas, como crença é perigoso. Disso decorre que o filho é superior ao pai ou que a tradição constitui somente o peso morto do passado. Existem culturas nas quais prevalecem outros valores, em que o respeito pelo passado e pela tradição é mais importante que o desejo de mudar. Nelas, os conflitos são minimizados e a neurose é rara.

Os pais, como representantes da cultura, têm a responsabilidade de inspirar nos filhos os valores desta. Exigem deles atitudes e comportamentos destinados a inseri-los na matriz social e cultural. De um lado, a criança resiste a essas exigências, pois elas significam uma domesticação de sua natureza animal. A criança tem de ser "violada" para que a façam pertencer ao sistema. De outro, ela deseja anuir com as exigências a fim de garantir o amor e a aprovação dos pais. O resultado dependerá da natureza dessas exigências e do modo como são feitas. Com amor e compreensão, é possível ensinar à criança os hábitos e rituais de uma cultura sem violar seu espírito. Infelizmente, na maioria dos casos, esse processo de adaptação não deixa por menos; viola efetivamente seu espírito, tornando-a neurótica e fazendo-a sentir medo da vida.

O aspecto central do processo de adaptação cultural é o controle da sexualidade. Não há cultura que não imponha alguma forma de restrição sobre o comportamento sexual. Tais rédeas parecem necessárias para evitar discórdias dentro da comunidade. Os seres humanos são criaturas ciumentas, predispostas à violência. Mesmo nas sociedades mais primitivas o laço do matrimônio é sagrado. Os conflitos que surgem dessas restrições, porém, são externos à personalidade. Na cultura ocidental, a prática tem sido fazer a pessoa se sentir culpada por sensações e práticas sexuais como a masturbação, que de modo nenhum ameaça a paz da comunidade. Quando culpa ou vergonha são vinculadas aos sentimentos e às sensações, o conflito é internalizado e origina um caráter neurótico.

O incesto é tabu em todas as sociedades humanas, mas somente nas sociedades modernas as sensações sexuais de uma criança pelo genitor do sexo oposto são passíveis de repreensão. Acredita-se que elas coloquem em risco o direito exclusivo de um dos pais aos afetos sexuais do parceiro. A criança é vista como rival pelo genitor do mesmo sexo. Apesar de não ocorrer incesto, a criança é levada a sentir-se culpada por esses sentimentos e desejos completamente naturais.

Quando Freud investigou as causas dos problemas emocionais de seus pacientes por meio da análise, descobriu que todos os casos envolviam a sexualidade na infância, sobretudo as sensações sexuais pelo genitor do sexo oposto. Descobriu também que, associados a tais sensações, existiam desejos de morte relacionados ao genitor do mesmo sexo. Observando o paralelo com a lenda de Édipo, ele descreveu a situação da criança como edípica. Freud acreditava que, se o menino não suprimisse seus sentimentos sexuais pela mãe, sofreria o destino de Édipo, ou seja, mataria o pai e se casaria com a mãe. Para evitar esse destino, o filho é ameaçado de castração caso não reprima tanto seu desejo sexual quanto seus sentimentos de hostilidade.

A análise revelou, ainda, que não só esses sentimentos eram suprimidos como também a situação edípica em si era reprimida; ou seja, o adulto não tinha lembrança do triângulo em que esteve envolvido entre os 3 e 6 anos de idade. Minha experiência clínica confirma essa observação. Poucos pacientes conseguem recordar-se de algum desejo sexual pelo genitor. Freud acreditava, também, que essa repressão era necessária para que a pessoa fosse capaz de estabelecer uma vida sexual normal na fase adulta. Ele considerava que a repressão possibilitava a transferência do desejo sexual precoce, destinado ao genitor, para um companheiro. Se isso não acontecesse, a pessoa continuaria fixada no genitor. Assim, para Freud, a repressão era a maneira de resolver a situação edipiana, permitindo que a criança, depois de atravessar um período de latência, ingressasse na maturidade saudável. Se a repressão era incompleta, a pessoa se tornava neurótica.

Segundo Freud, o caráter neurótico representa uma incapacidade de adaptar-se à situação cultural. Ele admitia que a civilização nega ao indivíduo uma completa gratificação instintiva, mas considerava que essa negação era necessária ao progresso cultural. Na realidade, Freud aceitava a ideia de que o destino do homem moderno era ser infeliz. Esse destino não pertencia ao âmbito da psicanálise, a qual se limitava a ajudar a pessoa a

Medo da vida

funcionar adequadamente dentro do sistema cultural. A neurose era vista como um sintoma (fobia, obsessão, compulsão, melancolia etc.) que interferia nesse funcionamento.

Wilhelm Reich tinha uma concepção diferente. Apesar de ter estudado com Freud e de ter sido membro da Sociedade Psicanalítica de Viena, ele percebeu que a ausência de um sintoma incapacitante não era um critério de saúde emocional. Em seu trabalho com pacientes neuróticos, descobriu que o sintoma se desenvolvia a partir de uma estrutura de caráter neurótica e que só poderia ser completamente eliminado se essa estrutura fosse modificada. Para Reich, não se tratava de funcionar adequadamente na cultura, mas da capacidade do indivíduo de se entregar totalmente ao sexo e ao trabalho, o que lhe permitiria experimentar plena satisfação na vida. Ele seria neurótico na medida em que lhe faltasse essa capacidade.

Em seu trabalho terapêutico, Reich enfatizou a sexualidade como chave para o entendimento do caráter. Todo paciente neurótico apresentava algum distúrbio em sua resposta orgástica, não tendo condições de entregar-se por inteiro às agradáveis convulsões involuntárias do orgasmo. Tinha medo da sensação avassaladora do orgasmo total. O neurótico mostrava-se orgasticamente impotente em determinado grau. Se, em consequência da terapia, conquistasse essa capacidade, se tornaria emocionalmente saudável. Desapareceriam quaisquer distúrbios neuróticos dos quais padecesse e ele se veria livre da neurose enquanto conservasse sua potência orgástica.

Reich enxergou o vínculo entre a impotência orgástica e o problema edipiano. Alegava que a neurose tinha raízes na família patriarcal autoritária, em que se suprimia a sexualidade. Não aceitava que o ser humano estivesse inexoravelmente fadado a um destino infeliz. Acreditava que um sistema social que negasse aos cidadãos a plena satisfação de suas necessidades instintivas estava doente e precisava ser modificado. Nos primeiros anos de trabalho como psicanalista, Reich também foi um ativista social. Contudo, em seus últimos anos, veio a concluir que pessoas neuróticas não são capazes de modificar uma sociedade neurótica.

Sofri forte influência das ideias de Reich. Ele foi meu professor de 1940 a 1953 e meu analista de 1942 a 1945. Tornei-me psicoterapeuta porque acreditei que sua abordagem dos problemas humanos, tanto em nível teórico (a análise do caráter) quanto técnico (a vegetoterapia), representava um avanço significativo no tratamento do caráter neurótico. A análise do caráter foi a grande contribuição de Reich à teoria psicanalítica. Para ele, o caráter neurótico era o solo fértil em que medrava o sintoma neurótico.

Assim, ele acreditava que a análise deveria centrar-se no caráter, e não no sintoma, para efetuar uma melhora substancial. A vegetoterapia assinalou a vigorosa entrada do processo terapêutico no domínio do somático. Reich considerava que a neurose se manifestava num funcionamento vegetativo perturbado, bem como em conflitos psíquicos. A respiração, a mobilidade e os movimentos involuntários de prazer do orgasmo sofriam acentuada diminuição no indivíduo neurótico, em virtude de tensões musculares crônicas. Reich descreveu essas tensões como um processo de formação da couraça, a qual reflete o caráter no nível somático. Ele afirmava que nossa atitude corporal é funcionalmente idêntica à nossa atitude psíquica. O trabalho de Reich é a base sobre a qual desenvolvi minha análise bioenergética, que amplia as conceituações reichianas em vários aspectos importantes.

Primeiro: a análise bioenergética fornece uma compreensão sistemática da estrutura de caráter tanto em nível psíquico quanto somático. Essa compreensão nos permite ler o caráter e os problemas emocionais do paciente a partir da expressão de seu corpo. Também nos permite imaginar a história daquele indivíduo, visto que suas experiências de vida estão estruturadas em seu corpo.[1] A informação obtida por essa leitura da linguagem corporal integra-se ao processo analítico.

Segundo: por meio de seu conceito de *grounding*[2], a análise bioenergética oferece uma visão mais profunda dos processos de energia dentro do corpo e de sua influência sobre a personalidade. *Grounding* refere-se à conexão energética entre os pés e a terra ou chão. Reflete o montante de energia ou sensação que o indivíduo permite fluir para a parte inferior de seu corpo. Denota a relação deste com a base sobre a qual se firma. Está bem assentado no chão ou suspenso no ar? Os pés estão bem plantados? Qual é sua postura? As sensações de segurança e independência estão intimamente relacionadas à função das pernas e dos pés, e essas sensações exercem forte influência sobre a sexualidade.

Terceiro: a análise bioenergética emprega muitos exercícios e técnicas corporais ativos que ajudam a fortalecer a postura, aumentar a energia, ampliar e aprofundar a autopercepção e acentuar a autoexpressão. Na análise bioenergética, o trabalho corporal é coordenado com o processo analítico, o que faz dessa modalidade terapêutica uma abordagem em que corpo e mente se combinam para enfrentar os problemas emocionais.

Sou terapeuta há mais de 30 anos; trabalho para ajudar os pacientes a conquistar alguma alegria e felicidade na vida. Essa atividade requer um esforço contínuo de compreensão do caráter neurótico do ser humano moderno, tanto da perspectiva cultural como da individual. Meu enfoque foi e continua sendo a luta do indivíduo para encontrar algum significado e satisfação na vida; em outras palavras, em sua luta contra o destino. No entanto, o pano de fundo dessa luta é a situação cultural. Sem conhecer os processos culturais, não podemos compreender a profundidade do problema.

O processo cultural que deu origem à sociedade moderna e ao homem moderno foi o desenvolvimento do ego. Esse desenvolvimento associa-se à aquisição de conhecimento e à conquista da natureza. O ser humano, como qualquer outro animal, faz parte da natureza e está absolutamente submetido a suas leis; mas também está acima da natureza, atuando sobre ela, controlando-a. Procede da mesma maneira com sua própria natureza: parte de sua personalidade, o ego, volta-se contra sua parte animal, o corpo. A antítese entre ego e corpo produz uma tensão dinâmica que propicia o desenvolvimento da cultura, mas também comporta um potencial destrutivo. Isso fica mais claro quando fazemos uma analogia com o arco e flecha. Quanto mais se verga o arco, mais longe voará a flecha. Porém, se a curvatura do arco for excessiva, ele se quebrará. Quando o ego e o corpo se distanciam a ponto de não haver contato entre eles, o resultado é uma cisão psicótica. Acredito que atingimos esse ponto de perigo em nossa cultura. Surtos psicóticos são muito comuns, mas ainda mais disseminado é o medo do surto, tanto no nível pessoal como no social.

Considerando sua cultura e o caráter por ela produzido, qual é o destino do homem moderno? Se a lenda de Édipo nos serve de profecia, alcançaremos o sucesso e o poder almejados e então perceberemos que o mundo está ruindo ou entrando em colapso. Se sucesso é algo que se mede em posses materiais, como ocorre nos países industrializados, e em poder, pela capacidade de produzir e fazer funcionar (máquinas e energia), boa parte dos ocidentais tem sucesso e poder. O colapso de seu mundo está no empobrecimento de sua vida emocional. Depois de se comprometerem com sucesso e poder, as pessoas têm muito pouco em nome do que viver. E, como Édipo, acabam por tornar-se andarilhas sobre a Terra, seres desarraigados que não encontram paz em lugar nenhum. Todos nós, em certa medida, sentimo-nos alienados em relação aos outros seres humanos, carregando dentro de nós uma profunda sensação de culpa que não entendemos. É essa nossa condição existencial.

Nosso desafio é reconciliar esses aspectos antitéticos da personalidade. No nível corporal, somos animais; no nível egoico, aspirantes a deus. O destino do animal é a morte — que o ego, em suas aspirações divinas, tenta evitar. Porém, na tentativa de evitar nosso destino, criamos outro ainda pior: viver com medo da vida.

A vida humana está cheia de contradições. É sinal de sabedoria reconhecê-las e aceitá-las. Talvez incoerência afirmar que aceitar o próprio destino nos leva a transformá-lo; mas é verdade. Quando paramos de lutar contra o destino, perdemos a neurose (nosso conflito interno) e conquistamos paz de espírito. O resultado é uma atitude diferente (sem medo da vida), que se expressa num caráter diferente e se associa a um destino diverso. Assim chegaremos à plena realização da vida. É assim que termina a história de Édipo, figura cujo nome identifica o problema central da personalidade do homem moderno.

1. O caráter neurótico

O PROBLEMA EDIPIANO

Diz-se que as pessoas aprendem pela experiência, e em geral isso é verdade. A experiência é a melhor — e talvez a única — verdadeira professora. Porém, quando esse aprendizado está inserido no âmbito da neurose, a regra parece não se aplicar. A pessoa não aprende pela experiência; ao contrário, repete o mesmo comportamento autodestrutivo vezes e vezes seguidas. Vejamos, por exemplo, o indivíduo que sempre se encontra em posição de ajudar os outros. Reage com grande solicitude quando alguém o procura em busca de ajuda. Posteriormente, sente-se usado e fica ressentido porque não acredita que aquele a quem ajudou apreciou devidamente sua dedicação. Volta-se contra quem prestou assistência e decide ser menos disponível e mais crítico em relação às solicitações de ajuda que receber da próxima vez. No entanto, quando percebe alguém em dificuldade, oferece seus serviços, inclusive antes de ter sido requisitado, pensando que dessa vez o resultado será diferente. Mais uma vez, porém, tudo se repete. Esse indivíduo não aprende porque seus préstimos têm uma natureza compulsória. Ele é levado a ajudar por forças que escapam a seu controle.

Considere-se o caso da mulher que, nos relacionamentos com homens, assume um papel maternal. O efeito dessa postura é infantilizá-lo e privá-la de realização sexual. Essa mulher talvez interrompa a relação, sentindo-se usada e ludibriada, culpando a imaturidade e a fraqueza do homem pelo fracasso do vínculo. Da próxima vez, diz, escolherá alguém que consiga caminhar com as próprias pernas e não precise mais de uma mãe. Porém, a vez seguinte acaba sendo como as outras. Um estranho destino parece impeli-la para as situações que procura evitar. Ela é levada a bancar a mãe de seus parceiros por forças desconhecidas em sua personalidade.

Esse comportamento pode ser considerado neurótico devido ao conflito inconsciente que lhe subjaz. No primeiro caso, uma parte da personalidade do indivíduo quer ajudar, outra não. Se ajuda, sente-se ressentido; se não, sente-se culpado. Essa é uma típica armadilha neurótica da qual não há como sair, exceto refazendo os passos que levaram até ela. Existe um conflito inconsciente parecido por trás do comportamento da mulher, conflito esse entre o desejo de um relacionamento sexual satisfatório e saudável com um homem e o medo desse relacionamento. Bancar a mãe do parceiro é uma tentativa de superar sua ansiedade sexual, pois isso lhe permite negar a si mesma o medo de entregar-se, de render-se a um homem. Agindo como mãe, sente-se necessária e superior.

Eis aqui mais um exemplo. Uma mulher tinha grande dificuldade para estabelecer relações. Quando encontrava alguém por quem se sentia atraída, adotava uma atitude excessivamente crítica. Enxergava todas as fraquezas e defeitos do parceiro e o rejeitava. Uma vez que ninguém é perfeito, suas reações impossibilitavam a consolidação de qualquer relacionamento. Embora dissesse que desejava muitíssimo estar com alguém, parecia incapaz de alterar esse padrão de comportamento, mesmo depois de este ter-lhe sido apontado. Não é difícil ver que sua atitude exageradamente crítica é uma defesa contra o temido perigo de ela própria ser rejeitada. Protege-se rejeitando o homem primeiro. Mas saber disso também não ajuda muito. Sua reação neurótica está além de seu controle.

Para ajudá-la, devemos conhecer as forças em sua personalidade que ditavam seu comportamento. Isso só acontecia quando ela encontrava alguém por quem se sentia atraída. Com os outros, o problema não ocorria e ela conseguia mostrar-se amistosa e descontraída. Uma vez que a dificuldade só aparecia quando ela nutria algum sentimento especial pela pessoa, podemos presumir que estivesse relacionada à sensação de desejar, de almejar. Ela não conseguia suportar essa sensação; era demasiado dolorosa e, por isso, ela fugia. Também aí devemos entender o que aconteceu durante a infância para que o problema surgisse. Por meio da análise, descobriremos que ela experienciou ser rejeitada por um dos genitores e essa dor foi tão avassaladora que foi preciso guardá-la a sete chaves para sobreviver. Fechou o coração para não sentir dor tão intensa e agora não ousa abri-lo. Amar é abrir o coração, e ela tem medo de fazê-lo por causa da dor que isso implica. Em seu caso, o conflito neurótico ocorre entre seu desejo e o medo de amar.

O que torna tal conflito neurótico é a repressão de seu elemento negativo. Assim, o homem prestativo nega seu ressentimento quando lhe pedem

Medo da vida

ajuda, a mulher que banca a mãe nega seu medo de sexo, e a pessoa exageradamente crítica nega sua incapacidade de amar. Incapaz de encarar sua dor e a raiva que a dor origina, o neurótico esforça-se por superar seus temores, ansiedades, hostilidade e raiva. Uma parte de si procura sobrepujar outras, o que dilacera a unidade do ser e destrói sua integridade. O neurótico esforça-se para vencer a si mesmo. E, evidentemente, fracassará nessa empreitada. O fracasso parece denotar submissão a um destino inaceitável, mas, na realidade, significa autoaceitação, o que possibilita as mudanças. A maioria dos ocidentais se esforça para ser diferente e, nessa medida, é neurótica. E, uma vez que essa é uma luta que ninguém pode vencer, todos os que nela se envolverem fracassarão. Paradoxalmente, por meio da aceitação do fracasso tornamo-nos livres de nossas neuroses.

Um exemplo típico é o do homem que repetidamente perde dinheiro em maus investimentos ao seguir o conselho dos outros. É um otário, sempre acreditando em promessas de dinheiro rápido e fácil. Embora já tenha se dado mal vezes o bastante para saber que essa promessa é ilusória, não consegue resistir à tentação. Age com uma compulsão que é mais forte do que seu julgamento racional. Talvez seja uma compulsão a perder, pois existem pessoas aparentemente destinadas a ser fracassadas. Porém, esse destino pode ser modificado se a natureza e a origem da compulsão forem cuidadosamente investigadas por meio da análise.

O exemplo clássico é o da mulher que, depois de divorciar-se do primeiro marido porque ele era alcoólatra e de determinar que o segundo casamento será diferente, descobre que o novo marido também é um beberrão. Embora ela não soubesse disso antes do casamento, estivera cega às muitas indicações dessa tendência. Por meio da análise, pode-se demonstrar que ela se vê atraída por homens que bebem, sentindo-se, porém, repelida quando a ingestão de álcool escapa ao controle. Como o homem do exemplo anterior, ela não tem consciência de seus sentimentos e motivações profundos. Essa falta de percepção é típica do caráter neurótico.

A expressão *caráter neurótico* refere-se a um padrão de comportamento que se baseia num conflito interno e representa medo da vida, do sexo, de ser. Reflete as primeiras experiências de vida do indivíduo, pois foi formado em consequência de tais experiências. A mais crucial delas é a edípica, que ocorre entre os 3 e 6 anos de idade, quando se desenvolve a situação edipiana — a saber, o interesse sexual da criança pelo genitor do sexo oposto — e a resultante rivalidade com o genitor do mesmo sexo. Ambos os pais desempenham papel ativo nessa situação triangular em que a criança se sente presa, como se numa armadilha. Ela desenvolve um caráter neurótico como única solução possível para um contexto que, em sua mente, está repleto de perigos relativos à vida e à sanidade. Não se pode dizer se o perigo é tão real quanto a criança acredita. Nenhuma criança nessa situação pode se dar ao luxo de testar a veracidade dessa crença. Deve transigir, refreando sua paixão e suprimindo sua sexualidade. Ilustrarei esse processo com os casos a seguir.

Margaret consultou-me porque estava deprimida e sentia que sua vida era vazia. Era uma mulher atraente, na casa dos 30 e poucos anos, e enfermeira de profissão. Jamais se casara, apesar de ter tido muitos relacionamentos com homens. Nenhum deles fora plenamente satisfatório para ela. Alguns anos antes, tivera uma depressão tão grave que ameaçara o suicídio. As tendências suicidas haviam diminuído por meio de tratamento psicanalítico, mas a depressão continuava. Contudo, ela nunca deixara de trabalhar. Era uma profissional dedicada, muito valorizada em seu trabalho.

A nota marcante no corpo de Margaret era sua falta de vitalidade. Se não falasse nem se mexesse, poderia ser tomada por uma estátua de cera. Seus olhos eram opacos; sua voz, monótona. No entanto, de tempos em tempos, ao olhar para mim, seus olhos se iluminavam e seu rosto ficava mais animado. Isso nunca durava mais do que alguns minutos, mas era uma transformação espantosa. Quando acontecia, eu notava que ela me olhava com sentimento. Em geral, parecia preocupada e só tomava conhecimento de mim para comunicar seus pensamentos. Enquanto trabalhávamos, percebi que sua falta de vitalidade era muito profunda. Quando arregalava os olhos, eles apresentavam uma expressão "encovada". Sua respiração era bastante superficial e seus movimentos, sem vigor.

A tarefa terapêutica era ajudar Margaret a descobrir por que a luz desaparecera de seus olhos. Por que não era capaz de manter o brilho da vida? O que temeria inconscientemente? Sua falta de vida era consequência da autonegação e de uma atitude autodestrutiva. Na maioria das pessoas, essa atitude é inconsciente. No entanto, Margaret tinha consciência daquilo. Ela disse: "Estou sempre tentando matar meu corpo — não como direito, não durmo o bastante, me preocupo demais com minha imagem e trabalho de modo frenético. Nunca estou disponível para mim mesma, nunca consigo me divertir sozinha, não cuido de mim".

Medo da vida

Quando lhe perguntei como e por que essa atitude se desenvolvera, respondeu: "Fui literalmente destruída por minha mãe, e com tamanha frequência que acabei me identificando com ela". Em sessões anteriores, Margaret havia me contado que sua mãe costumava espancá-la com frequência. Ela a descreveu como uma hipocondríaca que passava o dia deitada no sofá lendo e reclamando. Contudo, a mãe era mesmo doente — tinha diabetes. Margaret também disse que ela era autodestrutiva no sentido de não assumir a responsabilidade pela própria vida. Com 50 e poucos anos, morreu de problemas cardíacos. "Mas", disse Margaret, "meu pai era igualmente autodestrutivo: trabalhava 20 horas por dia e nunca se permitia um momento de ócio. Ele era Cristo, o mártir. Morreu de um ataque cardíaco aos 40 e poucos anos".

Acrescentou: "Meu pai era um peso para mim. Eu sentia que precisava salvá-lo. Pensava nele o tempo todo. Ele me fez muito triste e infeliz. Nunca consegui ajudá-lo. Lembro-me de olhar para ele quando ele estava sofrendo as consequências de um ataque cardíaco e seu olhar tinha uma expressão patética. Na verdade, era pior do que patético. Era o olhar do sofrimento. Ele era um sofredor. Preciso ajudar as pessoas".

Não podemos entender Margaret, nem seu problema, sem uma imagem da situação familiar em cujo seio ela foi criada. Nessa imagem, os elementos mais importantes são as personalidades dos pais. Eles afetam os filhos mais pelo que são do que pelo que fazem. As crianças são muito sensíveis e apreendem o estado de espírito dos pais, seus sentimentos, sensações e atitudes inconscientes, por assim dizer, por osmose. Isso foi bastante verdadeiro para Margaret, sobretudo por ter sido filha única. A influência dos pais não foi atenuada pela presença de outros filhos. Consideremos o seguinte:

"Minha mãe disse que meu pai era um amante brutal. Percebo que escolho homens que de certa maneira se assemelham a ele em seu sofrimento e na brutal intensidade de sua necessidade sexual. Só enxergo o sofrimento desses homens quando também começo a sofrer. Então descubro que estou tomando conta deles, ajudando-os, e que aquilo não me trará nada de bom. Essa é uma forma de eu ser autodestrutiva. Mas não sei se poderia gostar de alguém que não estivesse sofrendo. Meu coração não se abriria para ele. O último homem com quem me envolvi tentou o suicídio. Tive uma longa fila de homens que precisei ajudar. Parece que, se eu não entrar em relacionamentos neuróticos, nada me restará".

Qual foi exatamente a relação entre a paciente e seu pai? Segundo ela, a mãe dizia que Margaret era extremamente apegada ao pai até os 4 ou 5 anos de idade. Ela não tem lembrança dessa proximidade nem nenhuma noção de por que terminou. Só se lembra de que o pai era inalcançável. Sentia-se próxima dele em seu coração, mas não havia contato entre eles. "Era como num sonho. Ainda estou nesse sonho. Relaciono-me com homens com base nisso. Construo fantasias enormes de como seria a vida com eles, apenas para descobrir, depois de poucos encontros, que eles não conseguiriam realizar meus sonhos."

A partir do exposto, fica claro que em seus contatos com homens Margaret está procurando o tipo de relação que teve com o pai antes dos 5 anos. É a busca do paraíso perdido. Ela está tentando encontrar sua Shangri-lá. Perguntou-me: "Por que estou sempre sendo acarinhada pelos homens nos bares? Devo transmitir alguma sensação". Suas maneiras e sua expressão indicavam que ela também era uma sofredora. Assim como ela é atraída pelos que sofrem, estes também são atraídos por ela. Cada um espera que o outro alivie seu sofrimento, mas cada um só traz mais sofrimentos para o outro. Nenhum dos dois tem alegria para oferecer.

Fica evidente, a partir disso, que Margaret sofreu uma perda grave com cerca de 5 anos de idade, quando a relação amorosa que tinha com o pai chegou ao fim. Sua tendência depressiva está condicionada por essa perda[3]. Indubitavelmente, havia ocorrido uma perda anterior de amor na relação com a mãe, mas essa perda precoce fora mitigada pelo calor de seu contato com o pai. Quando isso terminou, Margaret ficou perdida. Sobreviveu devido a uma grande força de vontade, manifestada atualmente por uma expressão severa e determinada. Entretanto, as lembranças do tempo em que ela se iluminava no calor do amor paterno ainda se refletem no brilho momentâneo de seus olhos e rosto.

O que provocou a destruição da relação afetuosa que tinha com o pai? Por que isso teve um efeito tão devastador em sua personalidade? Margaret não tinha lembranças desse período. Estavam completamente reprimidas. Contudo, havia passado por muitos anos de psicanálise, estando familiarizada com o problema edipiano. Durante nossa conversa a respeito desse tema, ela assinalou: "Não me recordo de nenhum sentimento sexual por meu pai, mas durante minha análise tive um sonho em que transava com ele. Depois de ter feito análise por certo tempo, senti que podia ter esse sonho sem pensar que

Medo da vida

estava louca. Contudo, no sonho, senti que não conseguia me soltar. Eu não conseguia desfrutar de verdade".

Margaret ainda não tem prazer no sexo. Ainda não consegue se soltar e ter um orgasmo. Ela usa o sexo para obter contato e intimidade. Não consegue deixar-se levar por suas sensações sexuais porque está com medo de que elas a inundem e a enlouqueçam. Investigarei esse aspecto do medo do sexo num capítulo posterior. Minha intenção aqui é demonstrar a relação entre o caráter neurótico e o problema edipiano.

O que realmente aconteceu em sua família? Qual era a relação entre seus pais? Margaret disse: "Eu costumava fantasiar, quando criança, que meus pais eram muito unidos e que era eu quem ficava de fora. Sentia-me isolada. Depois, conforme fui ficando mais velha, percebi que minha mãe era solitária, assim como meu pai. Dei-me conta de que ela falava dele como se ele fosse um estranho". Efetivamente, recordou-se de uma cena em que o pai tentou jogar a mãe pela janela, mas não sabe por quê. Podemos imaginar. Como tantos outros casamentos, o relacionamento de seus pais tinha começado no enlevo do romance e terminado na amargura da frustração. Esse é o terreno em que se desenvolve o problema edipiano. Em geral, o genitor frustrado se volta para o filho do sexo oposto em busca de sintonia e afeição.

O sentimento que existia entre Margaret e o pai era muito profundo. A despeito da barreira entre eles, seu pai ocupava lugar de destaque em seu coração, e ela no dele. Segundo Margaret, contaram-lhe que, quando ela ganhava prêmios na escola e na igreja, ele chorava. Por que qualquer expressão desses sentimentos foi contida? Só há uma resposta. Ambos haviam se tornado sexuais. O perigo de incesto parecia real. O pai teve de se afastar de todo contato com a filha e esta foi forçada a suprimir sua sexualidade, dado que isso o ameaçava.

O desejo sexual da criança por um dos genitores é uma expressão de sua vitalidade natural. A criança é inocente até que os pais projetem nela sua própria culpa sexual. Margaret era a malvada porque sua sexualidade era livre e cheia de vida. Tinha de ser extraída de seu corpo à força, o que sua mãe fez literalmente — com um chicote que seu pai usava para domar cavalos. Ela foi forçada a negar seu corpo e a investir toda sua energia nos trabalhos escolares. O pai não a protegeu porque se sentia culpado demais para interferir. Ela foi eficientemente violada, como é violado o espírito selvagem e livre de um cavalo para que ele possa ser arreado e montado. Desde Eva, a mulher tem sido vista como tentação. Esse viés reflete o duplo padrão de moralidade que é característico da cultura patriarcal. No passado, a sociedade ocidental considerou necessário suprimir a sexualidade da mulher mais do que a do homem.

Entendemos agora por que Margaret desenvolveu seu caráter neurótico. Não lhe foi concedida permissão para relacionar-se com o pai em nível sexual, e esse tabu passou a fazer parte da estrutura de sua personalidade, generalizando-se a todos os homens. Ela pode ser a garotinha que deseja ser aconchegada, ou a mulher prestativa, compreensiva e empática que tentará amenizar o sofrimento de um homem. Uma vez que nenhuma das duas abordagens satisfaz sua necessidade de relacionamento sexual (que é mais do que simplesmente praticar sexo), ela fica deprimida. Não creio que Margaret consiga superar suas tendências depressivas enquanto não recuperar sua sexualidade. Ao perdê-la, ela perdeu sua vida. Ser sexual é ter vitalidade, e ter vitalidade é ser sexual. Nos capítulos subsequentes, demonstrarei o que implica trabalhar na resolução desse problema.

O caso de Margaret não é único. Poderá diferir do comum pela gravidade dos espancamentos que recebeu, pelo grau de sexualidade reprimida na família e pela forma especial como assumiu seu caráter neurótico. Mas é típico do que acontece nas famílias modernas — a saber, sentimentos incestuosos entre pais e filhos, rivalidade, ciúme e ameaças ao filho. Também é típico da maneira como o problema edipiano modela o caráter neurótico dos indivíduos. Eis a seguir outro caso que exibe muitas semelhanças com o de Margaret, embora se trate de um homem.

Robert era um arquiteto bem-sucedido que me consultou porque estava deprimido. A depressão fora causada pelo término de seu casamento. Quando lhe perguntei por que a união havia fracassado, ele disse que sua esposa se queixava de que não havia comunicação entre eles, de que ele fugia ao contato e era sexualmente passivo. Ele admitia a veracidade dessas queixas. Reconhecia que tinha grande dificuldade de expressar sentimentos e sensações. Submetera-se, por vários anos, a um tratamento psicanalítico. O tratamento o ajudara em parte, mas sua responsividade emocional ainda era muito fraca.

Robert era um homem atraente de quase 50 anos. Tinha um corpo bem constituído e proporcional e um rosto de feições regulares. Quando olhei para ele, ele sorriu depressa demais. Senti que o contato visual direto o deixava

Medo da vida

desconfortável. Examinando-o mais detidamente, percebi que seus olhos eram precavidos e destituídos de sentimento. O aspecto mais notável de seu corpo, no entanto, era sua tensão, sua rigidez. Despido, ele parecia uma estátua grega. Vestido, poderia ser tomado por um manequim animado. Era tão controlado que seu corpo não transmitia a sensação de estar vivo.

O que aconteceu na infância de Robert para que se desencadeasse essa paralisia emocional? Assim como Margaret, ele era filho único. Sua mãe, no entanto, o idolatrara quando pequeno. Embora seus pais não fossem ricos, ele era vestido com roupas muito caras, que estavam sempre limpas. Segundo ele, as fotografias mostravam que ele era um garotinho adorável. Sua pior molecagem era se sujar. Ia imediatamente para o banho e suas roupas eram trocadas. Jamais apanhou. A punição para eventuais transgressões assumia a forma de vergonha e negação de amor.

Robert comentou que, quando criança, fantasiava não ser filho de seus pais. Disse que eles queriam muito uma menina. Imaginava que um dia seus verdadeiros pais o descobririam. Esse sentimento de não pertencimento surge sempre que existe falta de contato emocional entre pais e filho. No caso de Robert, seus pais também sentiam que ele não lhes pertencia. Diziam que ele era diferente deles. Robert explicou esse sentimento afirmando que a mãe e o pai eram tão próximos que ele se sentia excluído. "Eu queria esmurrar a porta e dizer 'Deixem-me entrar'. Em outros momentos, queria fugir e encontrar minha família verdadeira." Recordemos que Margaret tinha a sensação semelhante de ser uma estranha e de não pertencer à família. Depois, veio a descobrir que a aparente proximidade de seus pais era mais aparência do que realidade. Qual era a situação na família de Robert?

Robert descreveu sua mãe como uma amazona que conduzia cavalos selvagens com chicotes. Apesar de não ser bonita, de usar óculos e de sentir-se pouco à vontade socialmente, tinha conseguido um casamento esplêndido. Seu pai, segundo ele, era bem-apessoado, encantador e muito requisitado. Era um vencedor, um homem fadado a ser bem-sucedido. Robert admitia que a mãe era ambiciosa. Ele disse: "Ela tentava projetar uma imagem de refinamento. Os pais dela eram lavradores. Ela queria mostrar que era a melhor esposa para o meu pai e que a união deles constituía o casamento perfeito".

Ela também tentava projetar a imagem de mãe perfeita. Para manter essa imagem, Robert tinha de ser o filho perfeito, o que ele procurou ser. Porém, crianças perfeitas não são reais, ou seja, não estão vivas. Crianças de

Alexander Lowen

verdade se sujam e fazem bagunça. Para conservar o amor da mãe, Robert tinha de se tornar uma imagem, uma estátua ou um manequim. E, pela mesma razão, o pai também não era real. Quem consegue ser um homem real para uma esposa perfeita? Robert não tinha nenhuma lembrança dos pais discutindo. Inclusive, quando ainda criança, sentia que a situação da família tinha um clima de irrealidade. Sentir-se vivo, em qualquer intensidade, significava que ele não poderia ser filho daquele casal. Só poderia pertencer à família se fosse irreal para si mesmo.

Seria um erro pensar que não houve paixões nessa família. Robert nunca falou sobre a vida sexual dos pais, mas eles devem ter tido algo nesse sentido. Ele nunca mencionou sensações sexuais que pode ter tido quando criança, mas deve ter sentido alguma coisa. Havia reprimido todas as recordações de seus primeiros anos de vida. Essa repressão ocorreu em paralelo com a morte de seu corpo. A informação que ele me transmitia era quase toda de segunda mão. Ainda assim, temos algumas evidências da existência de uma situação edipiana. Robert disse que, quando menino, teve fantasias de conquistar a mãe e derrotar o pai. Nessa fantasia, sua mãe o preferia ao pai. Outra evidência significativa é o fato de que Robert realmente o derrotou. Ele disse: "Passei tão à frente dele que fiquei envergonhado disso". Na verdade, seu pai nunca demonstrou ser um vencedor. Foi Robert quem se tornou o grande vencedor no mundo e realizou as ambições da mãe.

Essa vitória, porém, teve um preço: a perda de sua potência orgástica, isto é, da capacidade de seu corpo entregar-se plenamente ao sexo. A sexualidade de Robert estava limitada ao seu órgão genital; o resto de seu corpo não participava da excitação ou da descarga. Sua incapacidade de entregar-se por completo às sensações sexuais devia-se à rigidez e à tensão em seu corpo, fatores igualmente responsáveis por sua morte emocional. Se esta resultou do medo do sexo ou se foi a causa de sua impotência orgástica é algo que não merece discussão. O problema precisava ser simultaneamente trabalhado em ambos os níveis, o sexual e o emocional. Em nível mais profundo, representavam o medo da vida.

Contudo, Robert não tinha consciência do medo do sexo ou da vida. O medo, sendo uma emoção como qualquer outra, é igualmente suprimido em um estado de morte emocional. Isso torna o problema muito difícil, pois tudo que se pode mobilizar é a ausência de sentimento. Por exemplo, Robert não tinha lembrança de sensações sexuais pela mãe. Não conseguia imaginá-

-las, pois não considerava a mãe sexualmente atraente. Não se lembrava de têla visto nua em momento nenhum, nem de ter tido qualquer curiosidade a respeito de seu corpo. Recorda-se de uma noite em que decidiu colar o ouvido na porta do quarto dos pais, mas foi rapidamente descoberto e mandado de volta para a cama. Não associava esse incidente à curiosidade sexual. Evidentemente, esta foi esmagada bem cedo. Aos 3 anos de idade, ele teve a chance de ver uma menininha tomando banho, mas foi admoestado por estar olhando.

Não se pode inferir, porque Robert não se lembra, que ele não teve sensações sexuais quando criança. Uma vez que elas são normais, deve-se admitir que foram vigorosamente suprimidas e que sua lembrança foi reprimida. Esse pressuposto é apoiado pela gravidade da tensão muscular e da rigidez corporal, que são os meios de supressão. Ao discutir esse problema, Robert comentou que interceptar os próprios sentimentos e sensações era uma manobra comum, que usava sempre que alguém o magoava. Ele excluía todo sentimento ou sensação relativos à pessoa e a "excluía", como se ela não existisse. Disse que essa era uma tática usada contra ele pela mãe e, por sua vez, ele a usava contra ela. Em minha opinião, mãe e filho estavam às voltas com uma luta pelo poder em que os meios de controle eram a sedução e a rejeição. Sua mãe o idolatrava, vestindo-o como um "pequeno lorde", para usar suas palavras, mas também o "excluía" quando ele não fazia o que ela desejava. Ele fazia o que ela exigia, mas também a rejeitava sexualmente.

Existe outro aspecto do problema de Robert. Sua rigidez corporal deve ser interpretada como sinal de que se paralisava de medo. Trabalhei com ele tempo suficiente para saber que isso era verdade. Mas ele não o sentia. Evidentemente, estando morto no plano emocional, ele não poderia mesmo sentir muito. Não obstante, era necessário descobrir de quem tinha tanto medo, e por quê.

Robert disse que fora criado como um pequeno lorde. Eu o via como um príncipe. Sua mãe assumia o papel da rainha. A situação exigiria que seu pai fosse o rei, mas este não desempenhou tal papel. Em vez de ocupar o trono, empurrou o filho para essa posição. Este deveria atingir o que ele não conseguira. O príncipe deveria tomar seu lugar, tornando-se rei. Porém, embora o pai pudesse realmente desejar que o filho fosse bem-sucedido, era natural também que se sentisse ressentido e zangado pelo fato de ter sido deslocado da posição de destaque e rebaixado. Quando dois machos competem pela mesma fêmea, a luta pode ser mortal. Entretanto, um filho não é páreo para um pai e fica aterrorizado só de pensar em desafiá-lo. Precisa recuar, admitir a derrota, desistir de seu desejo sexual pela mãe. Aceita a castração psicológica e, desse modo, afasta-se do papel de rival e de ameaça ao pai.

A situação edípica está, então, resolvida. O menino pode crescer e conquistar o mundo, mas, em nível sexual, ainda permanece criança. Robert tinha consciência de que, em certo nível de sua personalidade, ainda se sentia imaturo, não um homem pleno. Emocionalmente, permanecia príncipe.

Discutirei o tratamento do problema edipiano em um capítulo posterior. Primeiramente, precisamos compreendê-lo tanto como fenômeno cultural quanto como resultado da dinâmica familiar. Na próxima seção, abordaremos em detalhe a lenda de Édipo, a fim de analisar o grau de proximidade desses casos com o mito.

A LENDA DE ÉDIPO

Édipo era um príncipe, filho de Laio, rei de Tebas. Quando nasceu, seu pai consultou um oráculo, em Delfos, para saber o futuro do filho. Foi-lhe informado que, quando o menino crescesse, mataria o pai e se casaria com a mãe. A fim de evitar essa calamidade, Laio ordenou que seu filho fosse amarrado numa estaca, no campo, para morrer à míngua. Édipo foi salvo por um pastor que dele se apiedou e o levou para Corinto, onde foi adotado por Políbio, rei da cidade, que o criou como se fosse seu filho. Como seu pé estava inflamado por ter ficado amarrado na estaca, recebeu o nome de Édipo, que significa "pé inchado".

Quando Édipo chegou à idade adulta, também consultou o oráculo de Delfos para saber seu destino. Foi-lhe dito que ele mataria o pai e se casaria com a mãe. Como acreditava ser Políbio seu pai, Édipo decidiu evitar esse destino previsto pelo oráculo deixando Corinto para tentar a sorte em outro lugar. No caminho que levava à Beócia, foi abordado por um viajante, que lhe ordenou que saísse do caminho. Seguiu-se uma discussão, durante a qual Édipo atacou o homem com seu cajado, matando-o. Desconhecendo a identidade de sua vítima, Édipo prosseguiu até Tebas. Chegando lá, soube que a cidade estava sendo aterrorizada pela Esfinge, um estranho monstro com rosto de mulher, corpo de leão e asas de pássaro. A Esfinge apresentava um

Medo da vida

enigma para todo viajante que capturasse. Os que não conseguiam responder corretamente eram devorados.

Creonte, que governava a cidade desde a morte de seu irmão Laio, prometera a coroa e a mão da rainha viúva, Jocasta, àquele que libertasse o local das investidas mortíferas do monstro. Édipo aceitou o desafio e confrontou a Esfinge. À pergunta "Que animal anda sobre quatro patas de manhã, duas ao meio-dia e três à noite?", Édipo respondeu: "O homem". Durante seu primeiro ano de vida, engatinha de quatro; na maturidade, anda sobre as duas pernas; e à noite, na velhice, usa a bengala para apoiar-se ao andar. Quando a Esfinge ouviu essa resposta, lançou-se no mar e morreu afogada. Édipo retornou a Tebas, casou-se com a rainha e governou a cidade por mais de vinte anos. Dessa união nasceram quatro filhos: Etéocles, Polinices, Antígona e Ismênia. Seu reinado foi próspero e ele era considerado um soberano justo e dedicado.

Na mitologia grega, é comum que haja tragédia na vida do herói. Por exemplo, tanto Hércules, o grande destruidor de monstros, quanto Teseu, que assassinou o Minotauro, pereceram tragicamente. Entre outros, Erictônio, que, enquanto rei de Atenas, introduziu a adoração de Atena e o uso da prata, foi morto por um raio lançado por Zeus. O feito do herói, apoiado por um deus, ofende a outro. Sua proeza sobre-humana faz que pareça ser divino. Os deuses são notoriamente ciumentos. O herói deve pagar um preço por sua insolência, pois, afinal de contas, é um mortal.

Édipo é considerado um herói por ter derrotado a Esfinge. As Erínias, outro nome para destino, estavam aguardando sorrateiras. Uma praga terrível devastou a cidade de Tebas. Houve seca e fome. Quando se consultou o oráculo de Delfos, este informou que as desgraças não cessariam enquanto o assassino de Laio não fosse descoberto e expurgado da cidade. Édipo jurou descobrir o culpado. Para sua surpresa, as investigações revelaram que o culpado era ele. Ele matara o pai na estrada para Tebas e, involuntariamente, casara-se com a mãe.

Transpassada de vergonha, Jocasta se enforcou. Édipo cegou a si mesmo. Depois, acompanhado por Antígona, sua fiel filha, deixou Tebas e tornou-se andarilho. Após muitos anos, encontrou finalmente um refúgio na cidade de Colono, próxima a Atenas. Lá, reconciliado com seu destino e purificado de seus crimes, desapareceu misteriosamente da Terra. Fica implícito que foi levado para a morada dos deuses, como cabe a um herói grego. Na qualidade de último asilo de Édipo, Colono tornou-se um lugar sagrado.

A lenda relata o fim dessa desgraçada família. Os dois filhos de Édipo tinham concordado em alternar-se no governo do reino. Mas, quando chegou o momento de Etéocles passar o poder para o irmão, recusou-se. Polinices reuniu um exército de egeus e sitiou Tebas. No decurso da batalha, os dois irmãos assassinaram um ao outro. Creonte, que se tornou então o governador da cidade, decretou que Polinices fosse tratado como traidor e que seu corpo fosse deixado ao léu, insepulto. Antígona desafiou o decreto; movida pelo amor fraternal, enterrou-o com honras. Por sua desobediência, foi condenada a ser enterrada viva. Sua irmã, Ismênia, teve o mesmo destino.

Considerando novamente os casos de Margaret e Robert, percebemos que a vida de ambos não tem paralelo com a história de Édipo. Nenhum dos dois foi culpado dos crimes de incesto e assassinato do genitor, embora ambos estivessem envolvidos em situações edipianas na infância. A forma como evitaram o destino de Édipo é explicada por Freud, o primeiro a reconhecer a importância da situação edipiana e o significado da história de Édipo para o homem moderno. A seguir, analisaremos a visão psicanalítica do desenvolvimento do complexo de Édipo.

O COMPLEXO DE ÉDIPO

Freud era atraído pela história de Édipo porque acreditava que os dois crimes desse personagem — matar o pai e casar-se com a mãe — coincidiam com os "dois desejos primais das crianças que, insuficientemente reprimidos ou então realimentados, formam, talvez, o núcleo de toda psiconeurose".[4] Esse núcleo ficou conhecido como complexo de Édipo. Anteriormente, Freud escrevera: "Pode ser que estejamos todos fadados a dirigir nossos primeiros impulsos sexuais para nossa mãe e nossos primeiros impulsos de ódio e violência contra nosso pai; nossos sonhos convencem-nos de que isso é verdade".[5] Se fosse assim, então o destino de Édipo seria o de toda a humanidade. Freud admitia essa possibilidade, pois dizia: "O destino dele nos mobiliza porque poderia ter sido o nosso, já que o oráculo rogou contra nós a mesma praga que infernizou a ele".[6]

Segundo o pensamento psicanalítico, todas as crianças passam por um período edípico entre os 3 e 7 anos, aproximadamente. Nessa fase, precisam lidar com sentimentos e sensações de atração sexual pelo genitor do sexo oposto, além de ciúme, medo e hostilidade em relação ao genitor do mesmo sexo. O complexo também inclui montantes diversos de culpa associada a esses sen-

Medo da vida

timentos. Otto Fenichel diz: "Em ambos os sexos, o complexo de Édipo pode ser chamado de clímax da sexualidade infantil, o desenvolvimento erógeno desde o erotismo oral, passando pelo erotismo anal, até a genitalidade".[7]

Para o nosso estudo, é importante compreender o que significa sexualidade infantil e como ela difere da forma adulta. O termo "sexualidade infantil" refere-se, na realidade, a todas as manifestações sexuais do nascimento até os 6 anos de idade, aproximadamente. O prazer erótico que um bebê tem com a amamentação ou chupando o dedo é considerado de natureza sexual. Entre os 3 e 5 anos, a sexualidade infantil começa a se focalizar nos genitais. No quinto ano de vida, de acordo com Freud, no auge do desenvolvimento da sexualidade infantil, esse foco torna-se próximo ao atingido na maturidade. A diferença entre a sexualidade da criança e a do adulto é que faltam à primeira os elementos da penetração e da ejaculação, aspectos reprodutivos da sexualidade. A sexualidade infantil, portanto, é um fenômeno superficial. Freud descreveu-a como fálica, em vez de genital. Essa distinção é válida se admitirmos que "fálico" refere-se a um aumento de excitação, mais do que a descargas. A sexualidade adulta é caracterizada por uma ênfase nesse último elemento. Contudo, os sentimentos e sensações associados à sexualidade infantil dificilmente podem ser distintos dos que estão relacionados à forma adulta.

Embora o complexo de Édipo seja considerado um desenvolvimento normal para todas as crianças de nossa cultura, isso não significa que seja determinado biologicamente. Devemos distinguir dois fenômenos diferentes. Um é o florescimento preliminar da sexualidade, que ocorre nessa época e se manifesta em atividades masturbatórias e numa acentuada curiosidade sexual. Está também presente no interesse sexual da criança pelo genitor do sexo oposto. As evidências desse florescimento preliminar aparecem nos sonhos e nas recordações dos pacientes. Também podem ser confirmadas por um pai ou mãe observadores, pois as crianças não fazem esforço para ocultar seus sentimentos e sensações sexuais. Além disso, a pesquisa médica tem demonstrado que existe uma maior produção de hormônios sexuais durante esse período. Esse primeiro desabrochar da sexualidade é, em geral, seguido de uma fase de aquietamento, o período de latência, que dura até a puberdade, quando tanto a atividade hormonal quanto a sexual começam a assumir sua forma adulta. Outro fenômeno biológico ocorre em paralelo a esse duplo desabrochar da sexualidade: o desenvolvimento dos dentes. Temos dois conjuntos de dentes: o primeiro, de dentes de leite, chega ao seu ponto máximo em torno dos 6 ou 7 anos, quando começam a cair e são substituídos pelos permanentes. É também nessa época, por volta dos 6 anos de idade, que a maioria das crianças começa sua educação formal.

O outro fenômeno é a criação de um triângulo em que a mãe é um objeto sexual para o pai e para o filho, ou o pai, um objeto sexual para a mãe e a filha. Quando isso acontece, como invariavelmente observamos em nossa cultura, temos de lidar com o ciúme e a hostilidade de um genitor pelo filho. Pode ser natural que o menino sinta certo ciúme do relacionamento sexual do pai com a mãe. Esse ciúme de modo nenhum ameaça o pai. Entretanto, a história é muito diferente quando é o pai que se torna ciumento do filho porque pressente que sua esposa favorece ou prefere o menino. Essa situação está repleta de perigos reais para a criança. Da mesma forma, o ciúme da mãe pela filha impõe uma ameaça grave à criança. Esse aspecto do complexo de Édipo é determinado culturalmente. Nesse sentido, segundo Fenichel, "o complexo de Édipo é, sem dúvida, produto da influência familiar".[8] Portanto, sua forma específica dependerá da dinâmica da situação familiar.

Outro elemento — a saber, a culpa sexual — também entra nesse complexo. Embora todos os interessados estejam no mesmo triângulo, a criança é levada a sentir-se culpada por seus comportamentos, sentimentos e sensações sexuais. Ela age de forma inocente, seguindo seus impulsos instintivos, mas aos olhos dos pais qualquer manifestação sexual é "má", "suja", "pecaminosa". Estes projetam sua culpa sexual no filho. Assim, o complexo de Édipo da criança costuma refletir os conflitos edipianos ainda não resolvidos de seus pais. O sentimento de culpa do filho a respeito de sua sexualidade deriva menos do que dizem ou fazem e mais, como assinala Fenichel, "da atitude geral dos pais com respeito ao sexo, que é constantemente demonstrada por eles, com ou sem seu conhecimento".[9]

Entretanto, essa afirmação só localiza o problema na geração precedente. Para entendermos como essa culpa surgiu pela primeira vez, devemos estudar a origem das forças culturais que criaram a situação edípica. Em capítulo subsequente, empreenderemos esse estudo analisando a mitologia e a história da Grécia antiga. Podemos antecipar o resultado dessa investigação dizendo que o medo e a hostilidade entre pais e filhos, bem como a culpa sexual, são resultado da mudança do princípio de relacionamento matriarcal para o patriarcal. Essa mudança se deu no início da civilização, quando a humanidade

Medo da vida

passou a ter poder sobre a natureza. A aquisição de poder levou a uma luta por ele, que prossegue ainda hoje em todas as sociedades "civilizadas".

Por fim, o complexo inclui também uma raiva assassina por parte da criança em relação ao genitor do mesmo sexo. O filho quer matar o pai, mas tem mais medo de ser morto por ele. Devido ao medo intenso, a raiva é suprimida e só emerge em desejos de morte contra o genitor ou como medo de que este morra ou seja morto num acidente. No final, a criança é levada a sentir-se culpada por sua hostilidade em relação ao genitor.

A postura freudiana tem sido a de que a raiva e a hostilidade da criança contra o pai ou a mãe estão diretamente relacionadas e associadas a seus desejos incestuosos. Assim, escreve Erik Erickson,

> os desejos "edipianos" (expressos com simplicidade e confiança pela certeza do menino de que se casará com a mãe e a fará sentir-se orgulhosa dele, e pela certeza da menina de que se casará com o pai e tomará conta dele muito melhor) levam a fantasias secretas e vagas de assassinato e estupro. A consequência destas é uma profunda sensação de culpa, sensação estranha porque implicará para sempre que a pessoa cometeu um crime que, afinal de contas, não foi cometido e que teria sido biologicamente impossível. Essa culpa secreta, contudo, ajuda a dirigir todo o peso da iniciativa para ideais desejáveis e objetivos práticos imediatos.[10]

Essa colocação defende a ideia de que o complexo de Édipo não é biologicamente determinado, mas é essencial ao contínuo progresso da cultura. Não parece estranho que sentimentos e sensações tão adoráveis por parte de uma criança em relação a seu genitor possam levar a "fantasias secretas e vagas de assassinato e estupro"? Para mim, faz mais sentido supor que só depois de a criança ser levada a sentir-se culpada por seus desejos incestuosos é que as fantasias secretas de assassinato e estupro emergem.

Essa era também a visão de meu professor, Wilhelm Reich. Em seu estudo *Der Triebhafte Charakter* [O caráter impulsivo], publicado em 1925, enquanto ainda era membro do movimento psicanalítico, escreve:

> A fase edípica está entre as mais significativas da experiência humana. Sem exceção, seus conflitos encontram-se no cerne de toda neurose e mobilizam fortes sentimentos de culpa [...] Esses sentimentos de culpa dão

origem, com particular intensidade, a atitudes de ódio, as quais compõem o complexo de Édipo.[11]

Observe-se que o ódio é derivado da culpa, e não o contrário. Reich também tinha uma visão diferente do significado dos sentimentos de culpa. Erickson considerava-os motores do progresso cultural. Para Reich, decorriam de uma educação familiar repressora do sexo, cuja função era "assentar o fundamento para uma cultura patriarcal autoritária e para a escravidão econômica".[12]

Depois de delinearmos o complexo de Édipo, desdobraremos, a seguir, seu destino sobre a personalidade. Como são resolvidos os conflitos nele contidos? Se fosse simplesmente uma questão dos sentimentos e sensações sexuais de uma criança por seu pai ou mãe, estes, por serem de natureza infantil, seriam superados no decurso do crescimento natural. Nenhuma criança mantém os dentes de leite para sempre. Eles são forçados a cair pelos dentes permanentes, quando estes emergem. Deveria ocorrer o mesmo com as sensações sexuais infantis. Com a consolidação da sexualidade madura na puberdade, o jovem dirigiria suas sensações sexuais para objetos externos à família. Infelizmente, em nossa cultura, esse desenvolvimento natural não ocorre sem distúrbios. As sensações sexuais infantis estão demasiado mescladas aos sentimentos de culpa, medo e ódio para que ocorra uma resolução tão simples. O complexo todo é reprimido.

A repressão do complexo de Édipo acontece sob a ameaça de castração. Nesse aspecto, tanto Freud quanto Reich estão de acordo. Devido ao medo de castração, o menino desiste de seu esforço para se aproximar sexualmente da mãe e de sua hostilidade contra o pai. Freud diz especificamente que "o complexo de Édipo do menino sucumbe à terrível ameaça da castração".[13] A criança teme que seu pênis venha a ser cortado ou levado. Quando ela é ameaçada de punição por se masturbar, com frequência essa ameaça aos genitais é explicitamente declarada. Porém, mesmo quando nenhum dos genitores faz uma ameaça tão aberta, o medo da castração está presente. O menino tem consciência de que está competindo com o pai e consegue sentir a hostilidade dele. Uma vez que o pênis é o órgão ofensor, nada mais natural do que supor que será lesionado ou decepado. A castração humana foi praticada no passado. As pessoas perdiam as mãos se roubassem. Não é difícil entender por que os meninos desenvolvem essa imagem de ameaça de punição. Muitas pessoas têm típicos sonhos de ansiedade a respeito dessa possibi-

Medo da vida

lidade. Um de meus pacientes relatou um desses sonhos de sua juventude. Sonhou que seu pênis tinha se alongado, passado pela janela, descido pela frente do edifício, cruzado a rua e subido pela frente de outro edifício do lado oposto para entrar por uma janela. Nessa rua havia os trilhos de um bonde. No exato momento em que seu pênis estava prestes a entrar pela janela, ele ouviu o ruído metálico de um bonde que se aproximava. A toda pressa, tentou recolher seu órgão de volta para seu quarto antes que o bonde passasse por cima, quando então acordou.

Eu poderia propor outra hipótese para explicar por que todos os meus pacientes têm medo de castração. Qualquer hostilidade que um genitor dirija contra um filho devido à sua sexualidade produzirá no assoalho pélvico da criança uma retração para cima e uma contração. A hostilidade causará esse efeito, mesmo que assuma a forma de um olhar de ódio. E, enquanto a criança estiver assustada em relação ao pai, a tensão no assoalho pélvico permanecerá. Uma vez que tensão e medo são equivalentes, a contração do assoalho pélvico está associada ao medo de prejudicar os genitais. A pessoa não terá consciência do medo se não estiver consciente da tensão. Nesse caso, o temor da castração pode ser expresso em sonhos ou atos falhos. Contudo, o uso de técnicas corporais que ajudem o paciente a tomar consciência da tensão costuma trazer esse medo à consciência.

Minhas pacientes também sofrem de medo da castração, experimentado como medo de lesão na área genital. No entanto, na maioria dos casos, esse medo não é consciente, e pode ser necessário um considerável trabalho analítico e corporal antes que a pessoa se permita senti-lo. Em geral, é mais fácil para o paciente experimentar a hostilidade de um genitor como ameaça à vida. Tais ameaças, devido ao medo que evocam, funcionam como ameaças de castração. Além disso, as meninas são envergonhadas e humilhadas por quaisquer expressões ostensivas de sentimentos e sensações sexuais, sobretudo se dirigidas ao pai. Já que o medo da humilhação produz uma supressão da sexualidade, age como uma ameaça de castração.

A arma mais eficiente que um pai ou uma mãe tem para controlar seu filho é a retirada do amor ou a ameaça disso. Uma criancinha entre 3 e 6 anos é demasiado dependente do amor e da aprovação dos pais para resistir a essa pressão. Como vimos, a mãe de Robert o controlava "excluindo-o". A mãe de Margaret batia nela para submetê-la, mas foi a perda do amor do pai que a devastou. Sejam quais forem os meios empregados pelos pais, o resultado é que a criança se vê forçada a desistir de seus anseios instintivos, a suprimir seu desejo sexual por um dos genitores e a hostilidade dirigida contra o outro. No lugar desses sentimentos, desenvolverá culpa por sua sexualidade e medo das figuras de autoridade. Essa rendição constitui a aceitação do poder e da autoridade dos pais e uma submissão aos valores e às exigências destes. A criança torna-se "boa", o que quer dizer que abandona sua inclinação sexual em favor de uma orientação para as realizações. A autoridade parental é introjetada na forma de superego, assegurando que a criança obedecerá aos seus desejos no processo de aculturação. Com efeito, a criança passa a identificar-se com o genitor ameaçador. Freud diz: "Por um lado, o processo todo preserva o órgão genital, protegendo-o do perigo de ser eliminado; por outro, paralisa-o, retira dele sua função".[14]

A eficaz supressão dos sentimentos e sensações associados ao complexo de Édipo conduz ao desenvolvimento do superego. Conforme vimos, essa é uma função psíquica que representa as proibições parentais internalizadas. Mas, embora esse processo tenha sido adequadamente descrito na literatura psicanalítica, pouco se fala sobre o fato de que essa supressão de sentimentos e sensações acontece no corpo. O mecanismo para essa supressão é o desenvolvimento de tensões musculares crônicas, que bloqueiam os movimentos que expressariam tais sentimentos e sensações. Se, por exemplo, o indivíduo quer suprimir o choro porque tem vergonha de chorar, tensionará os músculos da garganta para impedir que os soluços sejam expressos. Poderíamos dizer que o impulso foi sufocado ou que ele "engoliu o choro". Nesse caso, ele tem consciência do sentimento de tristeza ou da vontade de chorar. Contudo, se o não chorar tornar-se parte de seu caráter (só bebês choram), as tensões nos músculos de sua garganta ganharão características crônicas e passarão para o nível da inconsciência. Um indivíduo assim pode vangloriar-se de que não chora quando é magoado, mas o fato é que não conseguiria chorar mesmo que o desejasse, porque a inibição tornou-se estruturada em seu corpo e está agora fora do controle consciente. A incapacidade para chorar é comumente encontrada nos homens que se queixam de falta de sentimentos ou sensações. Eles talvez estejam deprimidos e reconheçam que estão infelizes, mas são incapazes de expressar sua tristeza.

Mecanismo semelhante funciona na supressão de sentimentos e sensações tanto sexuais quanto de outra natureza. Encolhendo a barriga, retraindo o assoalho pélvico e imobilizando a pelve, consegue-se reduzir o fluxo de

Medo da vida

sangue para os órgãos genitais e bloquear os movimentos sexuais naturais da pelve. Primeiramente isso é feito com consciência, tensionando os músculos apropriados. Porém, com o tempo, a tensão passa a ser crônica e sai da esfera da consciência. Em certos casos, a tensão é tão grave que a pessoa não tem consciência de nenhuma sensação sexual. Tenho em terapia uma paciente incapaz de ter qualquer desejo sexual, apesar de querê-lo muito. Em outros casos, o efeito da tensão é reduzir o montante de sensações sexuais que a pessoa consegue experimentar. Nestes, podemos encontrar as proibições do superego contra sentir e expressar desejos sexuais. Os determinantes psíquicos e somáticos do comportamento são funcionalmente idênticos. Entretanto, sem uma atuação sobre o componente somático, não se pode modificar eficientemente o caráter.

Em termos gerais, sensação é percepção do movimento. Se mantivermos o braço absolutamente imóvel por alguns minutos, perderemos a sensibilidade dele, não o sentiremos mais. O leitor pode experimentar essa perda da sensação deixando que seu braço fique pendurado ao lado do corpo, sem nenhum movimento, por cerca de cinco minutos. Acontece o mesmo quando colocamos um chapéu: por alguns minutos, temos consciência de estar usando o acessório; porém, se ele não se mexer, essa percepção desaparece e nos esquecemos dele. Mas nem todos os movimentos provocam sensação. A percepção é necessária; se nos mexemos durante o sono, não há sensação. Contudo, sem movimento, não há nada a ser percebido. Uma vez que a supressão de sensações é fruto de tensões musculares crônicas que imobilizam o corpo, o indivíduo não consegue perceber uma sensação suprimida. Ele poderá, pela lógica, saber que sensações são suprimidas, mas não conseguirá senti-las nem percebê-las. Pelo mesmo motivo, o caráter estruturado no corpo como tensão crônica não passa pela nossa percepção consciente.

Um observador pode notar as tensões e, se tiver treino, interpretá-las para compreender a pessoa e sua história. O comentário "não nos vemos como os outros nos veem" é verdadeiro, porque nossos olhos estão voltados para fora. "Vemo-nos" subjetivamente, ou seja, por meio das sensações, enquanto os outros nos veem objetivamente, por meio da visão. Assim, um observador consegue ver, pelo modo como nos colocamos (lábio superior contraído, queixo protuberante, garganta tensa), que não podemos nos permitir uma entrega ao choro. Sentimos apenas que não temos vontade de chorar. A mesma coisa acontece em termos de sexualidade. A maneira como nos colocamos expressa nossa relação com ela. Se a pelve está inclinada para trás, mas solta e com movimento de balanço, isso denota uma forte identificação do indivíduo com a própria sexualidade. Se estiver empinada para a frente (rabo entre as pernas) e mantida com rigidez, expressa a atitude oposta. Somos o nosso corpo e ele revela quem somos.

Tanto Freud quanto Fenichel afirmavam que a neurose resultava de uma repressão inadequada do complexo de Édipo. Sua persistência, segundo supunham, fixava a pessoa num nível infantil do desenvolvimento sexual. Estamos acostumados a ver homens que moram com a mãe e não são casados, nem têm uma vida sexual regular. Sua vida parece realmente ter uma natureza infantil. A maioria das pessoas percebe o relacionamento incestuoso entre mãe e filho, exceto as duas pessoas em questão. O homem negaria enfaticamente que tenha qualquer tipo de sensação ou de interesse sexual pela mãe. Eu acreditaria nele. Ele suprimiu todo desejo sexual por ela e reprimiu as lembranças de sensações que possa ter tido. Sua culpa não lhe permitiria permanecer nessa situação se ele tivesse algum sentimento sexual consciente pela própria mãe. Está "amarrado" nela, não por causa de uma repressão inadequada, mas porque a repressão foi grave demais. Não lhe restou sensação sexual nenhuma com a qual sair para o mundo na qualidade de homem. Uma supressão tão profunda de sensações sexuais só pode ser explicada admitindo que houve uma ligação incestuosa igualmente intensa durante o período edipiano.

A repressão do complexo de Édipo ajuda a criança a avançar para o período de latência. Teoricamente, isso lhe permite investir suas energias no mundo exterior, mas, como acabamos de ver, se a repressão for severa, essa saída é muito limitada. A postura freudiana coloca um verdadeiro dilema, apontado por Fenichel: "Superficialmente, nenhuma ligação sexual é completamente atraente porque a parceira nunca é a mãe; num nível mais profundo, toda ligação sexual deve ser inibida porque toda pessoa representa a mãe".[15] Dada a repressão do complexo de Édipo, é impossível para o indivíduo obter satisfação; o máximo que ele pode esperar é encontrar um lugar no mundo, fazer seu trabalho, casar-se, ter uma família. A neurose, para Freud, representava uma incapacidade de funcionar normalmente na sociedade. Ele reconhecia que a civilização exigiu um preço, impôs restrições ao indivíduo e criou insatisfação. Se, em nível individual, o preço foi alto demais, as restrições por demais severas, o descontentamento enorme, ali esta-

Medo da vida

va a psicanálise para ajudar a pessoa a conquistar força de ego suficiente para adaptar-se com mais êxito.

Freud achava que só reprimindo o complexo de Édipo é que se poderia evitar o destino de Édipo. Mas, como vimos, isso não funciona. Os conflitos edipianos não são resolvidos pela repressão. São apenas enterrados no inconsciente, onde atuam como destino para controlar o comportamento humano. Reich diz:

> Quando Freud afirmava que o complexo de Édipo desaparecia em consequência da ansiedade de castração, precisamos acrescentar o seguinte: é verdade que desaparece, mas surge renovado na forma de reações de caráter que, por um lado, perpetuam seus traços principais de maneira distorcida e, por outro, são formações reativas contra seus elementos básicos.[16]

Concordo com Reich. O complexo de Édipo desaparece como fenômeno consciente por meio da repressão, mas depois se torna ativo no inconsciente. Assim, a pessoa se casará com alguém que, superficialmente, é o oposto de seu genitor, mas depois, movido pelo complexo, tratará o cônjuge como se fosse ele. Outro resultado é a demonstração superficial do devido respeito e amor filial ao genitor do mesmo sexo, enquanto, em seu íntimo, se oculta uma grande hostilidade. Na realidade, conforme explicarei em seguida, todo menino se casa com a mãe e toda menina se casa com o pai. E, embora não matemos literalmente o genitor, como fez Édipo, nós o fazemos psicologicamente, pelo ódio em nosso coração. Meu argumento é o de que a repressão do complexo de Édipo garante que, em nível psicológico, a pessoa tenha o mesmo destino que Édipo.

2. Destino e caráter

O FUNCIONAMENTO DO DESTINO

Conheço bem a história de Édipo há muito tempo, mas recentemente a retomei com renovado interesse devido ao papel que o destino desempenha no mito. Considere-se que tanto Laio, o pai, quanto Édipo, o filho, consultaram o oráculo em ocasiões distintas e foram informados do mesmo destino, e que ambos tomaram providências para evitá-lo. Laio amarrou o filho a uma estaca, no meio do campo, para que morresse; Édipo saiu de Corinto para evitar matar o pai. No entanto, a despeito dos esforços para evitar seu destino, a predição do oráculo tornou-se realidade. A pergunta que me veio à mente foi: isso só aconteceu porque eles tentaram evitar seu destino? Essa pergunta impressionou-me com certa força, já que, há algum tempo, tomei consciência de que um dos aspectos do caráter neurótico é a incapacidade do indivíduo de aceitar a si mesmo. Percebi que ele luta para evitar um destino temido, mas o próprio esforço por ele despendido assegura a sina da qual busca escapar.

Suponhamos, por exemplo, que Laio tivesse aceitado o seu destino, tal como o oráculo o profetizara. A história teria sido diferente? (Essa aceitação poderia fazer parte de uma atitude religiosa. Se esse é o desejo dos deuses, então que seja.) Se Laio tivesse criado Édipo como seu filho, então pelo menos um dos incidentes da história poderia não ter ocorrido. Laio não teria sido um estranho para seu filho e, portanto, não seria assassinado num encontro casual na estrada. Se Édipo houvesse acatado seu destino e permanecido em Corinto em obediência ao desejo dos deuses, talvez não houvesse se casado com a mãe. Os "se" podem mudar uma história, mas é justamente pelo modo como as coisas aconteceram que temos uma descrição significativa da experiência humana.

Freud tinha uma sensação semelhante a respeito da história de Édipo segundo a dramatização feita por Sófocles em sua peça teatral *Édipo rei*. Diz ele:

Édipo rei é uma tragédia do destino. Seu efeito trágico depende do conflito entre a vontade todo-poderosa dos deuses e os inúteis esforços dos seres humanos, ameaçados de desastre. A resignação à vontade divina e a percepção da própria impotência, eis a lição que se espera seja aprendida pelo espectador que for profundamente tocado.[17]

Apesar disso, o próprio Freud não estava preparado para aceitar a inevitabilidade do destino. Ele acreditava que, "embora o oráculo tenha rogado contra nós a mesma praga", evitaremos o destino de Édipo reprimindo sensações, sentimentos e recordações associados a nossos desejos infantis incestuosos. Porém, como demonstrarei, a repressão vincula o indivíduo à situação traumática e o programa para repeti-la posteriormente na vida.

A ideia de que a tentativa de escapar ao destino só serve para torná-lo mais certeiro é ilustrada na epígrafe do famoso romance *Encontro em Samarra*, de John O'Hara. Um criado, enviado pelo patrão para comprar provisões num mercado em Bagdá, retorna aterrorizado. Tinha levado um empurrão de alguém na multidão e, quando se voltou, viu que era a Morte, aparentemente ameaçando-o. O criado implora ao patrão um cavalo para fugir até Samarra, a fim de evitar seu destino. O patrão lhe dá o cavalo e o criado parte a toda pressa. O patrão vai ao mercado, onde vê a Morte. Ele se aproxima e lhe pergunta por que ela havia ameaçado seu empregado. Diz a Morte: "Eu não o ameacei. Meu braço ergueu-se em surpresa por vê-lo aqui em Bagdá, pois tenho um encontro marcado com ele hoje à noite em Samarra".

Costumamos dizer que o destino surpreende ou prega peças. Tenho afirmado que tais tentativas de fugir do destino garantem que ele se torne realidade. *Garantir*, porém, pode ser um termo muito forte. *Convidar* parece mais apropriado. Por exemplo, se alguém sai andando por aí com uma sujeirinha no ombro, com certeza alguém tentará tirá-la com os dedos. Certas atitudes naturalmente convidam determinadas reações por parte dos outros. Eis aqui um exemplo clínico simples. Tive uma paciente que reclamava de nunca "conseguir um homem". Todos os seus relacionamentos eram temporários. Certo dia, no meio de uma sessão, ela comentou: "Minha mãe sempre me dizia: 'Nenhum homem vai querer você'". Era como se sua mãe lhe tivesse rogado uma praga que determinara seu destino, pois ela atingira a meia-idade sem ter encontrado alguém que se comprometesse com ela. Porém, minha paciente desempenhava um papel ativo, embora inconsciente, na criação de

Medo da vida

seu destino. Acreditando no que a mãe lhe dissera, agarrava-se com unhas e dentes a qualquer homem que demonstrasse interesse por ela. Ela não o fazia de modo óbvio, mas sendo muito atenciosa e prestativa. Contudo, o resultado era sempre o mesmo, visto que ela não conseguia ocultar seu desespero. O homem ficava desconfiado da armadilha e se afastava. Assim, a profecia materna parecia se realizar.

Existe outra maneira de ver o funcionamento do destino. As defesas que erguemos para nos proteger criam a mesma situação que tentamos evitar. Assim, quando alguém constrói um castelo para proteger sua liberdade, acaba prisioneiro de sua obra porque não ousa mais sair de lá. Da mesma maneira, não se pode assegurar a paz estocando armas, porque os exércitos, pela própria natureza, provocam a guerra. Esse conceito é especialmente ostensivo nas defesas psicológicas que as pessoas desenvolvem. Por exemplo, aquele que, movido pelo medo da rejeição, defende-se não se abrindo nem indo ao encontro dos outros isola-se e garante, por meio dessa manobra, que sempre se sentirá rejeitado. Ninguém que esteja constrangido a uma posição defensiva está livre. Isso vale para o caráter neurótico, que ergue muros psicológicos e se blinda com uma couraça muscular para se proteger de possíveis mágoas, somente para descobrir que a tão temida dor está, por esse próprio processo, trancada em seu ser.

Tive um paciente que fora humilhado pelo pai quando criança porque não era suficientemente forte ou atlético para competir com os primos. Ele tinha medo do pai e também dos garotos durões da vizinhança. Em decorrência disso, sentia-se um covarde. Para superar essa sensação, deu início a um treino frenético de condicionamento físico. Desenvolveu os músculos até o exagero, chegando inclusive a dar a impressão de ser um homem forte. Porém, isso o transformou num feixe de músculos — com ênfase na palavra *feixe*. Estava tão atado que não conseguia se expressar. Ele não sabia relacionar-se com as pessoas. Junto dos outros, sentia-se pouco à vontade e humilhado porque não tinha o que dizer. Assim, a humilhação que experimentava quando criança persistiu na vida adulta. Queixava-se de uma falta de sensações, mas havia suprimido todas elas no esforço de superar seu medo. Somente aceitando esse medo e demonstrando sua tristeza ele poderia se tornar uma pessoa de verdade na relação com os demais. Foi nisso que a terapia o auxiliou. A tentativa de superar um problema de personalidade negando-o ("não vou ficar com medo") apenas o internaliza e garante sua manutenção.

Não obstante, não tentamos todos superar nossos temores, fraquezas e culpas? Mobilizamos nossa vontade na tentativa de ultrapassar os obstáculos interiores que nos impedem de realizar nossos sonhos. Dizemos: "Onde há vontade, há um caminho". Com força de vontade suficiente, pode-se praticamente fazer o impossível. A vontade é poderosa no agir, no desempenhar, mas não pode nos modificar internamente. Nossos sentimentos não estão submetidos à nossa vontade. Não podemos mudá-los por ações conscientes, mas podemos suprimi-los. Contudo, a supressão de um sentimento não o faz desaparecer; só o empurra mais para baixo, mais fundo, até a inconsciência. Com essa manobra, internalizamos o problema. Torna-se então necessária a terapia, que, trazendo o conflito de volta à consciência, permite que este seja trabalhado de maneira não neurótica. No caso do paciente musculoso, isso significava tornar-se consciente do fato de que ele tinha medo de dizer a seu pai: "Não desejo competir. Não quero ser o que você quer". Depois de suprimida sua revolta, ele nada mais tinha a declarar.

Minha tese é a de que não se pode superar um problema que faz parte da personalidade. A noção central dessa ideia é *superar*: a tentativa de fazer isso leva uma parte do próprio indivíduo a voltar-se contra a outra; o ego, por meio da vontade, se arma contra o corpo e suas sensações. Em vez da harmonia entre esses dois aspectos antitéticos da natureza humana, cria-se um conflito que, em última instância, destruirá o indivíduo. Isso é o que todos os neuróticos fazem, aprisionando-se ao destino que estão tentando evitar. A alternativa, o caminho saudável, encontra-se no entendimento, que conduz à autoaceitação, à autoexpressão e ao autodomínio.

Existem, portanto, duas formas pelas quais programamos nosso destino. A primeira: por nossas atitudes e comportamentos — ou seja, por nosso caráter — convidamos os outros a dar determinadas respostas. Se, movidos pelo medo de ser rejeitados, nos mantivermos alheios e retraídos, não deveremos nos surpreender se as pessoas se mantiverem distantes. Ou, se somos paranoicos, nossa desconfiança antagonizará as pessoas e experimentaremos sua hostilidade. A segunda: perpetramos, em nosso interior, o destino que tememos. Criamos uma condição de vazio interior suprimindo nossas sensações; aprisionamo-nos com tensões que se desenvolvem como resistência à entrega, motivada pelo medo de sermos aprisionados. Entretanto, esses dois caminhos de programação do destino não estão desvinculados. Quem se sente vazio dentro de si vive relacionamentos e envolvimentos vazios de sig-

Medo da vida

nificado. Quem se sente prisioneiro de si mesmo realmente cai nas malhas da vida. A situação externa precisa corresponder à condição interna. Um prego quadrado não encaixa num furo redondo. Em termos gerais, todos encontram seu cantinho no mundo. Claro que também é verdade que, embora possa parecer uma contradição, a situação exterior produz a situação interior. Por meio de sua influência sobre a família, a cultura molda o caráter das crianças. Se vivemos num mundo alienado, tornamo-nos alienados de nosso corpo e de nós mesmos.

Compreender a ligação entre a condição interna e a situação externa é essencial para entendermos a natureza e o destino humanos. As pessoas ficam extremamente incomodadas quando se percebem em situações diferentes daquelas a que estão acostumadas. Vista um pedinte com roupas de grife e ele não saberá como se comportar. O inverso é igualmente verdadeiro. Somos criaturas de hábitos; nosso corpo e comportamento tornam-se estruturados pelas situações, dificultando nossa adaptação a contextos diferentes. Independentemente da forma como nascemos, é o modo como fomos criados que determina nosso destino e nossa sorte. Por exemplo, as crianças que crescem com uma TV em casa não conseguem viver sem ela, pois se tornaram habituadas a esse tipo de estímulo.

Mudar o caráter neurótico é a tarefa terapêutica essencial e a mais difícil. O caso de Sam é um bom exemplo. Ele tinha quase 30 anos, seu casamento acabara de terminar e ele estava um pouco deprimido. O divórcio fora mutuamente desejado. Sam sentia que sua esposa era muito dependente; ela se queixava — foi o que ele me contou — de seu alheamento e sua indisposição para compartilhar com ela os sentimentos. Sam admitia que tinha dificuldade de demonstrar ou expressar sentimentos. Em outras áreas da vida, era muito bem-sucedido.

Em nível caracterológico, a estrutura de Sam poderia ser descrita como rígida. Seu corpo, apesar de bem definido, era tenso. Seu pescoço, relativamente inflexível; suas pernas, duras. Apesar de tais desvantagens, tinha boa coordenação e era competente em diversos esportes. Sua rigidez representava uma necessidade de manter-se firme para evitar um colapso, afastar o desamparo e a dependência. No casamento, assumiu o papel de forte e, inconscientemente, convidou a esposa a depender dele. Ao mesmo tempo, ressentia-se dessa dependência. Tinha de estar no controle de todas as situações como estava no controle de si mesmo, embora soubesse que essa atitude era contraproducente. Ele precisava aprender a se soltar e deixar transparecer seus sentimentos e sensações.

Sam abordou o problema de se soltar como abordava qualquer outra tarefa. Ele a mentalizava e depois tentava fazer o que lhe era pedido. Não deu certo. Não é assim que alguém consegue se soltar. Quanto mais ele tentava mentalizar isso tudo, mais tenso seu corpo ficava. Até mesmo o trabalho corporal para reduzir a tensão sofreu do mesmo dilema. Ele executava os exercícios bioenergéticos como se estivesse tentando dominar uma nova habilidade. O resultado foi que ele teve poucas sensações, embora suas pernas tenham vibrado um pouco. Sam estava caracterologicamente dirigido para a realização de coisas, mas soltar-se não é algo que se possa realizar. Antes que uma sensação genuína pudesse emergir, ele teria de abandonar sua necessidade de realizar coisas ou de ser forte.

Escolhi esse caso para mostrar a dificuldade da terapia. O paciente age inconscientemente para derrotar o empreendimento terapêutico. Chamamos isso de resistência, mas, na verdade, nada mais é do que sua estrutura de caráter.

Eis aqui outro breve exemplo. Uma mulher sofria de ansiedade grave, que procurava mitigar encontrando um homem que a protegesse e cuidasse dela. Para atingir esse objetivo, era sexualmente sedutora e, por ser atraente, acabou se envolvendo com muitos parceiros. Todos os seus relacionamentos terminavam com ela se sentindo traída e usada. Sua ansiedade continuava a aumentar. Acrescento que a relação terapêutica anterior culminou num envolvimento sexual entre ela e o terapeuta.

O pai de Mary morreu quando ela tinha 7 anos. Ele fora seu apoio. Em todos os seus relacionamentos posteriores, ela procurou outro pai. Uma vez que o terapeuta tenta fornecer uma medida de apoio para seus pacientes perturbados, é fácil entender que um terapeuta do sexo masculino seja visto como seu pai substituto. Assim que Mary consolidou sua transferência, ficou emocionalmente envolvida com o profissional. Sentia que precisava dele e tinha medo de que ele morresse, fosse embora ou não estivesse mais disponível para ela. O principal esforço de Mary era no sentido de garantir que ele se interessasse por ela. Assim, ora ela se apresentava sedutora, ora punha o profissional à prova. Desnecessário dizer que suas manobras só faziam aumentar sua ansiedade. Seu esforço por obter segurança solapava as bases de sua segurança.

Medo da vida

Problemas dessa natureza não podem ser solucionados enquanto sua vinculação com a situação edipiana não for identificada e trabalhada. A necessidade de Sam de ser forte e atingir objetivos derivava de sua sensação de inferioridade diante do pai naquela situação e de sua determinação de provar que era homem. Porém, a necessidade de provar a própria masculinidade reforça a sensação interior de inadequação e aprisiona o indivíduo. Mary estava tentando encontrar um pai que aceitasse suas sensações sexuais. Queria ser mulher e criança ao mesmo tempo, o que tornava praticamente impossível um relacionamento real com um homem.

Lutar contra o destino só emaranha o indivíduo ainda mais em seus meandros. Como um animal apanhado numa rede, quanto mais se debate, mais preso fica. Isso quer dizer que estamos fadados, sem saída? Só não temos escapatória quando lutamos contra nós mesmos. A principal vantagem da terapia é ajudar o paciente a parar de lutar contra si próprio. Essa é uma luta autodestrutiva que esgotará sua energia e não o levará a nada. Muitas pessoas querem mudar. Isso é possível, mas precisa começar pela autoaceitação. A mudança faz parte da ordem natural. A vida não é estática; está constantemente evoluindo ou involuindo. Não é preciso fazer nada para crescer. O crescimento acontece natural e espontaneamente quando a energia está disponível. Porém, quando usamos nossa energia numa luta contra nosso caráter (destino), nada nos resta para crescer nem para o processo de cura natural. Descobri que, tão logo o paciente se aceita, ocorre uma significativa alteração em seu comportamento, em seus sentimentos e em sua personalidade.

A cura natural é inerente à estrutura e à função do organismo vivo. Um dedo cortado cicatrizará, um osso fraturado se recomporá, uma infecção será espontaneamente sanada. Corpos não são como bolhas que, quando estouram, não podem ser regeneradas. Dentro de seus limites, seu destino é restaurar sua integridade e manter seu processo contra traumas e lesões oriundos do ambiente. Isso deveria valer também para traumas e lesões emocionais que vivenciamos na infância. Por que a neurose não sara espontaneamente, como qualquer outro mal-estar ou distúrbio? A resposta é que a pessoa neurótica interfere em seu processo de cura. Ela fica o tempo todo cutucando a ferida. Com sua defesa ou resistência, mantém viva a lesão. É isso que significa ser neurótico e é por isso que podemos definir a neurose como uma luta contra o destino.

Essa ideia de destino nunca esteve muito longe da consciência de Freud. Ele comentou a respeito de algumas pessoas: "A impressão que dão é a de ser perseguidas por algum destino maligno, ou possuídas por um poder extrínseco, mas a psicanálise sempre defendeu a opinião de que, em geral, seu destino é consolidado por si mesmas e determinado pelas primeiras experiências infantis".[18] Freud ilustrava isso com alguns casos: o do benfeitor cujos protegidos invariavelmente o abandonavam e "que, assim, parecia fadado a amargar todo o travo da ingratidão"; o do homem regularmente traído pelos amigos; e o do amante cujos casos amorosos sempre terminavam do mesmo jeito. Ele inclusive menciona o caso de uma mulher cujos três maridos tiveram de ser cuidados por ela quando cada um esteve no leito de morte.

Freud acreditava que tais observações indicavam a existência de uma "compulsão à repetição — algo que parece mais primitivo, mais elementar, mais instintivo do que o princípio do prazer".[19] Ele chamava essa compulsão de "instinto de morte", que via como "inerente à vida orgânica para restaurar um estado primevo de coisas".[20] Existe muito em comum entre instinto e destino. Ambos podem ser descritos como forças cegas inerentes à natureza das coisas. Ambos têm o traço da inevitabilidade. Ambos são estruturados no organismo, seja genética ou caracterologicamente. Contudo, há uma diferença importante entre eles. O instinto descreve um ato ou uma força que promove o processo de vida. É um princípio ativo. Por exemplo, falamos de instinto de sobrevivência. O destino, por outro lado, é um princípio passivo. Descreve o modo como as coisas são.

Vimos que as pessoas nem sempre aprendem com a experiência, mas repetem padrões de comportamento autodestrutivos. Em minha opinião, tal comportamento reflete o funcionamento do destino, por ser uma manifestação do caráter e não a expressão de uma força instintiva. A distinção pode ser esclarecida usando-se a analogia do toca-discos e comparando a vida à música que sai dali. A força ativa é a eletricidade, que faz o motor funcionar e o toca-discos girar, permitindo que a agulha percorra os sulcos. Quando o disco chega ao fim, a música acaba — o equivalente à morte. Esta última não é uma compulsão, mas um estado do ser.

Nessa analogia, a compulsão à repetição pode ser vista como "o disco arranhado". A agulha fica sempre no mesmo sulco, girando em falso, repetindo as mesmas notas, porque não consegue ir adiante. Assim, a compulsão à

Medo da vida

repetição pode ser entendida como consequência de uma ruptura na personalidade, que fixa a pessoa em determinado padrão de comportamento que ela não consegue modificar. Porém, os seres humanos não são aparatos mecânicos. A compulsão à repetição pode ser também vista como uma tentativa da personalidade de retornar à situação em que permaneceu fixada, na esperança de algum dia se libertar. Contudo, enquanto existir essa ruptura, a agulha girará várias vezes no mesmo sulco e o padrão se repetirá interminavelmente. Esse é seu destino até que a ruptura seja sanada.

Em capítulo posterior, veremos que, quando a ruptura na personalidade é grave, dá margem ao aparecimento de um desejo de morte no indivíduo. Se o desejo for consciente, constitui uma intenção suicida. No entanto, em muitos casos, é inconsciente e restringe sobremaneira sua capacidade de ter uma vida plena. Tal desejo, apesar de estruturado em sua personalidade, não é instinto de morte, pois, na maioria dos casos, decorre de uma situação edipiana extremamente traumática. Em maior ou menor grau, essa situação rompe a unidade da personalidade do homem moderno. Sua vida é como um disco riscado, que repassa, sem cessar, os conflitos de sua situação edipiana. Eu arriscaria a hipótese de que a mulher que foi enfermeira de três maridos em seu leito de morte tinha estado em posição semelhante com o pai quando criança.

Ao descrever o complexo de Édipo, Freud revelou o dilema do ser humano moderno: seu sucesso é alcançado à custa de sua realização pessoal e seu poder sobre a natureza é obtido à custa de sua potência orgástica. Entretanto, enquanto Freud aceitava a inevitabilidade desse dilema e tentava justificá-lo biologicamente em termos do instinto de morte, eu vejo o mesmo dilema como produto da cultura e, portanto, sujeito a mudanças culturais. Enquanto essas mudanças não vêm, o aspecto central de qualquer esforço terapêutico é encontrar maneiras de lidar com esse dilema e com o conflito edipiano subjacente e ajudar a pessoa a encontrar mais satisfação na vida.

Poucos livros de psicologia são voltados para o problema edipiano hoje em dia. Não negam sua existência, mas simplesmente o ignoram. Com base na suposição de que podemos ser os donos de nosso destino, cada um deles oferece uma receita para uma boa vida. Dizem-nos *como fazê-lo*: como ser bem-sucedido, como ser ousado, como realizar o próprio potencial, como ser feliz etc. Em nível prático, os conselhos são sensatos para a maioria dos casos.

Porém, o efeito desses livros sobre a vida das pessoas é praticamente nulo. Os problemas do viver parecem aumentar em vez de diminuir. A tristeza não se atenua. Parece realmente que existe um destino maligno agindo e que a psicologia é incapaz de modificar um destino que está vinculado à situação edipiana da infância.

A NATUREZA DO DESTINO

Um dos temas deste livro é que o caráter determina o destino. Caráter refere--se ao modo típico, habitual ou "característico" de ser e comportar-se. Define um conjunto de respostas fixas, boas ou más, que independem de processos mentais conscientes. Não podemos modificar nosso caráter por meio da ação consciente. Ele não está sujeito à nossa vontade. Em geral, não temos nem consciência de nosso caráter porque ele se tornou parte de nós.

Assim como o caráter, o destino pode ser bom ou ruim. Não há nada na definição de destino que implique um valor negativo. Destino não é sinônimo de fatalidade. É verdade que o destino do homem é morrer, mas também é seu destino viver. O *Webster's new international dictionary* define destino como "o princípio, vontade ou causa determinante por meio da qual supõe-se que as coisas em geral venham a ser como são, ou que os acontecimentos venham a ocorrer tal como se dão; a necessidade da natureza". Os acontecimentos se dão devido às leis da natureza. Assim, não importa se chamamos de destino, lei da natureza ou Deus, com esses termos denotamos os acontecimentos que fazem parte de um processo que está além do controle do ser humano. Na mitologia grega, os destinos eram conhecidos como Moiras: Cloto (a Fiandeira), que tece o fio da vida; Láquesis (Provedora de Quinhões), que determina o comprimento do fio; e Átropos (Inflexível), que corta o fio da vida.

Neste livro, a palavra "destino" é usada como sinônimo de "sina" ou "fado", mas também tem uma acepção diferente, em que é sinônimo de "destinação" ou "meta". Nessa segunda acepção, "destino" se refere ao que a pessoa se torna, ao passo que, como sinônimo de "sina" ou "fado[21]", descreve o que a pessoa é. Os peixes estão destinados (ou fadados) a nadar como os pássaros a voar, mas dificilmente se pode dizer que esta seja sua meta.

Portanto, seria correto dizer que minha sina é ter nascido, assim como morrer, mas minha meta foi tornar-me psiquiatra. As duas primeiras condições são inerentes à natureza da vida, mas a terceira, não. Tornar-se um rei

Medo da vida

ou um escravo, um sucesso ou fracasso, pode ser algo predeterminado, mas certamente não é uma necessidade da natureza. O oráculo de Delfos não previu a meta de Édipo, que era a de desaparecer da Terra e encontrar morada junto aos deuses. Ele profetizou sua sina, que era a de matar seu pai e se casar com sua mãe. Conforme veremos posteriormente, essa é uma afirmação sobre a natureza das coisas. Em determinadas circunstâncias, é a sina de todos os seres humanos.

Uma das características do destino é sua previsibilidade. Aqueles de nós que não acreditam em destino ou em oráculos podem pensar que o futuro é imprevisível. Até certo ponto isso é verdade, mas na vida há mais previsibilidade do que a maioria das pessoas percebe. A predição é possível onde há estruturas, pois estas determinam a função e a ação. Esse é um conceito fácil de ilustrar. Devido à sua estrutura, um automóvel não pode voar como um avião. Pode-se, com toda segurança, predizer que rodará pelo solo. Como o corpo humano tem determinada estrutura, funciona de certas maneiras e não de outras. Embora possamos nadar debaixo d'água, não conseguimos respirar como os peixes, porque não temos guelras. Uma estrutura coloca limites, o que possibilita a predição. Assim, conhecendo a estrutura dos órgãos do governo, podemos predizer seu comportamento. Da mesma forma, seria possível predizer que, se as demais condições forem iguais, uma pessoa de uma perna só não pode correr tão depressa quanto uma que tem duas pernas. O número de exemplos é ilimitado. Uma vez que a estrutura determina o comportamento, cria o destino.

O elemento importante desse conceito é que se aplica igualmente a estruturas psíquicas e a estruturas de caráter. Se conhecemos a estrutura de caráter de alguém, podemos predizer seu destino. Tome-se o caso de uma pessoa com caráter masoquista, estruturado predominantemente como tensões crônicas nos músculos flexores.[22] Devido a tais tensões, é muito difícil para ela expressar sentimentos e sensações. Essas tensões são especialmente graves na garganta e no pescoço, bloqueando sobremaneira a emissão de sons. O padrão total é o de *contenção*, tanto física quanto psicológica. O resultado é que a pessoa tende a ser submissa. Sendo tal comportamento previsível, podemos dizer que seu destino é ser submissa.

Se o caráter determina o destino, precisamos saber como o caráter se desenvolve. Em 1906, Freud demonstrou que determinados traços de caráter podiam ser relacionados às experiências da criança em seu início de vida.

Segundo ele, avareza, pedantismo e meticulosidade eram resultantes de um programa de treino para o desfralde que fixava a criança na função anal.[23] Diferentes psicanalistas estabeleceram outras conexões entre traços de caráter e certas experiências envolvendo a vida instintiva da criança. Karl Abraham assinalou uma relação entre ambição e erotismo oral.[24] Esses estudos dizem respeito a traços de caráter específicos. A compreensão de um caráter como padrão total de respostas foi apresentada por Reich, em seu clássico trabalho *Análise do caráter*.[25] Ele descreveu o caráter como um processo de *formação da couraça* no nível do ego, a qual tinha a função de protegê-lo contra perigos internos e externos. Os perigos internos seriam os impulsos inaceitáveis; os externos, as ameaças de punição dos pais ou de outras figuras de autoridade por tais impulsos.

Posteriormente, Reich ampliou o conceito de couraça do caráter para o domínio somático. Neste, a couraça se expressa em tensões musculares crônicas, que constituem o mecanismo físico por meio do qual os impulsos perigosos são suprimidos. Essa couraça muscular é o lado somático da estrutura de caráter, que encontra sua contrapartida psíquica no ego. Uma vez que psique e soma são como os dois lados da mesma moeda, cara e coroa, o que acontece num domínio também se passa no outro. Podemos dizer que a couraça muscular é funcionalmente idêntica ao caráter psíquico. Portanto, pode-se ler o caráter de uma pessoa a partir da expressão de seu corpo. O modo como ela se coloca e se movimenta nos diz quem ela é. Reich disse que os diversos tipos de caráter precisavam ser mais sistematizados. Fiz isso em meu livro *O corpo em terapia*[26]. Nesse trabalho, demonstro como os diversos tipos de caráter se tornam estruturados no corpo por meio da interação com a situação familiar que o rodeia.

Em termos gerais, o caráter resulta do conflito entre a natureza e a cultura, entre as necessidades instintivas da criança e as exigências da cultura agindo por meio dos pais. Estes são os representantes da cultura e, nesse papel, têm a responsabilidade de inspirar em seus filhos os valores dela. Fazem exigências em termos de atitudes e comportamentos cujo objetivo é encaixá-los na família e na matriz social. A criança resiste às exigências porque estas constituem a domesticação de sua natureza animal. Portanto, ela deve ser "violada" para que se torne parte do sistema. Esse processo de adaptação da criança ao sistema viola seu espírito. Ela desenvolve um caráter neurótico e torna-se temerosa da vida.

Medo da vida

O caráter neurótico é a defesa do indivíduo contra a violação. Com efeito, ele diz: "Farei o que você quiser, serei o que você desejar. Não me machuque". Não percebe que tal submissão representa uma violação. Depois de formado, seu caráter neurótico constitui uma negação da violência sofrida, enquanto sua couraça muscular funciona como uma tala que não lhe permite sentir essa violação de seu espírito. É como fechar a porta depois de o cavalo ter sido roubado e acreditar que o animal ainda está lá dentro. Claro que a pessoa não ousa abrir a porta para descobrir a verdade. Depois, reprimindo as lembranças do acontecimento traumático, ela pode fingir que nada aconteceu e que não foi violada.

A repressão cristaliza o caráter numa estrutura, como um ovo que foi cozido ou um pudim que foi resfriado. Antes do ato da repressão, o caráter é lábil; ainda não endureceu nem formou uma estrutura rígida. Essa repressão ocorre no processo de resolver o problema edipiano. Assim, diz Reich: "O processo da couraça muscular é, por um lado, o resultado do conflito sexual infantil e a forma de solucioná-lo".[27] A repressão não só afasta da consciência toda lembrança da situação edípica como ainda enterra consigo praticamente todos os acontecimentos da primeira infância. Essa é a razão pela qual a maioria das pessoas se recorda tão pouco de sua vida antes dos 6 anos de idade.

Vejamos como é resolvido o conflito sexual infantil. Freud observou:

> O precoce desabrochar da sexualidade infantil está fadado a ter seu fim porque seus desejos são incompatíveis com a realidade e com o estágio inadequado de desenvolvimento que a criança atingiu. Esse desabrochar perece nas circunstâncias mais perturbadoras, sendo acompanhado dos sentimentos mais dolorosos.[28]

As circunstâncias perturbadoras são a retirada do amor e a ameaça implícita de castração. Os sentimentos dolorosos são o medo e a tristeza. Em consequência disso, a criança *suprime* suas sensações sexuais pelo genitor do sexo oposto, mas isso não implica o cessar natural da sexualidade infantil. Esta chega a um fim natural se não sofrer interferências. A criança passa para o mundo exterior com aproximadamente 6 anos de idade (ir para a escola é um exemplo) e forma vínculos eróticos com seus semelhantes. Freud concordava que os desejos da criança são irreais. Realidade e crescimento normal a distanciam de seu envolvimento incestuoso com os pais. A supressão, sob a ameaça da castração, equivale a arrancar os dentes de leite em vez de esperar que caiam naturalmente pela pressão dos dentes permanentes. Os resultados podem parecer os mesmos, mas a interação (ameaça de castração, arrancar os dentes) inflige um trauma à criança.

O doloroso término da sexualidade infantil força a criança a reprimir as lembranças desse período. Pouquíssimas pessoas, portanto, conseguem se lembrar da sensação de excitação sexual experimentada diante do genitor do sexo oposto. Negarão que tivesse havido qualquer ciúme por parte do genitor do mesmo sexo. Contudo, essa experiência tornou-se estruturada em seu corpo. Enquanto a repressão de uma lembrança é um processo psicológico, a supressão da sensação se dá pelo amortecimento de determinada parte do corpo ou pela redução de sua mobilidade, de tal sorte que as sensações fiquem reduzidas. A repressão da lembrança depende da supressão da sensação e está ligada a esta, pois, enquanto a sensação persistir, a recordação permanecerá vívida. A supressão requer o desenvolvimento de uma tensão muscular crônica nas áreas do corpo em que a sensação seria experimentada. No caso das sensações sexuais, essa tensão será encontrada no abdome, na pelve e em torno dessas áreas.

Uma vez que as experiências de cada pessoa são diferentes, a tensão refletirá essas experiências. Em determinados indivíduos, toda a metade inferior do corpo fica relativamente imobilizada e conservada num estado passivo; em outros, as tensões musculares localizam-se no assoalho pélvico e em torno do aparato genital. Se o último tipo de tensão for grave, constitui uma castração funcional, pois, apesar de os genitais funcionarem normalmente, estão sensorialmente dissociados do resto do corpo. Qualquer redução da sensação sexual implica uma castração psicológica. Em geral, a pessoa não tem consciência dessas tensões musculares, mas a aplicação de pressão sobre tais músculos na tentativa de liberar a tensão é quase sempre sentida como muito dolorosa e assustadora.

Na tentativa de evitar o destino de Édipo, o homem moderno torna-se neurótico. A neurose consiste na perda da plena potência orgástica e na formação de uma estrutura de caráter que vincula o indivíduo contemporâneo a uma cultura materialista, orientada para o poder e para valores burgueses. Se a supressão da sensação sexual não for grave, ele conseguirá se ajustar às convenções culturais sem desenvolver sintomas de doença emocional. Isso não

Medo da vida

quer dizer que seja emocionalmente saudável. Sua neurose é, então, caracterológica e expressa-se na rigidez de atitudes. Se a supressão for grave, ele desenvolverá sintomas de doença emocional ou um estado de morte emocional, como Margaret e Robert.

Se a repressão se equipara à neurose, então o preço de evitar o destino de Édipo é tornar-se emocionalmente doente. Porém, devemos questionar se essa manobra é de fato eficaz para nos ajudar a escapar de tal destino. Um dos resultados da repressão é fixar parte da personalidade ao nível do conflito reprimido e, assim, criar uma compulsão inconsciente por atuar (*act out*) o desejo suprimido. Além disso, a perda da potência orgástica debilita a maturidade da pessoa e acaba por reduzi-la a sentir-se infantil às vezes. Sem perceber, muitos homens procuram mulheres que lembram sua mãe e adotam uma posição pueril ou passiva. O destino age de maneiras estranhas. Como neuróticos, acabamos nos casando com nossa mãe ou com uma mulher que é tão parecida com ela que acaba dando no mesmo. E, se escolhemos uma mulher que não é como nossa mãe, nós a tratamos como se fosse e, com efeito, a transformamos em figura materna.

O mesmo se aplica às mulheres. Se as sensações sexuais pelo pai foram suprimidas, com a concomitante repressão das recordações, o desejo permanece fixado no objeto original de amor e só pode ser transferido para alguém que lhe recorde aquela pessoa ou com quem ela consiga se relacionar dessa mesma maneira. Essa é a razão básica pela qual muitas jovens se casam com homens mais velhos, como todos sabemos. Em outros casos, no entanto, a atuação do desejo suprimido pode não ser tão evidente, mas a análise cuidadosa demonstra que a situação marital replica a edípica.

O caso a seguir ilustra esse princípio. Comecei comentando com um paciente, Bill, que a maioria dos homens se casa com a própria mãe. Imediatamente ele rebateu dizendo: "Minha esposa não se parece em nada com minha mãe".

Respondi que em geral as personalidades são diferentes, mas nós as tratamos como se fossem iguais. E insistimos para que nos tratem como nossa mãe nos tratou.

"Ah, não!", disse Bill. "Minha mãe nunca estava em casa para tomar conta de mim. Estava sempre fora, jogando cartas. Um dos problemas com minha esposa deriva do fato de eu exigir que ela fique em casa para tomar conta de mim e de nossos filhos. Ela reclamava que eu jamais lhe permitia uma atividade independente. Hoje ela tem uma atividade própria remunerada, e permito que isso aconteça. Essa é uma atitude nova para mim e parece estar melhorando nosso relacionamento."

Devo acrescentar que Bill e sua esposa brigavam o tempo todo e seu casamento não era feliz. Os dois se sentiam frustrados ao extremo, embora Bill me garantisse que eles eram muitíssimo importantes um para o outro.

Portanto, poderia parecer que minha tese não se aplicava ao caso. Bill fazia à esposa exigências que nunca conseguira fazer à própria mãe. Mas como isso funcionava na prática? A esposa cuidava dele como ele exigia?

"Não", disse Bill. "Ela não era capaz. Acabou acontecendo o oposto disso. Eu cuidava dela." Bill admitiu, então, que essa fora a atitude do pai com relação à mãe e que sua atitude perante a própria esposa era a mesma. Também admitiu que ambas tinham traços de personalidade em comum. Sua esposa era vítima da ansiedade, como o fora sua progenitora. "Quando eu ou as crianças não estamos por perto, ela fica uma pilha de nervos, igualzinho à minha mãe." E, como vimos, ambas eram relativamente desamparadas, carentes de cuidados.

"Na aparência, contudo", Bill acrescentou, "minha esposa e minha mãe são diferentes. Eu não poderia ter-me casado com uma mulher que fosse parecida com minha mãe porque não gostava da aparência dela".

Bill comentou que a esposa era sexualmente atraente para ele, ao contrário da mãe (sabemos que este último comentário não é verdade). "Ela ainda me atrai, mas tem medo do sexo. Não temos uma vida sexual intensa porque ela é sexualmente indiferente." Em virtude disso, suas sensações sexuais diminuíram de forma acentuada, deteriorando ainda mais a relação.

Que guinada do destino! Bill casou-se com a esposa pensando que seria diferente em virtude de sua intensa excitação sexual por ela, apenas para descobrir que terminou do mesmo jeito que seu primeiro caso de amor — sua mãe —, ou seja, frustrado e vivenciando a perda das sensações sexuais. Simbolicamente, ele havia assumido o lugar do pai, o qual também se frustrara.

A essa altura, a discussão girou em torno de sua esposa, Joan. Bill comentou: "Sou o oposto do pai dela. Ele tinha 1,60 m de altura e eu tenho 1,85 m. Ele estava sempre sem grana e nunca ficava em casa. Eu sou bem-sucedido financeiramente e me preocupo com a família. Ele nunca tocou na filha, não deixava que ela se sentasse em seu colo e tinha vergonha de demonstrar afeto. Eu não sou assim".

Medo da vida

Não escolhemos conscientemente parceiros que sejam parecidos com nossos pais. No máximo, parecemos escolher alguém que, à primeira vista, é exatamente o oposto. Contudo, conforme assinalei antes, em um nível inconsciente, os meninos casam-se com a mãe e as meninas, com o pai. Inconscientemente, escolhemos como cônjuges parceiros que tenham traços ou características em comum com o genitor amado. Com base no que consegui determinar, a esposa de Bill e sua mãe tinham em comum o fato de que, em nível emocional, eram menininhas que precisavam de um pai.

Bill tinha consciência de que o medo de Joan diante do sexo derivava da experiência de ter sido rejeitada pelo pai. Essa rejeição ocorreu em virtude das sensações sexuais que a fizeram sentir-se culpada. Eu sabia que Bill também sofria de culpa sexual; ele apresentava uma grave tensão na região pélvica, que limitava o fluxo da excitação sexual para dentro da pelve. Perguntei ao paciente sobre suas primeiras experiências sexuais com a esposa. Ele relatou: "Tínhamos uma forte atração um pelo outro. Joan entregava-se a mim como nunca o fizera com outros homens. Nossas carícias eram intensas, mas não tínhamos relação. Eu não queria fazê-lo antes do casamento. Joan vinha de uma boa família e eu não podia desrespeitá-la. O estranho é que, depois de nos casarmos, desapareceu nela toda a paixão. A partir daí tivemos problemas".

Bill não percebera que, ao proteger a castidade de Joan, rejeitara a sexualidade dessa mulher assim como o pai dela havia feito. Joan precisava desesperadamente sentir que sua sexualidade era normal e saudável. Bill não conseguia evitar projetar sua culpa sexual nela. Ele considerava Joan a mãe de seus filhos e, inconscientemente, a identificara com a própria mãe. Depois de haver suprimido suas sensações sexuais pela mãe, não podia transferi-las à esposa. Ao longo do casamento, Bill vivenciou um nível moderado de disfunção erétil. Ele atribuía o problema à falta de paixão da esposa e ao medo que ela tinha do sexo. Não é difícil perceber que ela se desapontara pela falta de masculinidade de Bill. No fundo, ele provava que não era assim tão diferente do próprio pai.

Na sessão seguinte, Bill disse: "Percebo que sou tanto o oposto quanto parecido com o pai de Joan. Ela me trata com a mesma culpa e o mesmo medo que nutre por ele. De vez em quando, não consigo manter a ereção. Sinto-me péssimo. Sinto-me impotente. Sinto-me um *fracasso*".

Descobrimos, então, o fator comum que identificava Bill com o pai de Joan. Bill o havia retratado como um fracasso no campo financeiro. Ele agora admitia que também era um fracasso, não só devido a suas dificuldades com a ereção, mas porque sua esposa jamais atingira o clímax sexual. Ele se culpava por isso e sentia-se culpado perante a esposa por seu fracasso. A situação era como um círculo vicioso, que lentamente entrelaçava os dois nas teias desse tormento; por fora, um responsabilizava o outro, mas, por dentro, cada um culpava a si mesmo.

Tendo suprimido grande parte de sua sexualidade na "resolução" da situação edípica, Bill não tinha condições de abordar com masculinidade uma mulher. Era muito inseguro sexualmente. Sua estrutura só lhe permitia escolher uma menina-mulher que precisasse dele. Assim, podia ter certeza de que ela não o abandonaria. Por sua vez, assumia a responsabilidade de ajudá-la, protegê-la e satisfazê-la. Desempenhava o papel do pai, mas ainda era o menino. Como menino, precisara escolher uma mulher não orgástica, o que só confirmava seu fracasso como homem. Quanto mais se esforçava para superar sua fraqueza, mais fracassava, pois negava um destino que estava estruturado em seu corpo.

A ideia de destino como estrutura corporal fica mais claramente ilustrada no caso seguinte.

Ruth era uma mulher de cerca de 40 anos que se queixava de depressão e falta de sensações e sentimentos. Seu desejo sexual era muito inexpressivo. Contudo, conseguia ficar excitada por uma mulher, sobretudo quando fantasiava beijá-la com penetração da língua. Outra queixa era relativa às fortes dores oriundas de uma úlcera estomacal. Em outras áreas da vida, Ruth era muito bem-sucedida. Dirigia o próprio negócio, que era bastante lucrativo. Tinha vários amigos e se mantinha socialmente ativa. Era casada e tinha filhos. Em público, Ruth era um tipo de pessoa; em casa, era outro. Isso denotava uma cisão em sua personalidade, que também se manifestava fisicamente.

O problema de Ruth se revelava claramente em seu corpo. A metade superior deste era esguia e bem modelada, com um aspecto juvenil. Olhando essa parte, alguém diria que ela tinha em torno de 26 anos, sendo que era consideravelmente mais velha. Em contraste, seus quadris e coxas eram desproporcionalmente grandes e pesados, sugerindo uma mulher mais madura. A pele dessa região era mais grosseira que a do resto de seu corpo. Dos joelhos para baixo, porém, suas pernas eram bem torneadas. A pelve parecia "morta", ou seja, sem muita vitalidade. Sua mobilidade estava deveras reduzida e

Medo da vida

ela não respirava com a barriga. Sua falta de vitalidade também era visível na expressão de estátua que tinha no rosto e em seu sorriso mecânico. Essa falta de vitalidade no rosto e na pelve era responsável pela ausência de sensações e sentimentos de que se queixava.

A estrutura corporal do indivíduo nos conta algo sobre sua história quando interpretada bioenergeticamente.[29] Todas as experiências deixam marcas no corpo. Experiências significativas o modelam do mesmo modo que modelam a personalidade. Um terapeuta bioenergético treinado para a leitura da linguagem corporal pode fazer boas suposições a respeito de tais experiências. Essas suposições costumam ser confirmadas pelo paciente quando ele sente os conflitos manifestos em suas tensões musculares crônicas.

A acentuada discrepância entre as duas metades do corpo de Ruth refletia uma cisão em sua personalidade. Na metade superior, era jovem, aparentemente inocente a respeito dos fatos da vida. Contudo, essa inocência era desmentida pela expressão facial de estátua, que me lembrou a Esfinge e sugeria que ela sabia mais do que dizia. A metade inferior de seu corpo relatava outra história: a de alguém que tinha mais do que um conhecimento superficial sobre as excitações e frustrações do sexo.

Bioenergeticamente, o peso, a falta de vitalidade e a grande e desproporcional dimensão dos quadris e coxas resultam de uma estagnação de energia e de excitação sexual. A estagnação ocorre quando determinada região do corpo, fortemente excitada, se imobiliza para conter ou manter a sensação porque a descarga não é possível. Se isso acontece às vezes, é doloroso, mas não exerce efeito sobre a estrutura corporal. Já a exposição constante da criança pequena a estímulos sexuais em circunstâncias que impedem qualquer descarga e a fazem sentir-se culpada pode resultar no excessivo aumento do volume e no alargamento da região pélvica. Como a dor é contínua e intolerável, todas as sensações na região têm de ser suprimidas. Além disso, surgem fortes tensões em torno da pelve, que a imobilizam e, desse modo, amortecem-na e a dessensibilizam.

Ruth estava completamente fora de sintonia com essa parte de seu corpo. Não tinha sensações nela ou oriundas dela. Os movimentos respiratórios não desciam até o baixo-ventre. Ela vivia da cintura para cima.

A interpretação sugerida pela dinâmica desse corpo é que a paciente, no início da vida, passou por experiências de constante excitação sexual, provavelmente oriundas do pai. Ruth, evidentemente, reagia a elas com sensações sexuais, como faz qualquer menina no período edípico. Ao mesmo tempo, não tinha permissão para demonstrar sua sexualidade, tendo sido forçada a "eliminá-la". O mecanismo por ela criado para suprimir essas sensações era claro: tensão muscular na cintura e no diafragma que bloqueava o fluxo de qualquer excitação dirigida para o abdome. Até mesmo expressões emocionais como rir ou chorar espontaneamente eram impossíveis para essa paciente. Além disso, a imobilidade da pelve impedia o acúmulo de qualquer sensação sexual mais profunda. Podemos levantar a hipótese de que o período edípico terminara de forma tão dolorosa que Ruth fora forçada a reprimir a lembrança do acontecimento para evitar sentir dor. O medo que sentia da mãe era tão intenso que ela precisava suprimir todas as sensações sexuais para se proteger.

Psicologicamente, Ruth podia ser descrita como uma mulher "castrada" (a expressão "eliminar suas sensações sexuais" diz a mesma coisa). Ela sentia terror da mãe (que considero a pessoa castradora), mas esse medo era completamente negado. Em seu lugar, havia a submissão à penetração de sua boca pela língua de outra mulher. Esse deslocamento de sexualidade para a boca e sua inversão mitigavam a ansiedade de castração que ela experimentava.

Para ajudar Ruth a sair de seu estado depressivo, era preciso fazer que alguma sensação chegasse até a metade de baixo de seu corpo. A psicologia, nesse sentido, pouco consegue ajudar. Era preciso trabalhar intensamente em nível físico para que se efetuasse alguma modificação em sua personalidade. Fazia-se necessário aprofundar sua respiração, reduzir e liberar as tensões musculares do baixo-ventre, pelve e coxas e mobilizar a pelve. Os procedimentos eram muitas vezes dolorosos devido à gravidade das tensões, mas, à medida que estas cediam, a dor diminuía. O trabalho corporal foi feito junto com uma análise continuada de sua relação com o pai, com a mãe, comigo e com a terapeuta anterior.

O que emergiu da análise foi o comportamento lascivo de seu pai. Ela se lembrou de inúmeros incidentes nos quais ele demonstrava um interesse libidinoso por suas amiguinhas, ao mesmo tempo que as menosprezava por serem indecentes e fáceis. Essas recordações foram comentadas sem nenhum sentimento ou carga emocional. O primeiro progresso significativo ocorreu na forma de um sonho, depois do aparecimento de alguma sensação sexual em sua pelve, em decorrência do trabalho corporal. Ela comentou: "Sonhei que estava num aposento com um gigante. Ele tinha mais de três metros de

Medo da vida

altura. Eu sentia um forte desejo sexual por ele e apertei meu corpo contra o dele. Minha cabeça chegou justo na altura de sua pelve. Eu queria transar com ele, mas uma mulher entrou no quarto e foi impossível". Ruth não conseguia compreender por que sonhara com um gigante. Precisei assinalar que talvez ele não fosse um gigante; talvez ela o visse assim porque ainda era uma menininha. Quando eu disse isso, ela percebeu que o homem do sonho era seu pai e que a mulher era sua mãe. O sonho simbolizava dramaticamente sua situação edípica. Mas ela também se lembrava de que no sonho, quando se apertou toda contra o homem, conseguiu sentir a excitação sexual dele pela intumescência de seu pênis.

Em seguida, Ruth se lembrou de outro fato de sua infância. Ela se recordou de que o pai costumava pôr a mão nos genitais quando a via. Ao mesmo tempo, fazia beicinho, sugerindo um beijo. Ela sentia que talvez tivesse desejado chupar o pênis dele, mas tinha muita vergonha desse sentimento. Esse desejo da menina subjazia à fantasia da língua de mulher em sua boca.

Com que tipo de homem Ruth se casou? Era parecido com seu pai? Em um aspecto importante, sim. Ambos ficavam excitados por meninas mais jovens e sentiam-se indiferentes à sexualidade feminina adulta. Posso dizer isso porque recebi o marido para uma consulta. Devido a suas experiências com o pai, Ruth havia suprimido muito de sua sexualidade. Ela se fazia atraente para o sexo oposto como uma jovenzinha inocente e cativou um homem que lhe respondia nesse nível. Apesar de casada e mãe, a mulher que havia em seu interior estava insatisfeita. Esse era seu destino até que ela veio para a terapia. Para mudar esse destino, era necessário mudar a dinâmica energética de seu corpo, fazer sua pelve ganhar vida. Posso acrescentar que, nesse processo, desapareceram as dores de estômago.

A tendência a repetir velhos padrões estabelecidos é o principal problema na terapia. Eis aqui um exemplo simples. A pessoa se queixa de se sentir deslocada, de se refrear demais, de ser incapaz de ir adiante. Quando analiso o modo como ela fica em pé, vejo os joelhos travados, o peso do corpo sobre os calcanhares e a inclinação para a frente. Ela está, portanto, fazendo (inconscientemente) exatamente aquilo de que se queixa. Essa atitude corporal pode ser revertida. Peço ao paciente que flexione levemente os joelhos para deixá-los soltos e desloque o peso do corpo para a parte da frente da planta dos pés. Também o instruo a respirar e a se soltar. Quando faz isso, ele se percebe diferente. Sente-se no mundo e pronto para agir ou se relacionar. Seu corpo todo sente-se mais vivo. Ele consegue perceber que a diferença implicou a mudança de um modo passivo de ficar em pé e se conter para um mais agressivo. É o que ele queria, e ele se sente bem, mas é desconfortável. Ele se sente pressionado e tem medo de cair para a frente. Consegue se manter na nova postura concentrando-se nela, mas assim que sua mente focalizar outro assunto voltará à postura antiga, que lhe parece natural e confortável.

Por que é tão difícil e ameaçador mudar para melhor? Sabemos que em todo processo de mudança existe um elemento de insegurança. A mudança de uma posição conhecida para uma desconhecida implica um período de instabilidade. A criança que está aprendendo a ficar em pé e andar está insegura, mas não com medo. Ela não tem medo de cair. Aferramo-nos ao antigo porque acreditamos ser mais seguro. Acreditamos que o novo é perigoso. No caso de pacientes neuróticos, a crença tem certa razão de ser. Se quando criança a pessoa foi punida por ser agressiva, então parece mais seguro assumir uma postura passiva na vida. É impossível modificar a própria postura ou a maneira de se posicionar enquanto não forem revividas as experiências iniciais e expressos os sentimentos e sensações associados a elas. Esse é o trabalho psicológico da terapia.

No entanto, o problema da mudança tem outra dimensão. Ela pode ser descrita como tolerância à excitação. Pouca excitação é tédio, depressão, morte ("morto de tédio"). Excesso de excitação sobrecarrega o organismo, inunda os limites do ego e varre o senso de *self*. A sensação é de alheamento, parecida com a de insanidade. O caráter pode ser entendido como a forma de manipularmos a excitação, garantindo que não seja nem escassa, nem excessiva.

Quando crianças, aprendemos logo cedo que ficar quietos e ser bonzinhos nos garantia um pouco de amor. Se nos mostrássemos ativos ou barulhentos demais, éramos censurados ou punidos. Nossos pais não conseguiam suportar nossa vitalidade. Era demais para eles. Levava-os à loucura. Tínhamos de suprimi-la para sobreviver. Já adultos, nosso potencial para a vitalidade é excessivo para *nossas estruturas*. Não o suportamos. Quando nos agitamos muito, ficamos irrequietos, nervosos, amedrontados. Desse modo, a tarefa terapêutica consiste em expandir lentamente a capacidade da pessoa de tolerar a excitação ou a vitalidade.

Em resumo, podemos dizer que, uma vez estruturado no corpo um padrão de comportamento, este se perpetua, determinando o modo de agirmos, e devemos agir de acordo com nosso caráter. Portanto, necessariamente, todo esforço que fazemos para superar nosso caráter faz parte dele e só vem a reforçar sua estrutura. Vejo isso acontecer o tempo todo no consultório. O indivíduo compulsivo tenta efetuar uma mudança a todo custo, mas acaba se tornando ainda mais compulsivo. O masoquista submete-se à terapia, como se submete a todas as outras situações da vida, e assim a terapia não muda nada. Até mesmo seus gestos de rebeldia levam-no a ser mais submisso. Isso precisa ser entendido e aceito para que a mudança seja possível.

O DESTINO DO AMOR

Vimos na seção anterior que boa parte de nosso comportamento é determinada por nossa estrutura de caráter. Pensamos que escolhemos livremente, mas muitas vezes se pode demonstrar que existe um aparente destino atuando em nossas escolhas. Sobretudo no caso de questões importantes como o amor e o casamento, o destino parece desempenhar papel fundamental. As pessoas são atraídas umas às outras por forças inescrutáveis que têm alguma relação com sua personalidade e caráter. Minha esposa e eu viemos de experiências muito diversas e de partes diferentes do país. O fato de termos nos encontrado pode ser puro acaso, mas o de termos nos casado e assim permanecido por mais de 35 anos, não. Nossas personalidades harmonizam-se e nossas estruturas de caráter se encaixam. Apesar de vibrarmos no mesmo comprimento de onda, somos opostos em muitos sentidos. Contudo, não sabíamos disso quando nos casamos. Agimos com base em nossos sentimentos e sensações, pois é assim que o destino funciona. Olhando retrospectivamente, podemos dizer que foi o destino que nos uniu e nos manteve unidos. Entretanto, nosso casamento poderia ter facilmente fracassado. Várias vezes ficamos muito perto do rompimento definitivo. Caracteres opostos entram em choque na mesma medida em que se complementam. Tivemos de encarar nosso caráter neurótico para que conseguíssemos ver e compreender como magoávamos um ao outro, apesar de nosso desejo consciente de não o fazer. Se a pessoa é tão cega quanto o foi Édipo, não consegue evitar a tragédia de perder o amor de sua vida.

Como todo homem moderno, fiz o possível para evitar me casar com minha mãe. Essa foi uma das forças que me atraíram para uma mulher que vinha de um "lugar" diferente. E, em muitos aspectos, minha esposa é diferente de minha mãe. Quando criança, resolvi meu conflito edipiano de tal modo que não me seria possível casar-me com mulher nenhuma que fosse parecida com minha mãe. Conscientemente, eu tinha de enxergar minha esposa como "não minha mãe", enquanto inconscientemente eu a tratava como se fosse, e quase destruí meu casamento. Somente admitindo esse fato foi possível responder a ela de maneira diferente.

Consegui evitar o destino inerente à situação edípica da mesma forma que todos os demais. Cheguei ao reconhecimento de que minha esposa e minha mãe têm determinadas qualidades em comum. Além de ambas serem mulheres, as duas admiram homens competentes, capazes e bem-sucedidos e têm uma forte sensação de orgulho. Estou ciente de que essa sensação de orgulho em uma mulher exerce sobre mim uma forte atração. Assim, foram as qualidades que minha esposa e minha mãe têm em comum que, bem como as que lhes são diferentes, atraíram-me com tanto vigor para seu lado. E, portanto, em determinado nível, casei-me com minha mãe.

Se, como creio, estamos todos destinados a desposar nossa mãe, por que isso deveria ser uma profecia de desgraça? As pessoas costumam dizer que casar-se é um passo fatal, mas não quereriam dizer que é um passo fatídico? A palavra que se escolhe aí poderia depender do tipo de mãe que o indivíduo teve. Se ela foi fonte de alegria, prazer, satisfação, não se poderia pedir mais do que uma esposa que fosse como ela em todos os sentidos. Se a experiência com a própria mãe foi dolorosa e frustrante, ele quererá casar-se com uma mulher que seja seu oposto. Na realidade, as mães, na maioria, não são inteiramente boas ou más. Em geral, existe tanto dor quanto prazer no relacionamento, embora possa predominar um ou outro. Contudo, um bebê não pode aceitar que a pessoa que lhe proporciona prazer seja a mesma que lhe causa dor. Sabemos que o bebê faz uma cisão da imagem da mãe em duas figuras — a mãe "boa" e a mãe "má". Embora essas imagens posteriormente se fundam, a cisão inicial persiste em nossa mente inconsciente.

O homem sente-se atraído pela mulher que lhe recorda sua mãe "boa" porque ele a associa inconscientemente ao prazer que certa vez experimentou. No início do relacionamento, ele continua a vê-la à luz de sua mãe "boa". O matrimônio destrói essa visão. Depois do casamento, ele vê sua esposa cada vez mais como sua mãe "má" e reage a ela de acordo com os parâmetros dessa transferência. Por que isso acontece? Em primeiro lugar, as responsabilidades do casamento criam uma relação diferente. Além disso, existe o tabu contra o casamento com a mãe "boa", por quem se sentiu sexualmente atraí-

Medo da vida

do. Ele aceitou o tabu como parte do acordo para resolver seu conflito edipiano. Agora, esse tabu o impede de enxergar sua *esposa* à mesma luz.

O que vale para o homem é igualmente válido para a mulher. Ela tem uma imagem cindida de seu pai. O homem por quem se sente atraída deve lembrar (ter algumas qualidades em comum com) seu pai. Podemos nos recordar de Margaret, no primeiro capítulo, que disse que seu coração só podia se abrir para um homem que fosse sofredor, como seu pai havia sido. Mas também para a mulher o casamento exige a renúncia dessa relação. Não lhe é permitido responder aos aspectos de seu marido que lhe são sexualmente atraentes. Ela deve se relacionar com ele como se ele não fosse o amor sexual de sua vida. Deve suprimir seu desejo sexual pelo marido, como já precisou fazer quanto ao pai. Conforme diminui a excitação sexual entre os cônjuges, o homem literalmente porta-se como "pai" de sua esposa, enquanto ela banca a "mãe" de seu marido. Esse parece ser o destino do amor.

No fundo do coração, toda criança ama a mãe. Foi ela quem lhe deu a vida, e se a vida é objeto de amor, a doadora da vida é amada. Acredito que isso seja verdade, independentemente de quanta dor e mágoa a criança possa ter sofrido nas mãos dela. Quase todos os meus pacientes também descobriram que nutrem muito ódio contra a mãe por esta lhes ter faltado ou magoado profundamente. Por vir depois no tempo, o ódio encobre o amor, sendo necessário descarregá-lo antes que o verdadeiro amor que a pessoa sente pela mãe seja plenamente experimentado. Não importa quanto ódio uma criança possa acumular contra a mãe; em seu coração, o fogo do seu amor por ela jamais será extinto. Extinguir esse amor é a morte, pois cada batimento cardíaco é amor.

Pela mesma razão, toda criança quer ficar perto da mãe, em seus braços, ser acariciada e amada. Esse desejo faz parte do tecido vivo da criança e, não importa quanto ela rejeite a mãe pela dor que conheceu por meio dela, o desejo profundo de intimidade com uma figura tão amorosa e cálida jamais se perde. O corpo da mãe é a fonte da primeira excitação da criança, de sua primeira experiência consciente de prazer.

Para todos nós, o nascimento é a expulsão literal do paraíso. Para a maioria dos seres humanos, o período dentro do útero é concebido como uma bênção atemporal. Todas as necessidades do ser são satisfeitas e o conforto está garantido. A vida cresce e amadurece sem esforço. Não existe sequer a necessidade de respirar, pois o oxigênio é fornecido pelo sangue da mãe. Depois, de repente, tudo isso termina e a criança encontra-se fora dali, num mundo frio, onde cada vez mais sua vida depende de seus esforços. Esses esforços nem sempre são imediatamente bem-sucedidos. Há dor e prazer; este, sempre representado, nos primeiros dias de vida, pela proximidade da mãe; a dor, pela separação. A alegria do amor implica a sensação do paraíso recuperado. No início, portanto, é sempre o retorno para a mãe; simbolicamente, para o útero. No primeiro ano de vida, o bebê está conectado com a mãe por meio do contato corporal e da amamentação; conhece a alegria do amor, sua proximidade e seu afeto. Esse paraíso também é perdido. Quando o bebê se torna uma criança capaz de ficar em pé sobre as próprias pernas, como organismo independente, é separado da mãe. Nos casos em que a amamentação é a prática aceita, prossegue por três anos ou mais. Então, em algum momento entre os 3 e os 5 anos de idade, a criança é desmamada. Trata-se de uma experiência dolorosa, pois representa outra perda de amor e alegria. Felizmente, a natureza nos fornece outra oportunidade de recuperar o paraíso ou a alegria do amor. É quando desabrocha a sexualidade infantil, que permite à criança restabelecer uma forte ligação com o genitor em sensações, fantasia e fatos.

O menino enxerga a mãe por uma nova luz. Torna-se consciente de seus encantos sexuais e se eletrifica ao contato de seu corpo, à visão dele. A menina passa exatamente pela mesma excitação emocional com respeito ao pai, ou com qualquer homem que esteja desempenhando essa função no momento. Essa sensação é puro amor. A fantasia é a de ser casada com essa pessoa, ficar com ela para sempre. Esse novo relacionamento é sexual em termos da sensação de excitação erótica e do desejo de contato; e genital na imagem de uma relação sexual propriamente dita, mas lhe falta a concepção de descarga. O intenso prazer erótico do contato corporal efetivamente estende-se aos dois genitores. Essa é a idade em que as crianças adoram entrar na cama dos pais de manhã para sentir o corpo deles e o calor animal que irradiam. Contudo, os pais estão agudamente conscientes da tonalidade sexual desse contato e cerceiam o hábito, quase sempre comentando: "Você já está muito crescidinho para isso".

Também esse paraíso chega ao fim. Essa é nossa natureza; esse é o nosso destino. Perdemos os dentes de leite, mas um segundo conjunto já está a caminho. Progressivamente, desistimos de nossos pais como objetos sexuais à medida que nos deslocamos para o mundo externo: entrar na escola, brincar

Medo da vida

com os amiguinhos etc. Crescemos e amadurecemos. E, então, acontece de novo. Agora somos adolescentes, depois de atravessarmos a puberdade. De repente, ficamos enfeitiçados por uma pessoa de nossa idade e do sexo oposto. O amor adolescente satisfeito é o céu na terra. Insatisfeito, pode ser o inferno. Em geral, só uma dessas experiências intensas se realiza na adolescência.

Deixamos esse paraíso também e, com sorte, encontramos outro em um caso de amor com a pessoa com quem nos casaremos. Dessa vez não é para sempre, mas "até que a morte nos separe". Só nos contos de fada as pessoas vivem felizes para sempre. Nos filmes românticos das décadas de 1930 e 1940, o pressuposto também era esse. Infelizmente, é raro durar tanto. Em pouco tempo a desilusão se instala, o amor míngua, a excitação sexual esmorece. A felicidade, o paraíso, serão ilusão? Suponho que sim, mas o amor, não. Mesmo sendo tão raro, há casais que conheceram a alegria do amor por mais de 50 anos. O que dá errado?

Se as primeiras experiências de amor da criança foram satisfatórias, seu casamento, creio, seguirá o mesmo padrão. Mas só em casos muito raros isso ocorre em nossa cultura. Todo caso de amor, da infância em diante, termina dolorosamente (como disse Freud, referindo-se ao nosso primeiro amor sexual). Em consequência disso, estabelece-se um padrão que se torna estruturado no corpo, como defesa contra a dor. E assim está determinado nosso destino. Frequentemente comparo o amor a um jogo de beisebol, porque nos dois se aplica a mesma regra — a saber, três pontos contra o batedor significam que ele é eliminado do jogo. A maioria de nós já está com dois pontos contra quando chega à puberdade. O primeiro consistiu no fracasso do relacionamento amoroso com a mãe, em nível oral. A dor da rejeição e do desejo insatisfeito foi de cortar o coração. É isso que os pacientes sentem quando regridem no processo terapêutico, tornando-se capazes de reviver essas primeiras experiências. "Onde você estava? Por que não estava lá para mim?" é o sentimento que exprimem. O desmame precoce, seja de seu seio, seja de seu corpo, é experimentado como traição amorosa. Ficamos chocados, mas vamos em frente. Esse primeiro ponto contra é um golpe duro para nosso coração, mas conseguimos suportá-lo.

Passamos para a idade genital com cerca de 3 anos e estabelecemos um novo relacionamento amoroso com o genitor do sexo oposto. Uma vez que esse relacionamento herda todos os desejos insatisfeitos da fase oral anterior, é muito intenso. Porém, verificamos que essa relação também termina em dor.

Mais uma vez sentimo-nos rejeitados e traídos. Nosso coração fica "partido" de novo, às vezes estilhaçado, com esse novo golpe. Um segundo ponto contra foi marcado. Mais um e estamos fora do jogo, ou seja, mortos. Sentimos que nosso coração não sobreviverá a um terceiro tormento. Pensamos não ter outra escolha a não ser fechar o coração para o amor e o trancamos num cofre, a caixa torácica encouraçada. Protegemo-nos contra o sofrimento profundo não amando, e contra a morte não vivendo. Porém, nesse processo, também trancamos em nosso ser o coração partido, e assim nossa dor persiste, embora não tenhamos mais consciência dela. Passamos a ter medo de amar e de viver, apesar de desejarmos desesperadamente as duas coisas. Momentaneamente, podemos abrir o coração, mas não ousamos mantê-lo aberto. Podemos sentir amor, mas não conseguimos expressá-lo.

O que na situação edipiana a torna tão medonha? Por que nos horrorizamos tanto com o amor sexual de uma criança pelo genitor? A ideia de incesto evoca horror na mente humana por diversas razões. Denota que os seres humanos estão se comportando como animais, pois relações sexuais entre genitores e prole são comuns no reino animal. Viola nossa concepção da ordem natural da vida. Estamos comprometidos com um movimento progressivo, de pai para filho, o qual, por sua vez, é pai de outro filho. O incesto é a inversão desse fluxo: evoca o mesmo horror em nós que a ideia de o tempo andar para trás ou a água subir montanhas. Além disso, há os perigos sociais criados pelo incesto — a saber, o ciúme, as mágoas e a violência que poderiam emergir numa família em que ele ocorresse.

Contudo, o perigo do incesto é irreal antes da puberdade. Estamos falando de uma criança de 5 ou 6 anos de idade, cujas atividades sexuais não são diferentes de suas outras atividades lúdicas. Elas constituem uma necessária preparação para a vida. Embora sejam sérias, descrevemo-las como lúdicas porque não objetivam consequências concretas. Evidentemente, o menino deseja dormir com a mãe, mas não tem a intenção de assim proceder no concreto e poderá nem mesmo saber como isso se faz. Mas, ao rejeitarem a sexualidade da criança, os pais implicam que o perigo é real e, com isso, acrescentam uma nota de realidade a fantasias e sensações que, de outro modo, permaneceriam no nível lúdico.

Na realidade, com frequência os pais fazem mais do que rejeitar a sexualidade da criança. Ameaçam-na com olhares e tons de voz. Quando a mãe vê a filhinha levantando o vestido, como fazem as menininhas, para expor seu

Medo da vida

corpo e sua sexualidade, não raro se volta contra ela demonstrando hostilidade. Poderá dizer: "Isso é feio", significando comportamento indecente, mas em geral é o olhar que paralisa a criança. As menininhas brincam com sua sexualidade como os menininhos brincam com suas armas de brinquedo (também um símbolo sexual). Mas nenhuma mãe acusaria o filho de ser assassino. Por que a menininha é uma "puta"? A mãe está projetando as próprias sensações sobre a filha, e essa projeção sobrecarrega a cena com emoções adultas com as quais a criança não sabe lidar.

O problema edipiano é ainda mais complicado pelo fato de os pais muitas vezes reagirem emocionalmente à sexualidade de seus filhos. Tornam-se sexualmente despertos pelo interesse sexual da criança e excitam-se com esse jogo. E também são sedutores no sentido de que iniciam e convidam o interesse sexual da criança. Fenichel observa: "Muito frequentemente, a mãe ama o filho e o pai ama a filha. O amor sexual inconsciente dos pais pelos filhos é mais intenso quando sua verdadeira gratificação sexual, devido a circunstâncias externas ou a suas próprias neuroses, é insuficiente".[30] Quando isso acontece, o genitor costuma culpar o filho. Essa projeção da culpa do genitor no filho faz que este último se sinta responsável e culpado. Dessa forma, o que antes era uma expressão inocente e natural de amor na criança torna-se associado à culpa e à dor.

Do mesmo modo, a criança desenvolve uma sensação de culpa por sua hostilidade contra o genitor do mesmo sexo. Esse sentimento surge em reação ao comportamento dele, que vê na criança um rival. É verdade que esta quer a posse exclusiva do objeto de amor e vê no outro genitor um concorrente, mas esse desejo não é uma expressão de hostilidade. O primeiro ato de hostilidade na situação edípica é a ameaça de castração pelo pai ou pela mãe. Geralmente não se trata de uma ameaça declarada; expressa-se mais por olhares, atitudes, comentários negativos. A criança reage com um desejo de morte contra o genitor, criando um conflito interno entre seu desejo e seu amor por ele. Uma vez que os pais insistem que é a criança quem está errada (e sempre é assim), esta última termina com uma dupla sensação de culpa.

O mito de Édipo conta a mesma história. O destino de Édipo foi condicionado por sua rejeição inicial. Ele foi amarrado a uma estaca por seu pai para que morresse; o ato hostil inicial derivou do pai. Se o parricídio é um crime, por que não o infanticídio? A sexualidade potencial de Édipo foi considerada uma ameaça pelo pai. O nome Édipo, que significa "pé inchado", é

uma referência óbvia ao pênis, que incha quando ereto. Assim, eu relaciona-
ria a rejeição dos pais ao pé inchado (pênis ereto) de Édipo em vez de seguir
o mito de acordo com o qual o pé inchado é considerado consequência da
rejeição. Ao interpretarmos um mito, que se expressa em linguagem simbólica, como o fazem os sonhos, podemos inverter a ordem cronológica quando
isso facilita nosso entendimento.

Se o destino nos impele a casar com nossa mãe, como Édipo, embora
simbolicamente, também decreta que matemos nosso pai? Eu me refiro ao
destino que resulta do conflito edípico, a saber, a supressão do desejo sexual
por causa da ameaça de castração. Se pensarmos psicológica e não literalmente, minha resposta é sim. O mito em si não é um relato histórico, mas
reflete o funcionamento de forças psicológicas. Matamos emocionalmente
nosso pai, não somente no desejo de morte de uma criança por um rival temido e odiado, mas em nosso coração. Matamos o amor e o respeito pelo pai e
pela tradição e autoridade que ele representa. Opomo-nos a ele como nos
opomos ao passado. Esse é o hiato entre as gerações, tão evidente em nossos
dias. Ao rejeitarmos nosso pai e nosso passado, perdemos a sabedoria que a
experiência acumulada pela humanidade pode proporcionar.

No próximo capítulo, examinaremos em detalhe alguns problemas de
personalidade apresentados pelas pessoas. Estes giram em torno da dificuldade do homem contemporâneo de ser ele mesmo. Depois de suprimir seus
sentimentos e sensações, ele usa uma máscara e adota um papel, em confor-
midade com as exigências explícitas ou implícitas da família e da sociedade.
Nesse processo, perde a autenticidade.

3. Ser e destino

SER COMO AUTENTICIDADE

São poucas as pessoas, em nossa cultura, que têm a coragem de ser elas mesmas. A maioria adota papéis, faz jogos, veste máscaras, usa disfarces. Não acreditam que seu *self* genuíno seja aceitável. Não foram aceitas pelos pais: "Não faça essa cara triste", diz a mãe. "Ninguém amará você. Ponha um sorriso no rosto." E assim a criança coloca uma máscara sorridente para ser amada. "Ombros para trás, peito para a frente", diz o pai ao filho pequeno, que então passa a adotar essa fachada de masculinidade. Os papéis e jogos, em geral, desenvolvem-se com mais sutileza em resposta a pressões e exigências implícitas por parte dos pais. As máscaras, os disfarces e papéis tornam-se estruturados no corpo porque a criança acredita que essa impostura conquistará a aprovação e o amor dos pais. Nosso corpo é moldado por forças sociais, dentro da família, que modelam e determinam nosso destino... que é o de tentar agradar para receber aprovação e amor.

Se não funcionou antes, não funcionará agora. O amor não é algo que se possa conquistar ou fazer por merecer, pois é uma expressão espontânea de afeição e carinho em resposta ao ser de outra pessoa. É "eu te amo", e não "eu amo o que você está fazendo". O amor implica uma aceitação que foi negada à criança. Depois de desistirmos de nosso verdadeiro *self* para desempenharmos um papel, estamos destinados a ser rejeitados porque já rejeitamos a nós mesmos. Não obstante, nos esforçaremos para tornar o papel mais bem-sucedido, esperando superar nosso destino, mas nos encontraremos ainda mais enredados nele. Ficamos prisioneiros de um círculo vicioso que se fecha cada vez mais, estreitando nossa vida e nosso ser.

Por que não desistimos do papel, interrompemos o jogo, deixamos o disfarce cair, arrancamos a máscara? A resposta é que não temos consciência de que nossa aparência e comportamento não são inteiramente genuínos. A máscara ou disfarce tornou-se parte de nosso ser. O papel passou a ser natural para nós, e nos esquecemos de como era nossa natureza original. Tornamo-nos tão identificados com o papel e com o jogo que não podemos conceber a possibilidade de sermos de outra maneira.

Tipicamente, a pessoa procura terapia devido a algum distúrbio em sua personalidade ou comportamento, tal como depressão, ansiedade, frustração. O desejo que exprime é o de livrar-se desse sintoma perturbador. Ela não deseja mudar de modo radical, ou seja, caracterologicamente. É provável que não enxergue a necessidade de tal mudança. Sente que não é bem-sucedida, que seu modo de ser não está funcionando, e quer aprender a fazê-lo dar certo. A vasta gama de livros de psicologia disponível no mercado, que dizem ou ensinam a fazer, são uma resposta a esse desejo. Dão conselhos sobre como conquistar amigos, influenciar os outros, ser mais assertivo ou responsivo sexualmente etc. Num nível superficial, esses livros podem oferecer certa ajuda, mas não abordam o problema real, que impede a pessoa de vivenciar uma sensação de plenitude, de paz, de alegria. E esse problema é o medo de ser ela mesma, o medo de que seu verdadeiro *self* seja impuro, inepto, inaceitável. Esse medo a força a ocultar seus sentimentos e sensações genuínos, mascarar sua expressão, aceitar o papel que lhe foi exigido. A maioria de nós adota a ideia de que a vida é um jogo e de que para ser bem-sucedido é preciso aprender a jogar. Imbuído dessa atitude, o indivíduo está preparado para modificar o papel que desempenha. Só não está preparado para desistir de desempenhar papéis e ser completamente ele mesmo. Isso parece ameaçador demais, por razões que examinaremos no próximo capítulo. Contudo, se ele não confrontar seu caráter, o destino por este determinado não poderá ser evitado.

Portanto, o primeiro passo em terapia é descobrir o papel que o paciente desempenha na vida. Ou seja, a terapia começa com uma análise do seu caráter. Enquanto isso não for feito, não conseguiremos ultrapassar a barreira dos disfarces para chegar à pessoa real. Esse, porém, é apenas o primeiro passo. É preciso compreender por que o papel foi adotado no passado e a que função serve no presente. Também se deve esclarecer a relação entre o papel e a sexualidade, e entre o papel e a situação edipiana. Uma das funções do papel ou da máscara é ocultar do indivíduo os aspectos de sua personalidade que são por demais dolorosos ou ameaçadores para ser vistos e confrontados. Quem usa uma máscara sorridente não quer sentir a tristeza oculta aos olhos. O machão não quer entrar em sintonia com seu medo. Evidentemente, esses aspectos da personalidade não desaparecem simplesmente porque estão fora

Medo da vida

do alcance da consciência. Enterrados nas profundezas da personalidade, influenciam nosso comportamento e ditam nosso destino.

Outro aspecto desse problema é a energia dispendida no desempenho de papéis ou na manutenção de uma imagem. Tanta energia é exigida para sustentar um papel ou um disfarce que pouco resta para o prazer e a criatividade. Imagine um ator que desempenhasse ininterruptamente um papel, tanto no palco como fora dele, e assim você terá uma ideia da energia gasta para fazer isso. Ser não implica esforço porque é algo espontâneo e natural. É por isso que as crianças conseguem ser tão criativas. Contudo, a maioria das pessoas não sente o esforço ou o gasto energético do papel que desempenham. O que efetivamente sentem é a fadiga crônica, a irritabilidade, a frustração. Quando alguém desempenha um papel, o resultado sempre é a depressão.

Uma vez que o papel é estruturado no corpo, é possível saber o papel que a pessoa está desempenhando ou a imagem que está tentando projetar a partir da expressão de seu corpo. Num recente seminário de bioenergética, um rapaz ficou em pé perante o grupo com tal rigidez e imobilidade que parecia um soldado de madeira. Essa foi minha impressão imediata. Seu rosto também se mantinha imóvel, como cabe a um soldado em desfile de gala. Mas esse rapaz não tinha consciência da impressão que transmitia. Era seu jeito habitual de se portar.

Os integrantes do grupo estavam fazendo um exercício de cair como manobra para romper as defesas individuais. Esse exercício consiste em pôr todo o peso em uma das pernas enquanto a outra fica suspensa, de lado, para manter o equilíbrio. Dobra-se o joelho da primeira perna para que seus músculos executem todo o trabalho de sustentar a pessoa em pé. A instrução é que ela não caia. Depois de algum tempo, os músculos ficarão cansados e a perna irá por terra. A pessoa cai sobre o colchão, mas a queda deve acontecer contrariando sua vontade para que seja espontânea. Desse modo, a experiência chega como um discreto choque, abrindo seus sentimentos e sensações.[31] Levou um bom tempo para que esse paciente caísse, mas quando isso aconteceu ele deu um grito e caiu para a frente, como se tivesse levado um tiro no peito. A maneira como ele caiu fez que todos no grupo engolissem em seco. Perceberam todo seu significado.

Na discussão que se seguiu, Frank, o sujeito desse exercício, revelou que seu pai fora um ex-combatente que tinha sido muito severo com ele quando

Alexander Lowen

garoto e de quem sentia muito medo. Frank era engenheiro em uma grande empresa, mas se comportava como um soldado. Fazia o que lhe era solicitado e não sentia nem expressava qualquer sentimento ou sensação. Esse era seu problema. Pode-se imaginar que, por baixo desse disfarce de soldado, havia os gérmens de uma rebelião que era mantida sob controle rígido e estrito. A desobediência poderia ser punida com a corte marcial. Até mesmo a falta de manutenção da pose (de soldado de madeira) significava o pelotão de fuzilamento. Para Frank, ousar ser ele mesmo era morrer — ou matar. Ele suprimia vigorosamente qualquer impulso para atacar e destruir a autoridade (pai) que havia ditado seu destino.

Num aspecto, o destino de Frank era oposto ao de Édipo. Frank não matou o pai para se casar com a mãe. Ao contrário; ele foi, em termos psicológicos, morto pelo pai, como Laio tentara matar Édipo. Não houve um pastor compadecido que salvasse Frank. A aceitação de sua morte estava estruturada em seu caráter e em seu ser. Sem um considerável montante de terapia (terapeuta = pastor de seu rebanho), não poderia ocorrer nenhuma rebelião.

Um papel comum que as pessoas assumem é o de ajudante, mencionado no primeiro capítulo deste livro. Ajudante é quem foi caracterologicamente estruturado para estar "disponível" para os outros, ou seja, para responder às necessidades dos demais, mesmo que à custa das suas. Muitos terapeutas desempenham esse papel e provavelmente escolheram essa profissão porque ela oferece uma oportunidade de concretizarem seu destino. O papel aplica-se a mim e, portanto, conheço-o bem. A estrutura corporal do ajudante também comporta uma rigidez considerável. Ele não pode se dar ao luxo de ruir porque outros dependem dele. Os ombros são mantidos rígidos para carregar o peso dos problemas dos outros. Um aspecto característico desse tipo de personalidade é sua incapacidade para pedir ajuda, porque isso implica fraqueza e carência. O ajudante não chora com facilidade porque sua dor é subordinada à daqueles que está tentando ajudar.

Minha mãe preparou-me para esse papel tornando-me consciente de seu sofrimento. Ela se voltava para mim, e não para meu pai, como a pessoa que poderia salvá-la. Ele não estava particularmente interessado em salvá-la, mas sim em fazer sexo com ela, o que ela não podia aceitar. Por isso, ela me instigava a um relacionamento de intimidade com ela, ao mesmo tempo que rejeitava minha sexualidade. Depois de ter-me feito sentir culpado e envergonhado de minhas sensações sexuais por ela, usava minha culpa para me empregar no

Medo da vida

papel de seu salvador. Era uma situação edípica perfeita, e eu teria sido destruído se meu pai tivesse revidado com alguma reação do mesmo teor. Ele não sentia ciúmes nem demonstrava hostilidade contra mim. Sou profundamente grato a ele pelo apoio.

Contudo, nas relações com mulheres, fui prisioneiro. Eu não conseguia dissociar minha sexualidade da sensação de culpa ou de obrigação em relação a elas. Queria ficar livre e sabia que isso precisaria ser feito por meio de meu corpo. Devo essa percepção a meu pai, que era voltado para o corpo e para a sexualidade. Mas ele também sofria de culpa sexual relacionada à sua situação edípica. Apesar disso, minha identificação com ele nessas áreas acabou me conduzindo até Wilhelm Reich. Em outro trabalho, escrevi a respeito de minha terapia com Reich[32], o que me levou a ir para a faculdade de Medicina e tornar-me psiquiatra. Portanto, eis-me aqui, salvando pessoas a fim de justificar minha sexualidade. Destino!

Se eu salvasse mulheres, poderia ser sexual. Mas que tipo de sexualidade é essa? Enquanto eu ficava tentando salvar mulheres, não tinha uma sexualidade verdadeira. Precisava parar de ser ajudante, ou seja, uma pessoa que ajuda, para sentir que tenho direito ao prazer e à sexualidade. Chegar a essa conclusão exigiu admitir que, sendo um ajudante, eu estava negando minhas próprias necessidades.

De que eu precisava? Precisava de minhas pernas para andar para longe da minha mãe e da culpa que ela depositara em mim. Porém, para ter minhas pernas, eu necessitava, antes, sentir que não as tinha. Enquanto minhas pernas me mantivessem em pé, eu podia brincar de ser o forte. Eu precisava cair e fracassar. Tinha de chegar ao ponto de poder sentir e dizer "não consigo". Enquanto eu acreditasse que poderia ser bem-sucedido, não tinha direito a pedir ajuda. Quanta arrogância pensar que eu "posso" quando tudo que vejo à minha volta é que nenhum de nós pode...

Ao recuperar o uso pleno de minhas pernas, também recupero minha completa sexualidade. Ao mesmo tempo, posso desistir de ser ajudante. Isso não afeta minha capacidade de fazer terapia. Ou talvez afete. Torna-me um terapeuta melhor, por ter encontrado a fé em meu corpo e em minha sexualidade. Posso ajudar outros seres humanos a encontrar a sua.

Existem muitos papéis que as pessoas desempenham e muitas imagens que elas projetam. Há, por exemplo, o homem "agradável" que está sempre sorrindo e sendo simpático. "Mas que cara simpático", dizem. "Nunca fica

Alexander Lowen

bravo." O disfarce encobre a expressão oposta. Por dentro, essa pessoa está repleta de ódio que não ousa admitir nem demonstrar. Alguns homens apresentam uma expressão externa "durona" para encobrir suas características sensíveis, infantis. Até mesmo o fracasso pode ser um papel. Muitos caracteres masoquistas entram no jogo do fracasso para encobrir uma sensação interna de superioridade. Uma manifestação ostensiva de superioridade poderia desencadear a ira ciumenta do pai, junto com a ameaça de castração. Enquanto agirem como fracassados, podem conservar certa sexualidade, uma vez que não são ameaça ao genitor.

As mulheres também usam máscaras e fazem jogos. Há aquela que é a alma da festa, mas que, em casa, é a pessoa mais triste de todas. Em público, ilumina-se como uma lâmpada. Quando criança, vestiu um rostinho alegre para ganhar o amor e a aprovação do pai, talvez com o intuito de alegrá-lo. Continua desempenhando esse papel na fase adulta, porque lhe parece ser a única forma de sua sexualidade e sua feminilidade serem aceitas por um homem. Também existe a mulher com a aparência de sofisticação sexual, mas que por dentro vive o temor das sensações sexuais. Sua sofisticação atua como meio de controle. Por intermédio desta, pode comportar-se com sensualidade sem precisar ser sexual.

As pessoas sempre adotaram papéis sociais. Em toda sociedade em que o trabalho sofreu um processo de especialização, os indivíduos seguiram padrões de comportamento apropriados à sua posição social ou atividade. Um governante se comporta de modo a manifestar sua superioridade e importância. Tanto no vestuário quanto nas maneiras, projeta uma imagem imponente. Um soldado pode ser reconhecido por suas roupas e comportamentos; um padre, ainda, por outros ornamentos e outra maneira de se conduzir.

Qual é a diferença entre esses papéis sociais e os papéis neuróticos que mencionei anteriormente? No passado, havia uma pessoa por trás do papel. O papel e a pessoa não eram a mesma coisa. O papel não tinha a intenção de substituir a pessoa ou de ocultá-la. Não era assumido como defesa contra ser ou sentir. Os papéis sociais serviam para manter a estrutura hierárquica da sociedade. Distinguiam indivíduos e gerações. As distinções eram respeitadas. Essa situação mudou no século 20. As barreiras foram derrubadas, o espaço pessoal tornou-se mais estreito, a distância entre as gerações diminuiu. Muitas mães adotam o papel de amigas das filhas, enquanto os pais agem como companheiros dos filhos. Essa situação tende a aumentar a competitividade

Medo da vida

entre pais e filhos do mesmo sexo e, portanto, também o ciúme. O resultado é uma situação edípica mais intensamente carregada e uma ansiedade de castração maior por parte da criança. Como vimos, a ameaça implícita de castração força-a a submeter-se às exigências dos pais, o que sempre significa a adoção de um papel neurótico e a rendição de sua autenticidade.

A perda da autenticidade também ocorre em nível social. Os valores pessoais são sacrificados por dinheiro e poder. A produção em massa rouba a autenticidade do fruto do trabalho, enquanto a publicidade zomba da virtude. Numa cultura tecnológica, os únicos valores reconhecidos são dinheiro, poder e sucesso. Autenticidade é coisa do passado, hoje representada por peças genuínas de antiquário. Daí seu valor.

Com a perda da autenticidade, perdemos o senso de ser. Em lugar disso, surge a imagem, que conquistou uma importância inacreditável. Qualquer pessoa que consiga criar uma imagem pública, independentemente de qual seja, é considerada um sucesso, pois se destacou da massa. Pela mesma razão, a imagem importante é a do sucesso. As pessoas esforçam-se para ser especiais. Mas qual será a realidade da vida por trás dessa imagem de sucesso? Eis aqui algumas observações extraídas do diário de uma atriz muito famosa:

"Eu amei. Quem me amou alguma vez? Dor demais, nada sobrou de mim exceto a dor, o medo, o ódio e o desespero. Tentei tanto, tentei tanto... Cansada. Não se preocupem. Deixem-me sozinha. Quero ficar livre para morrer."

"Cansada, cansada, cansada, cansada, cansada, me arrasto, destruída."

"Vou tropeçando pela vida afora. Pelo que estou pagando? Quando será quitada essa dívida?"

"Sinto-me doente até a alma. Dor e desespero são minha única realidade; não há esperança, não há forças, não há vontade. Acordo sufocada, repleta de pavoroso desespero, abominando a mim mesma. O que abomino? Não há eu. Estou prisioneira de meu próprio inferno emocional. Nada é real. Flutuo sem direção pelo escuro, tocando em nada além de dor. Insuportável tristeza, sinto-me perdida, só. Sinto-me um cadáver, intacta por fora, decadente e apodrecida por dentro."

"Alguém me ama? Se houver alguém que me ame, por que não consigo senti-lo? Por que não me sinto alimentada por esse amor?"

"Fico batendo com a cabeça o tempo todo, para me desacordar ou para acabar comigo de vez. Devo aceitar a angústia? Sim, é o que existe."

"Sofro demais para ter medo. É como a última morte, como uma doença terminal — o tormento, não o medo da morte. A morte traz alívio; viver é o tormento."

"Quando começo a me sentir melhor, fico tão ocupada que até parece que preciso salvar o mundo. Quando minhas forças retornam, vem junto com elas o intenso senso de dever. Talvez o desespero seja mais benevolente comigo. Pelo menos posso dormir."

O rosto que essa atriz apresenta ao mundo jamais poderia ser associado aos sentimentos e sensações expressos no depoimento. Ela aparece calma, sorridente, sofisticada, uma mulher experiente e vivida, mas a imagem é irreal. Seu ser interior está cheio de dor e desespero. Ela está atormentada pela contradição entre sua realidade interna e a fachada externa.

Mas nem tudo é fingimento. O fato de essa minha paciente ser muito bem-sucedida constitui seu problema. Ela fez um grande esforço para alcançar esse sucesso e um esforço igualmente grande é necessário para mantê-lo. Ela está cansada — cansada de tentar —, mas precisa seguir em frente, mesmo que aos tropeços. O preço do sucesso nunca é pago integralmente. No momento em que a pessoa para de se esforçar, cai e fracassa.

Por que o sucesso é tão importante para minha paciente a ponto de ela precisar comprometer toda sua energia para obtê-lo? Por que ela não pode simplesmente ser? Ela diz que o mundo (seu mundo) depende de seus feitos. É motivada por sua necessidade de amor, que espera obter com seus feitos. Mas então ela não tem mais a certeza de ser amada, pois o amor não é algo que se possa conquistar ou fazer por merecer. Se ela é amada, não consegue senti-lo, pois está tão exausta em decorrência de seus esforços para ter sucesso, que tudo que consegue sentir é fadiga e dor. Ela precisa mais descansar do que nutrir-se de amor, mas para ela o descanso só é possível com a admissão de seu fracasso e a aceitação de seu desespero. Só quando parar de fazer poderá chegar a ser.

Medo da vida

A única saída que consegui ver para essa mulher, quando me contou sua história, foi que aceitasse seu desespero, que aceitasse o que acreditava ser seu destino: jamais ser amada. Sugeri que parasse de lutar contra o destino, pois não conseguiria dominá-lo, sendo o único resultado de suas lutas um cansaço mortal. Uma coisa era certa: quanto mais lutava, quanto mais se esforçava pelo sucesso, mais se aproximava do destino que tanto temia. Ela nada tinha a perder desistindo, exceto suas imagens, fachadas e ilusões.

A lógica desse argumento a impressionou. Ela se soltou e se entregou a um choro suave e profundo. Era estranho, pois seu choro não expressava frustração ou desespero. Ao desistir momentaneamente de lutar para realizar suas ilusões, ela não sentia nada disso. Chorava movida por uma profunda mágoa e tristeza. A dor que se abrigava em seu interior era real, mas quando ela cedeu a essa dor e chorou, diminuiu. Chorar é o mecanismo mais primitivo que o corpo tem para aliviar a tensão e a dor.

Para essa mulher, *ser* significava ser uma criança não amada. Essa fora sua primeira experiência de vida, e continuava sendo sua realidade interior. Persistira até o presente, mais de quarenta anos depois, porque fora negada e suprimida. Fora negada pelos pais, que alegavam amá-la — quando era boazinha, ou seja, produtiva, excelente, bem-sucedida. E, embora tivesse se saído bem na escola, eles sempre exigiam mais. "Você pode tentar mais e fazer melhor". Seus pais punham nela a culpa por sua falta de amor, exigindo que ela fizesse por merecê-lo. Mas, apesar de seus feitos, nunca recebeu o prêmio de amor que eles lhe prometeram, porque eles não tinham amor para lhe dar. Se o tivessem, teria sido oferecido incondicionalmente, pois essa é a natureza do amor. No entanto, a criança teve de acreditar na possibilidade de conquistar amor, pois sem essa esperança a vida seria insuportável. Ela não teve escolha a não ser negar a realidade da falta de amor e enterrar a experiência em seu inconsciente, onde se tornou um abscesso psicológico que drenava dor. Foi isso que ela descreveu como o mal-estar em seu interior. Na tentativa de superar o desespero por meio de realização e sucesso, ela se tornou incapaz de dar vazão ou descarregar a dolorosa tristeza de seu ser. Portanto, a dor permaneceu em seu corpo, o que só intensificou seus esforços para superar seu problema. O resultado? Ela não podia se permitir ser e, faltando-lhe seu verdadeiro ser e sua autenticidade, continuava se sentindo não amada.

Aceitar o próprio desespero ou o próprio destino não é resignação. É reconhecer que não se pode superar o que está dentro de si, mas isso não quer dizer que não se possa protestar. A paciente havia comentado que frequentemente acordava com uma sensação de sufocamento. Pareceu-me que ela estava sufocando seu protesto, pois não tivera condições de protestar contra a atitude de seus pais quando mais nova. Não tivera a coragem de gritar para eles: "Por que vocês não me amam? Vocês me trouxeram ao mundo". Esse comportamento seria visto como "feio" e teria como consequência a rejeição que a apavorava. Ela sufocava os gritos, mas, nesse processo, apertava a garganta, tornando impossível receber o amor e nutrir-se dele quando se tornou disponível para ela mais tarde.

Outra forma de descrever o problema dessa paciente é dizendo que o grito estava entalado em sua garganta. Mas ela não conseguia colocá-lo para fora, não conseguia gritar. A tensão em sua garganta era tão forte que era praticamente impossível para ela gritar. Nessa situação, o terapeuta precisa trabalhar diretamente no problema corporal. Faço isso pressionando com os dedos os músculos escalenos anteriores, nas paredes laterais do pescoço. São extremamente tensos na maioria das pessoas, e a pressão sobre eles, até com a ponta dos dedos, costuma ser muito dolorosa.

Os músculos precisam relaxar devido à dor. Em geral, a pessoa grita de maneira espontânea quando essa pressão é aplicada ou, em outros casos, voluntariamente emite um som em voz alta que, depois, torna-se grito se a pressão se mantiver. É interessante notar que, depois que o paciente começa a gritar, a dor desaparece, apesar de a pressão prosseguir. Isso ocorre devido ao relaxamento dos músculos. Com frequência, os gritos prosseguem depois de retirada a pressão.

Usando essa tática, ajudei essa paciente a gritar pela primeira vez na vida — pelo menos desde que ela conseguia se recordar. Isso abriu sua garganta, aprofundou sua respiração, clareou suas ideias. Depois de gritar, ela soluçou profundamente, com sensação de alívio. Quando o choro se acalmou um pouco, pedi que chutasse a cama com as pernas esticadas e gritasse "por quê?" Chutar é outra forma de protesto que mobiliza o corpo e serve para descarregar determinadas tensões. Nesse exercício, o "por quê?" soa prolongado, até que se torna um grito. Então, a paciente chutou e gritou em protesto contra a falta de amor. Ao protestar, aceitamos o *fato* de que a rejeição ocorreu e percebemos que todos os esforços para negá-la são em vão. Só ficamos amarrados ao passado se a recordação e os sentimentos e sensações associados a esta estiverem reprimidos.

Medo da vida

Autenticidade é algo intimamente relacionado à voz. A palavra personalidade tem dois significados diferentes. Deriva de *persona*, máscara que os atores gregos usavam para dramatizar mais nitidamente o papel que estavam desempenhando. Por outro lado, a palavra "persona" significa "pelo som", *per sona*. O indivíduo autêntico pode ser reconhecido atrás da máscara pelo som de sua voz. A voz é uma das principais vias de autoexpressão e sua natureza reflete a riqueza e a ressonância do ser interior. Quando a voz do indivíduo é limitada por causa de tensões no pescoço e na garganta, a autoexpressão está restrita e seu ser, reduzido. A voz também está associada à sexualidade, pelo menos no sexo masculino. A voz aguda e feminina de um homem castrado é bem conhecida. Em termos energéticos, o grito é semelhante ao orgasmo, no sentido de ser uma descarga intensa. No grito, essa descarga se dá em sentido ascendente; e no orgasmo, descendente. Ambas as vias devem estar inteiramente disponíveis. Qualquer diminuição de uma das duas constitui uma perda do ser.

SER COMO SEXUALIDADE

Como se desenvolve a autopercepção de um organismo? O dr. Frank Hladky, um de meus colaboradores, apresentou algumas observações a respeito desse desenvolvimento numa conferência sobre bioenergética. Disse que a primeira manifestação linguística do senso de *self* é o uso da palavra *mim*. É a primeira palavra proferida pela criança quando se refere a si mesma, e seu uso começa a acontecer entre 1 ano e meio e 2 anos de idade. Ao dizê-la, ela geralmente aponta o dedo para o peito. É comum os adultos se valerem do mesmo gesto quando a usam. Hladky concluiu, então, que a sensação do mim refere-se ao peito. Com cerca de 4 ou 5 anos, a criança começa a proferir o pronome pessoal *eu*. Ao usá-lo, ela comumente aponta um dedo para as têmporas ou a cabeça. Hladky crê que o lócus da sensação do eu é a cabeça.

A língua inglesa tem um terceiro termo para fazer referência a nosso ser: a palavra *self* (si mesmo). Hladky sugeriu que o ponto de referência para o si mesmo está na barriga, mais ou menos 5 cm abaixo do umbigo. Seu pensamento foi influenciado pelo fato de que as disciplinas corporais associadas a religiões orientais situam o *self* nessa região. Segundo o sistema japonês zen, se a pessoa está centrada nesse ponto, diz-se que tem *hara*. Isso quer dizer que está em harmonia tanto com o mundo interno quanto com o externo. No *tai chi*, o mesmo ponto recebe a denominação de *Tna Tien*. Por

Alexander Lowen

meio desse centro, a pessoa estabelece contato com o chão abaixo e com o céu acima. Desse modo, faz parte do todo e todos os seus relacionamentos são harmoniosos.

Os três termos, *mim, eu* e *self*, referem-se a três aspectos diferentes do ser de um indivíduo. O *mim* exprime o estado passivo do ser. É quase sempre usado como objeto de uma preposição: "para mim", "de mim" etc. Por outro lado, o *eu* denota o estado ativo. Trata-se de um pronome subjetivo, geralmente usado quando desejamos descrever uma ação deliberada: "eu fui", "eu fiz" etc. Já o *self* designa um aspecto do ser que não é nem objetivo, nem subjetivo; nem ativo, nem passivo. O dicionário dá à palavra *self* diversos significados. Ela é usada para definir a completa individualidade de alguém, como na expressão "meu próprio ser" (*my own self*). Segundo o *Webster's new international dictionary*, é definido como "o indivíduo como objeto de sua própria consciência reflexiva". Na realidade, experimentamos mais vividamente o *self* nos estados emocionais. Quando estamos zangados, sentimos nosso ser num estado de raiva. Não é algo que seja feito para *mim*. Não é algo que *eu* faça. Raiva, medo, amor, ódio são estados do ser. Portanto, o *self* é equivalente a ser. É a percepção do ser.

Autopercepção ou autoconsciência é a consciência do corpo em seu estado vivo ou espontaneamente responsivo. O *self* é o corpo, incluindo o cérebro. É o corpo reagindo independentemente do ego ou do eu. Portanto, sou mais consciente de mim mesmo quando estou com fome, cansado, sonolento, excitado, ou quando estou sentindo dor ou prazer. Sou menos consciente de mim quando meu corpo não está vivo ou responsivo. O conceito de *self* é sofisticado. Desenvolve-se quando o ego atingiu o estágio de poder observar o que está acontecendo no corpo e refletir sobre isso. O eu observa seu *self*. O eu observa "isso".[33]

Estamos interessados em saber por que o *self* supostamente está centralizado na barriga. O primeiro pensamento que se tem é o de que a barriga é o lócus de certas sensações. O choro e o riso têm origem na barriga. Quando rimos ou choramos pela barriga, temos uma experiência profunda. Descrevemos experiências assim tão intensas como "sensações viscerais". A mais importante delas é a sensação sexual, que se experimenta na barriga como algo que derrete, aquece e irradia. Da barriga, a excitação flui até os genitais, órgãos de descarga. A sensação sexual está relacionada com o movimento do sangue para dentro da região pélvica e do aparato genital.

Na conferência citada anteriormente, perguntei ao público presente à apresentação do dr. Hladky quantos deles já tinham vivenciado o *self* como excitação sexual. Vários ergueram a mão. Bem, todo adulto sentiu excitação e vibrações genitais, mas isso não é o mesmo que a experiência de excitação sexual descrita. A experiência da excitação genital é paralela à experiência do eu no sentido de ter uma natureza de discreto alheamento. O eu, sendo o comandante da personalidade, é como o general de um exército. O *self* é como o exército. Para observar e comandar, é preciso colocar-se a certa distância. Nos homens, o pênis frequentemente recebe um nome, indicando um grau de independência do *self*.[34] Por outro lado, quando o ego baixa a guarda e o corpo assume o comando no momento do orgasmo, não existe nem um eu observador, nem uma função genital separada. O *self* é vivenciado em sua unidade e totalidade, como ser completo. As pessoas que experimentam a genitalidade como função da sexualidade do corpo identificam o *self* com as sensações sexuais.

Essa visão da sexualidade baseia-se nas ideias de Reich a respeito da natureza e do funcionamento do orgasmo. O autor descreveu o orgasmo como uma convulsão corporal total, vivida como extremamente agradável e satisfatória. Sua função é descarregar toda a energia ou excitação excedente no orgasmo. Essa descarga deixa a pessoa em estado de completo relaxamento e paz. Reich denominou a capacidade para tal descarga "potência orgástica", equacionando-a à saúde emocional. Eu gostaria de descrever outro aspecto da resposta orgástica que é relevante para o entendimento do *self*.

Quando a resposta orgástica tem a qualidade de totalidade, ou seja, quando o corpo todo está inteiramente envolvido na descarga orgástica, o indivíduo tem a sensação de ser parte de um processo cósmico. Essa plenitude da resposta sexual é rara nas pessoas de nossa cultura, cuja sexualidade é geralmente limitada ao órgão genital, mas foi descrita por alguns escritores. Hemingway, em *Por quem os sinos dobram,* descreve um orgasmo em que a sensação é a de a Terra estar se deslocando. Em *O amante de Lady Chatterley,* D. H. Lawrence fala do orgasmo da seguinte maneira:

> E então começou de novo o inenarrável movimento que não era realmente movimento, mas redemoinhos que sentia aprofundarem em círculos cada vez mais fundos, que atravessavam todos os seus tecidos e toda a sua consciência, até que ela se tornou um fluido de sensações, concêntrico, perfeito.[35]

No momento do orgasmo há um obscurecimento do ego e uma perda dos limites egoicos. Tem-se a impressão de que o *self* está mergulhado no do parceiro. Nesse momento, os dois são um só; o limite entre eles desaparece. Pode-se ter também a impressão de que o *self* está mergulhado no cosmos, que se faz parte de todo o universo em pulsação. Nessas experiências, não existe nenhuma sensação de eu. O ego morre (*la petite mort*)[36], mas, paradoxalmente, tem-se um senso de *self* mais intenso. Essa consciência não surge de um eu observador, mas é inerente à natureza da experiência de si mesmo. Assim, o *self* também é definido no *Webster's new international dictionary* como "sujeito da consciência".

Essa experiência traz à luz outra das contradições básicas na natureza humana. O desenvolvimento do ego como um eu que observa o *self* na qualidade de objeto diminui a sensação do *self* como ser. Entretanto, esse desenvolvimento é necessário para trazer o *self* à consciência. Somente então ele consegue englobar o ego na experiência transcendental de ser na condição de sexualidade. No primeiro ano de vida da criança, o eu e o mim são aspectos indiferenciados de um *self* incipiente. Ser é uma experiência unitária com pouca autoconsciência. A diferenciação entre o eu, o mim, e o *self* incipiente cinde a unidade da experiência de ser, que deve então ser buscada num nível mais elevado de consciência. Quando o *self* é vivido como sexualidade, a unidade do ser é recuperada. Temos aqui outro exemplo da unidade cindindo-se em aspectos antitéticos que se reúnem numa síntese de nível mais elevado. Recapitula o ciclo solar de nascimento, morte e renascimento, sendo que este último está intimamente associado à sexualidade.

O pensamento oriental reconhece há muito tempo essa contradição do pensamento. O objetivo do *tai chi*, tanto quanto do zen, é encontrar o *self* por meio de sua identidade com processos universais ou cósmicos. Essa identidade é alcançada quando a pessoa está centrada em sua barriga. Alguém tão centrado é um mestre, porque toda ação que empreende está em harmonia com o universo e, portanto, é certa e apropriada. Todo movimento é leve porque flui em harmonia com o fluxo universal. Isso não é fácil de se obter, como sabe todo aquele que tentou tornar-se mestre dessas disciplinas orientais. Contudo, em um nível mais baixo, é o estado natural de um animal ou criança pequena, cujo ego ou eu ainda não se desenvolveu a ponto de ter ocorrido a cisão da unidade do ser, ou de ter se rompido a harmonia com a natureza. Quando recuperamos essa unidade, tornamo-nos mestres, sábios.

Medo da vida

É interessante que essas disciplinas orientais, dirigidas à plena realização do *self* e do ser, dependam de uma abordagem corporal para alcançar seu objetivo. O *tai chi* envolve uma série de exercícios semelhantes aos que usamos em bioenergética. O objetivo deles é sair da esfera da mente e entrar na do corpo, ou seja, abandonar o eu e encontrar o *self*. Esse conceito é básico tanto à bioenergética quanto às disciplinas orientais, especificamente *tai chi* e zen. Poder-se-ia, então, perguntar qual é a diferença entre elas. Minha resposta é que as disciplinas orientais não foram concebidas para lidar com os problemas do homem ocidental moderno, sujeito a uma situação edípica que o deixa parcialmente castrado. Em minha opinião, esse problema só pode ser resolvido por uma terapia analítica que incorpore técnicas corporais.

Até recentemente, a maioria dos orientais vivia num mundo que pouco tinha em comum com as ideias ocidentais de poder e progresso. Sua filosofia de vida era manter o equilíbrio entre a natureza e a cultura, entre o homem e a mulher, entre o *yin* e o *yang*. Buscavam harmonia, e não progresso. Infelizmente, essa filosofia não os equipou ou preparou para enfrentar o poder ocidental. A grande ameaça ao seu modo de vida e à sua liberdade veio do imperialismo japonês, identificado com a tecnologia ocidental. Numa atitude de autodefesa, essas pessoas foram forçadas a assumir um compromisso com o poder e, portanto, também com o progresso. Estão se tornando ocidentalizadas. Esse compromisso exigirá o sacrifício do equilíbrio e da harmonia de sua vida. Pode-se predizer que problemas edípicos e dificuldades sexuais concomitantes se tornarão mais comuns. Compartilharão do destino do homem ocidental moderno.

Acredito piamente que a sexualidade é a chave do ser. A pelve é o osso principal do arco formado pelo corpo. Qualquer tensão crônica nos músculos da pelve e em torno desta perturba sua movimentação e destrói o equilíbrio e a harmonia do corpo todo. Tais tensões são a contrapartida física da ansiedade de castração, que tem um efeito perturbador semelhante sobre a personalidade. Uma vez que a sexualidade é a chave do ser, é também a chave da personalidade. Para entendermos essa afirmação, devemos distinguir sexualidade de atividade sexual. A primeira refere-se ao sentir; a segunda, ao fazer. Com excessiva frequência, a atividade sexual é empreendida com a finalidade de obter sensações sexuais. As pessoas que não têm sensação sexual são quase sempre obcecadas pelo sexo e pela atividade sexual. Também aqui é importante que fique clara a distinção entre sensação sexual

Alexander Lowen

e excitação genital. A primeira descreve a sensação no corpo todo, não apenas nos órgãos genitais.

Em minha forma de ver, "sexual" descreve uma pessoa consciente de sua sexualidade, mas não constrangida por essa consciência. Ela tem uma sensação de si mesma como homem ou mulher, uma vez que sexo se refere às diferenças entre macho e fêmea. Um indivíduo sexual não tem necessidade de exagerar tais diferenças nem de negá-las. Dito simplesmente, ele tem orgulho de ser homem ou mulher.

A sexualidade também é acompanhada de um orgulho pelo próprio corpo e pela própria natureza animal. As funções naturais do corpo não são fonte de vergonha ou constrangimento. A pessoa sente-se bem em relação a seu corpo e identifica-se com ele. Por exemplo, o indivíduo sexual aceitará suas sensações como naturais e certas. Se estiver cansado, aceitará esse fato. Já a falta de identificação se expressa em comentários do tipo "não sei por que estou cansado" ou "eu não deveria estar cansado". O mesmo acontece no domínio das sensações sexuais. Uma pessoa sexual aceitará sua resposta corporal como indicativa de sensação ou de falta desta. Já o neurótico, motivado pelo desempenho, considera a falta de excitação genital um sinal de fracasso e não consegue aceitar que o corpo sempre expresse o *self*.

A identificação com o corpo implica que a pessoa, em seu viver, leva o corpo em consideração. Não abusa de drogas, álcool nem de alimentos, pratica exercícios e descansa etc. Além disso, veste-se para torná-lo mais atraente. Podemos nos ver como mais do que um corpo, mais do que um animal, mais do que um ser sexual. Entretanto, corpo, animalidade e sexualidade são as bases sobre as quais se firmam a mente e o ego, com todas as suas reivindicações. Sem essa base, o ego é apenas uma nuvem no céu ou uma imagem na fumaça. Em certos sentidos, a cultura de fato surge da sublimação da sexualidade, mas sem a sexualidade não haveria cultura alguma. Sem a sensação da sexualidade no corpo, não haveria a dança, a música, a poesia. A sexualidade limitada à excitação genital só é capaz de produzir pornografia.

Após esses comentários de cunho geral, eu gostaria de mostrar como o ser é condicionado pela sexualidade nos pacientes com os quais trabalho. O primeiro caso é o de um homem de cerca de 45 anos, atraente e bem-sucedido na profissão, a quem chamarei de Jack. Antes de me procurar, Jack passara um tempo considerável em terapia. Tinha feito dois anos de terapia primal,

Medo da vida

que implicou sua regressão a um estado infantil de choramingar, chorar ou gritar para aliviar a dor por ele associada a esse estado. Ele disse que se sentiu melhor depois dessas sessões, mas elas não surtiram efeito sobre sua estrutura de caráter. Quando me consultou, ainda se queixava de falta de prazer e alegria na vida.

As pessoas reagiam positivamente a Jack. Ele era muito respeitado no trabalho e as mulheres consideravam-no interessante e atraente. No entanto, ele não conseguia aceitar esses sentimentos positivos a seu respeito, não conseguia deixar penetrar os elogios ou o amor que lhe eram oferecidos. Não se via como os outros o viam. Suas palavras foram: "Sou X e eles me veem como Y". O X é escuro e o Y é claro; o X é mau e o Y é bom.

Jack disse que durante grande parte da vida sofreu do que chamava de "sensação de túnel": sentia-se vivendo em um túnel, sem contato consigo mesmo e com as pessoas.

Enquanto os outros desfrutavam da luz e do calor do sol, do sentimento de proximidade com os demais e da sensação de crescimento, Jack se sentia sozinho e enterrado num túnel escuro, sob o chão. Descrevia o chão acima do túnel como "nascimento", o que significava que ele precisava nascer de novo. Seria lógico igualar o túnel ao canal de parto e relacionar o problema de Jack a um trauma de nascimento — o qual, então, ele deveria reexperimentar a fim de sair para o mundo e para a luz do sol. Esse havia sido seu objetivo durante a terapia anterior, e, apesar de não ter dado certo, ele ainda insistia nessa direção.

Contudo, não havia nada na personalidade de Jack que sustentasse essa visão do problema. Ele estava em contato com o mundo externo, funcionando bem. É verdade que era incapaz de desfrutar da luz e do calor do sol, mas essas coisas estavam ali. Devemos perguntar por que Jack não conseguia aceitar o amor e os elogios que lhe eram oferecidos. Sua resposta foi que ele se sentia indigno deles, mas não sabia por quê.

Seguindo essa indicação, perguntei-lhe: "Qual você pensa que é seu pecado fundamental?"

Ele disse: "Ser quem sou, simplesmente. As pessoas não têm o direito de gostar de mim. Meu pai estava convencido de que eu era mau. Agora meus pais gostam de mim porque sou bem-sucedido. Há alguns anos, eu via uma imagem de meu pai apontando o dedo para mim e dizendo: 'Não se orgulhe dele. Ele é mau, ele é mau'. Ele costumava me espancar, me dava surra de vara. Tenho de acreditar no que ele diz, em vez de no que penso. Ele convenceria o mundo todo de que sou ruim".

Comentei: "Ele convenceu você".

"Sim", disse Jack. "A única saída é morrer, fugir ou me esconder."

No túnel, pensei.

Jack prosseguiu. "Na noite passada, senti-me torturado. Eu estava com uma mulher maravilhosa, não conseguia tocá-la sexualmente, embora ela me desejasse. Quando adormeci, pensei que podia morrer ou ser torturado. As mulheres se apaixonam por mim, desejam-me sexualmente. Mas para mim é difícil olhar para o corpo de uma mulher. Se eu tiver de fazer algum movimento sexual em direção a elas, fico aterrorizado. No entanto, quando estamos juntos na cama, o medo passa."

Depois, Jack acrescentou: "Sempre tive atração por mulheres mais velhas, simples. Minha mãe é muito simples". Aqui a sombra do Édipo está bem clara.

Há elementos suficientes nessa afirmação que demonstram que o problema de Jack está relacionado com a sexualidade e não com algum trauma de nascimento desconhecido. Essa dedução está fortemente apoiada na estrutura de seu corpo, que é bem desenvolvido, mas com uma tensão e constrição acentuadas na área pélvica. Jack sente fascínio, excitação e terror pela sexualidade. Isso equivale a sentir-se torturado, situação para a qual não enxerga saída. E, em consequência disso, é uma situação que ele gostaria de evitar.

Jack evitava a questão sexual regredindo a um nível infantil. Seus choramingos, choros e gritos de bebê funcionaram em grande parte como uma cortina de fumaça para ocultar seu medo da sexualidade. Não estou afirmando que Jack não tenha vivenciado um trauma de nascimento ou que não tenha havido problemas significativos no estágio oral (entre 12 meses e 3 anos de idade). Porém, esses problemas não podem ser efetivamente abordados enquanto o posterior, sexual ou edipiano, não for enfrentado e elaborado. Essa é uma regra básica na análise de caráter. Não obedecer a ela gera caos no tratamento. Na análise, o caos assume a forma de uma massa de material infantil que o analista interpreta sem produzir nenhuma modificação no comportamento ou na atitude do paciente. Em outras formas de terapia, o caos formaliza-se numa explosão emocional (choramingos, choros, gritos) sem relação com a situação de vida imediata do paciente.

Medo da vida

Jack havia dito: "Meu pecado é ser quem sou"[37]. O "quem sou" é visto como mau. Na infância, Jack se lembra de "ter sempre se metido em confusão, sempre se sentindo culpado". Ele se perguntava: "Por que fui tão mau?" O "quem sou" é mau porque é sexual. Ser origina-se no sexo. O bebê é sexual, sem consciência de sê-lo, por intermédio do erotismo de sua boca e pele. Depois, à medida que se desenvolve, torna-se consciente de sua sexualidade durante o período edipiano. Essa sexualidade é muito inocente, parte da natureza animal da criança, parte de seu ser. E, como todos nós sabemos, a criança é deveras curiosa a respeito de coisas sexuais. Contudo, essa inocência não dura muito em nossa cultura. A criança é ameaçada devido à masturbação infantil, levada a sentir-se envergonhada, punida por espionar e fazer brincadeiras sexuais. Uma vez que as sensações e os impulsos sexuais são tão integrantes de seu ser, ela se sente culpada e má em seu próprio cerne.

Pedi a Jack que me falasse sobre sua infância, e ele relatou o seguinte: eram cinco as crianças na família. Jack era o terceiro filho. Tinha duas irmãs mais velhas e um irmão e uma irmã mais novos. A família morava numa casa pequena, mas Jack não se lembra de ter visto a mãe ou as irmãs nuas em momento nenhum. Ele nem sequer se lembra de ter tentado espioná-las. Não tem recordação nenhuma de masturbação antes dos 16 anos. Devemos presumir que se excitava sexualmente pela presença das irmãs, mas não ousava olhar, tocar-se ou tocá-las. A ameaça da vara instalava nele o medo da castração, bloqueando qualquer manifestação sexual declarada, qualquer expressão ostensiva de sexualidade. Ele ainda tem dificuldade de olhar ou tocar o corpo de uma mulher. Isso era uma tortura para ele quando criança, e continua sendo. O túnel também é um símbolo sexual, ou seja, a vagina. Ele está lá dentro porque está obcecado com isso; não consegue sair porque não consegue se mexer para descarregar sua excitação. O orgasmo lhe escapa. Somente durante um curto período de sua vida Jack teve um relacionamento sexual que foi satisfatório.

Eis aqui outra história, muito diferente da de Jack, mas que também demonstra o papel central da sexualidade para o ser. Jane era uma mulher de quase 40 anos a quem eu já havia atendido por bastante tempo. Ela tinha uma estrutura de caráter esquizoide, um transtorno de personalidade bastante grave.[38] Por meio da terapia, melhorou muito em termos de seu funcionamento e senso de *self*. Finalizou o tratamento quando sentiu que conseguia

Alexander Lowen

caminhar com as próprias pernas, embora ainda houvesse muito espaço para evoluir.

Jane voltara a estudar para formar-se terapeuta. Seus filhos já estavam crescidos e não precisavam mais dela em tempo integral. Na escola, conheceu um professor que, sentia, era crítico e negativo a respeito dela, e ficou paralisada. Voltou para a terapia para trabalhar esse problema.

O principal aspecto da paralisia da personalidade de Jane era sua dificuldade de falar em algumas situações. Sua garganta contraía-se ao extremo e ela apresentava problemas com a voz. Na realidade, toda a metade superior de seu corpo era bastante tensa e contraída, tanto que era muito estreita. Em contraste, seus quadris e coxas eram grandes e volumosos. Esse desacordo entre as metades superior e inferior de seu corpo denotava uma cisão em sua personalidade, entre ego e sexualidade. A metade de baixo do corpo reflete o relacionamento da pessoa com o pai do sexo oposto, ou seja, as sensações sexuais que existiram no período edípico. A metade superior reflete o relacionamento com o genitor do mesmo sexo, a identificação egoica com ele. Jane fora próxima do pai; no nível dos sentimentos, houve um envolvimento incestuoso entre eles. Ela sentira terror em relação à mãe.

Nessa sessão, ela comentou: "Tenho dificuldade de me expressar na minha voz e em palavras. Jamais conseguiria retrucar minha mãe. Ela não me aprovava. Não aceitava meu ser, minha essência".

Perguntei a Jane: "Qual é seu ser? O que é essa essência que ela não aceitava?"

Jane respondeu: "Ela queria que eu fosse sexualmente sofisticada e popular, como via a si mesma. Mas eu não conseguia ser assim!"

De fato, Jane era o oposto dessa imagem. Era uma Jane simples. Assinalei que devíamos presumir que sua mãe fizera tudo que era necessário, inconscientemente, para certificar-se de que Jane não seria como ela, independentemente do que dissesse ou pretendesse de forma consciente.

Jane disse: "Não havia lugar para duas mulheres naquela casa". A implicação dessa sentença é que Jane teve de desistir de sua feminilidade e sexualidade para não ser uma ameaça à mãe. Depois, a paciente acrescentou: "É estranho, na vida eu consigo enfrentar mulheres. Só um homem pode me destruir como minha mãe o fez".

Isso efetivamente soa estranho, mas a resposta estava clara. Jane não tinha ligação energética com sua pelve, não tinha uma identificação profunda

Medo da vida

com sua sexualidade. Portanto, faltava uma base sólida para seu ser. Essa fraqueza de sua personalidade diminuía sua capacidade de autoexpressão. Ela tentava compensar tal fraqueza voltando-se sexualmente para os homens, esperando que eles confirmassem seu ser aceitando sua sexualidade. Ela havia procedido assim com o pai e isso a salvara, apesar de, ao mesmo tempo, tê-la tornado vulnerável ao ciúme e à hostilidade da mãe. Quando um homem respondia à sua sexualidade, Jane tinha uma sensação de segurança. Era apenas temporária, porque ela não aceitava a própria sexualidade; porém, se era rejeitada, sentia-se destruída.

Esse é um problema comum. Muitas mulheres voltam-se para os homens em busca da aceitação de sua sexualidade, o que implica a afirmação de seu próprio ser. Se conseguem ser aceitas, sentem-se bem por um tempo; porém, na medida em que são dependentes do homem, ficam vulneráveis à sensação de destruição se são rejeitadas, tal como sucedeu com Jane. Outro dia, uma paciente comentou a respeito de um namorado: "Ele fez que eu me sentisse mulher". A implicação disso é que, na ausência do interesse dele, ela não se sentia mulher. Seu senso de *self* e de ser era deficiente porque ela não estava completamente vinculada à sua sexualidade, nem totalmente identificada com ela. Quando a mulher está segura de sua feminilidade, o reconhecimento a isso prestado pelo homem é como a cereja do bolo.

Os homens têm problemas semelhantes. Voltam-se para as mulheres em busca da afirmação de sua masculinidade e, quando isso não acontece, acusam-nas de ser castradoras. Entretanto, o homem inseguro de sua masculinidade, carente do apoio de uma mulher, é parcialmente castrado, psicologicamente falando. A maioria das mulheres percebe bem essa nuança e ressente-se de ser usada dessa forma. Quando o homem busca uma mulher com uma percepção aguçada de sua sexualidade, sempre depara com uma resposta carinhosa. Se ele tem necessidade de que sua masculinidade seja afirmada, deveria obter tal afirmação de outros homens, como um menino obtém afirmação do pai, e não da mãe. Contudo, o homem pode sentir dificuldade de voltar-se para outros homens quando seu complexo de Édipo inconsciente é por demais ameaçador. Nesse caso, a resposta está na terapia.

Todos os meus pacientes queixam-se de alguma falta ou fraqueza em seu senso de ser. Em todos os casos, existe uma falta ou fraqueza correspondente na identificação da pessoa com sua sexualidade. Ser é mais do que sexualidade, e os problemas de ser não podem ser elaborados simplesmente em nível sexual. As dificuldades de expressão no nível do ego devem ser tratadas com o mesmo cuidado e atenção com que são considerados os problemas de ordem sexual. Porém, essas dificuldades não poderão ser resolvidas por completo a menos que as culpas e ansiedades sexuais subjacentes sejam entendidas e analisadas em termos do complexo de Édipo. Devemos manter nosso foco na sexualidade como base do *self* e do ser.

SER ENQUANTO NÃO FAZER

Em *Ter ou ser?*, Erich Fromm defende a hipótese de que o ser é reduzido pelo ter. Ele diz: "Somente na medida em que reduzirmos o modo ter, ou seja, não ser — isto é, pararmos de buscar a segurança e a identidade aferrando-nos ao que temos, 'sentando' sobre o material, atendo-nos ao nosso ego e a nossas posses — é que poderá emergir o modo ser".[39] De acordo com Fromm, os dois termos — ser e ter — representam duas atitudes diametralmente opostas perante a vida. O modo *ter* baseia-se em relacionamentos possessivos. O *self* é visto como um eu que tem uma esposa, uma casa, um carro, um emprego, até um corpo. Uma vez que o eu que tem um corpo é o ego, o modo ter representa uma posição egocêntrica. Esse modo desenvolveu-se com o advento da propriedade privada, do poder e do lucro, e depende desses fatores. Seu foco incide sobre o indivíduo e não sobre a comunidade. O modo *ser*, por outro lado, fundamenta-se no amar, no dar e em relações compartilhadas. Nesse modo, a medida do *self* não é dada em virtude do que se possui, mas sim de quanto se dá ou ama. No modo ser, a pessoa encontra sua identidade por meio da responsabilidade que tem para com a comunidade.

É profunda a exposição de Fromm a respeito das diferenças entre essas duas atitudes existenciais. O modo possessivo não só reduz o ser como ainda restringe a liberdade. As coisas que possuímos nos possuem. Somos possuídos por nossas posses, no sentido de termos de pensar a respeito delas, nos preocupar com delas, cuidar delas. Não estamos livres para dar-lhes as costas e irmos em frente porque, para muitos de nós, elas representam nossa identidade, nossa segurança, até mesmo nossa sanidade. Não hesitaríamos em chamar de louco aquele que distribuísse toda sua fortuna a fim apenas de ser livre. Achamos que não se pode ser livre a menos que se tenha posses; portanto, desperdiçamos a vida tentando fazer fortuna, descobrindo tarde demais que sacrificamos nossa liberdade. Não nos damos conta de que a liberdade vale mais do que qualquer fortuna, pois sem liberdade não podemos *ser*.

Medo da vida

Existe outra antítese além da que acabei de descrever que ajuda a explicar o dilema humano. Trata-se da contradição entre *ser* e *fazer*, que também reflete os dois lados de nossa natureza: nosso corpo e nossa mente ou ego. No nível do ego, expressamo-nos como criadores; no nível do corpo, somos criados. Como criadores, dedicamo-nos ao fazer. Como criaturas geradas por Deus, nosso papel é o de simplesmente ser. Com exceção de nós, todas as criaturas de Deus simplesmente existem. Mas não nos contentamos com apenas ser; precisamos fazer coisas, alcançar objetivos, criar algo. Esse impulso do ego para criar produz a cultura, que é a glória da humanidade. Mas pode ser também o veículo de sua destruição quando, por exemplo, conduz à criação de armas nucleares.

A antítese entre ser e fazer está registrada em nossa língua. Quando dizemos "deixe estar"[40], por exemplo, queremos dizer "não faça nada". Às vezes, fazer é não deixar ser ou estar. Fazer representa uma tentativa de mudar determinada situação, o que funciona quando a situação em pauta é externa. Contudo, quando a situação é interna, ou seja, um estado de ser, tentar modificar esse estado fazendo algo redunda numa redução do próprio ser. Isso pode ser explicado pelo fato de que, para agir sobre o *self*, uma parte da personalidade deve voltar-se contra outra. O ego, ou eu, volta-se contra o corpo, usando a vontade contra as sensações corporais. Nesse processo, o ser é cindido e, por isso, reduzido. Uma ação desse tipo pode ser necessária diante de um perigo real, em cujo caso não é neurótica. Torna-se uma reação neurótica quando a manobra persiste além do ponto do perigo. Os neuróticos estão sempre tentando se modificar usando a força de vontade, mas isso serve apenas para torná-los mais neuróticos. A saúde emocional só pode ser atingida com autoconsciência e autoaceitação. O esforço para mudar o próprio ser só os enreda ainda mais profundamente no destino que estão tentando evitar.

Isso significa que mudar é incongruente com ser? A resposta depende do tipo de mudança de que se está falando. A mudança efetuada pela aplicação de uma força vinda de fora é produto do fazer e afeta o ser de modo negativo. No entanto, existe um processo de mudança que ocorre de dentro para fora e não requer esforço consciente. É chamado de crescimento e fortalece o ser. Não é algo que se possa fazer — não sendo, portanto, uma função do ego, mas sim do corpo. A mudança terapêutica, que significa uma mudança no caráter, se assemelha ao crescimento por se tratar de um processo interior,

Alexander Lowen

impossível de ser efetuado pelo esforço consciente. Isso não quer dizer que o fazer não desempenhe papel nenhum no processo de crescimento. A aquisição de uma habilidade exige a repetição de certos atos, conscientemente, para que então a aprendizagem ocorra, mas a aprendizagem em si mesma acontece em nível inconsciente.

Examinemos outros aspectos da antítese entre ser e fazer. Eu disse que fazer é uma função egoica que demanda a aplicação consciente da energia pessoal em determinada tarefa. O ego dedica-se a estipular o objetivo e a controlar as ações que o alcançarão. Por outro lado, uma atividade em que haja notória ausência de envolvimento do ego pertence ao domínio do ser. Isso significa que, se o objetivo for secundário às ações, a atividade se qualificaria mais como ser do que fazer. Por exemplo, dar uma volta a pé pela rua pertence ao modo ser, ao passo que andar rapidamente até a estação do metrô pertence ao fazer. Todas as atividades produtivas, como preparar uma refeição, escrever um livro ou arar um campo, são aspectos do fazer. Contudo, quando o prazer é a motivação dominante, como ao dançar ou ouvir uma música, a atividade pertence ao modo ser.

Outra distinção importante refere-se ao foco da atividade. Quando o foco incide sobre o que está acontecendo no mundo externo, a atividade pode ser caracterizada como fazer. Quando o foco se dirige ao que se passa no interior da pessoa, ou seja, às sensações que ela vive durante a atividade, participa do ser. Essa distinção é relevante sobretudo no que tange ao sexo. Algumas pessoas fazem sexo, ou seja, desempenham um papel, e estão interessadas no efeito que sua atividade sexual exerce sobre o outro. Para elas, trata-se de uma viagem do ego. Para outros, a atividade sexual começa a partir de uma intensa sensação de desejo e termina com uma forte sensação de prazer e satisfação. Quando a sensação domina a atividade sexual da pessoa, ela está em seu modo ser. Se a mente, a vontade ou o ego dominam a atividade, é fazer. Quando a sensação inspira e orienta a atividade, pertence ao ser.

Ser equipara-se a sentir. Não se pode fazer ou produzir um sentimento, assim como não se pode fazer ser. Para ser genuíno, o sentimento deve surgir de modo espontâneo; do contrário, a pessoa pode ser acusada de fingimento. Além disso, os sentimentos não realizam nem produzem coisa nenhuma, não têm objetivos nem metas. Em outras palavras, não sentimos com o *intuito de*. Podemos apresentar razões para nossos sentimentos, mas estes não surgem

Medo da vida

em resposta aos ditames de nossa razão. Em geral, contrapõem-se a ela. Constituem nossas respostas corporais involuntárias ao mundo que nos cerca, sendo sua função promover o processo vital.

É importante reconhecer que o fazer não envolve nem leva a sentimentos e pode, na verdade, inibi-los ou bloqueá-los. Por exemplo, quando ando do meu consultório até a estação de trem com a ideia de chegar lá o mais rápido possível, não sinto nada além de uma urgência para pegar o trem. Todos os meus movimentos são dominados por esse objetivo e os sentimentos tornam-se irrelevantes. Na verdade, podem até prejudicar um bom desempenho. Em nome da eficiência, transformo-me numa máquina até que o objetivo seja alcançado. As máquinas não têm sentimentos nem senso de ser, mas são capazes de fazer coisas.

Por outro lado, é possível fazer ou produzir algo com sentimento. Para ter sentimento, o processo ou ação deve ser, pelo menos, tão importante quanto o objetivo. No exemplo anterior, se eu andar até a estação devagar e despreocupadamente por ter tempo de sobra para isso, sinto o prazer da caminhada e deleito-me observando as pessoas e as vitrines. Isso acontece de vez em quando, mas, em geral, tenho coisas demais a *fazer*. Não seria essa uma queixa bastante universal? Muito por fazer e em pouquíssimo tempo! As pessoas são tão apressadas que não têm tempo para respirar ou ser. Ser leva tempo: tempo de respirar, tempo de sentir. Quando nos motivamos a produzir ou realizar coisas, tornamo-nos máquinas e nosso ser fica reduzido. Contudo, se ao menos prestarmos tanta atenção ao processo quanto ao objetivo, o fazer torna-se uma ação criativa ou autoexpressiva, aumentando o senso de ser. No que diz respeito a ser, o que vale não é *o que* a pessoa faz, mas *como* o faz. O inverso vale para o fazer.

Quando uma atividade tem a qualidade de *fluir*, pertence ao ser. Quando tem a característica de *forçar*, pertence ao fazer. Nós forçamos quando o objetivo ou a meta torna-se mais importante do que o processo ou os meios. A atividade que flui é sempre vivida como agradável porque decorre diretamente de um desejo e conduz à satisfação de uma necessidade. Já a atividade que requer uma atitude forçada é dolorosa porque vai contra o desejo e ganha, assim, um elemento de esforço consciente que vem pelo uso da vontade. Na maior parte das vezes, escrever é um processo muito agradável para mim. Quando há algo que eu queira dizer, a escrita flui, sai fácil. Quando uso minha vontade para escrever, é porque não tenho nada interessante para dizer. Nesse caso, a escrita é dolorosa e pobre. Sempre tenho de refazê-la. Essa distinção entre fluir e forçar aplica-se também às atividades que denominamos jogos, divertimentos, esportes. Quando vencer é mais importante do que jogar, a atividade ou o esporte não são mais um jogo, mas um trabalho. Portanto, podemos dizer que para certas pessoas o trabalho é lazer, porque é agradável (flui), ao passo que para outras lazer é trabalho, porque é doloroso (forçado). Infelizmente, muitas de nossas atividades pertencem ao modo fazer. Isso é verdade sobretudo no que se refere ao processo educacional. A ênfase em resultados e a falta de interesse pelos sentimentos e sensações tornam a criança resistente à escola porque ela sente que seu ser está sendo negado pelo sistema.

Uma vez que o ser está relacionado ao sentir, também está relacionado aos movimentos e gestos espontâneos e involuntários que constituem a verdadeira autoexpressão. Em nossas verbalizações e movimentos espontâneos, vivemos diretamente a força da vida dentro de nós. Não temos a mesma vivência com atos pensados e deliberados. As reações espontâneas ignoram o ego e, por isso, são consideradas autênticas ou genuínas manifestações do *self*. Quando respondemos espontaneamente, não dizemos "Eu o fiz". Uma vez que a ação não foi motivada pelo ego, nossa tendência é adotar a voz passiva: "Fui levado pela raiva", "fiquei zangado". Essas duas sentenças sugerem que uma força independente do ego ou do eu agiu para produzir aquele sentimento. Todas as experiências emocionais são dessa natureza. São experiências "comoventes". Reverenciamo-las por nos fazerem sentir tão vivos, tão repletos do senso de ser.

Devemos assinalar que as respostas emocionais ou as experiências comoventes são diferentes de reações histéricas. Uma explosão histérica, apesar de espontânea e involuntária, não se assemelha a uma emoção. Esta é uma resposta total e involuntária; todo o ser está comovido. Tanto a mente quanto o corpo, o pensar e o sentir, o ego e o id, estão envolvidos e coordenados na resposta emocional. A reação histérica é um fenômeno de descarga em que a explosão ocorre contra o ego. O ego está tentando suprimir o sentimento ou a sensação, que irrompem apesar da intenção consciente.

Em geral, as atitudes da pessoa saudável demonstram um harmonioso equilíbrio entre ser e fazer, entre sentir e pensar, entre espontaneidade e respostas deliberadas. A completa harmonia entre ego e corpo, entre eu e "isso"[41] leva a movimentos que são tanto espontâneos quanto controlados. Isso

Medo da vida

pode parecer uma contradição; no entanto, somente essa combinação produz ações elegantes e eficazes, completamente naturais, e, não obstante, totalmente apropriadas à situação. Aquele em que essas forças se encontram em harmonia é dotado de elegância, graça e dignidade. Nele, o ser está em seu mais alto nível de desenvolvimento.

O fazer pode se sobrepor ao ser, mas não pode substituí-lo. Quando somos, podemos fazer e produzir e a atividade terá expressividade. Não somos definidos pelo que fazemos, mas podemos ser aperfeiçoadas por isso. Porém, quando não somos, o fazer ou o produzir não remediarão esse fato. Não nos tornaremos pessoas pelo fazer. Fazer é como vestir roupas, as quais podem até enfeitar o corpo, mas não são capazes de substituí-lo.

Apesar de tudo isso, todos nós tentamos encontrar nossa identidade naquilo que fazemos. Estamos familiarizados com esse conceito porque identificamos as pessoas por sua profissão ou ocupação. Dizemos que alguém, por exemplo, "é banqueiro". Ao usarmos o verbo *ser,* confundimos o fazer com o ser. Evidentemente, ele não é banqueiro, esse é só o seu trabalho. Ele pode mudar de ocupação sem mudar seu ser; o ser humano não é determinado pelo que *faz.*

Existe outra maneira mais sutil pela qual tentamos criar uma identidade por meio do fazer. Modelamos nosso corpo segundo a imagem que desejamos criar. Por exemplo, um homem estufa o peito, retrai os ombros e encolhe a barriga para dar a impressão visual de ser mais masculino e acreditar que, enquanto conseguir manter essa pose, será macho. As mulheres fazem coisas semelhantes com o corpo para transmitir uma impressão visual de maior feminilidade. Usar espartilho era uma tentativa nesse sentido. Atualmente, o mesmo resultado é alcançado com regimes e tensão: manter os ombros erguidos, encolher o abdome etc.

Grande parte desse tipo de fazer é inconsciente. Os papéis que adotamos na vida tornam-se estruturados em nosso corpo como nosso estilo de ser no mundo. Mas tornam-se o único meio e, assim, limitamos seriamente nosso ser. Essa é outra forma de afirmar que *o destino de uma pessoa é determinado por seu caráter, que está estruturado em seu corpo por tensões musculares crônicas.* Essas tensões constituem "padrões de contenção". Nós nos contemos, nos reprimimos, nos refreamos etc.[42] A contenção é uma forma de controle. Ao nos contermos, não permitimos que o fluxo de excitação transcorra naturalmente; nós o controlamos. Essa contenção contrária ao fluxo desenvolve-se

Alexander Lowen

gradual e insidiosamente, e termina por ser inconsciente. Então, nossa estrutura de caráter torna-se parte de nós, e não temos mais consciência de estar bloqueando o fluxo natural das sensações e sentimentos que formariam nossas respostas e movimentos.

Embora a contenção seja inconsciente, nós a "fazemos". Os músculos voluntários ou estriados estão subordinados ao controle do ego. As tensões crônicas nesses músculos refletem a inibição imposta pelo superego contra a manifestação de determinados sentimentos e sensações. No princípio, a tensão é criada conscientemente para bloquear a expressão de um impulso que poderia evocar uma resposta hostil por parte de nossos pais. Com o tempo, porém, a tensão passa a ser crônica e já não temos consciência dela, embora ainda continue sendo uma função do ego. Não estamos nos permitindo ser; não estamos permitindo que o fluxo de excitação se desloque em toda sua integridade através de nosso corpo, até atingir o nível da exteriorização. Nós contemos a raiva, a tristeza, o medo. Reprimimos o choro e os gritos. Refreamos o amor. Agimos assim por medo de nos entregar, de ser, de viver.

O processo terapêutico, destinado a aprofundar ou a ampliar o ser ou o *self* do paciente, implica "soltar" essas ações de contenção, permitindo um curso desimpedido ao fluxo de excitação. Na terapia, o paciente aprende a "desfazer" o fazer que bloqueia o fluxo. Não se trata de aprender *a ser*, mas sim *a não fazer*.

Tomemos a respiração como exemplo do que quero dizer com "soltar". Quando eu fazia terapia com Wilhelm Reich, o processo terapêutico envolvia respirar profundamente. Reich orientava-me a respirar enquanto eu estava deitado na cama e, como o "bom" menino que eu era, eu continuava executando a instrução. Nada acontecia porque eu não estava "soltando". Reich dizia, então: "Não faça". No começo, eu respondia: "Mas você me disse para respirar". "Sim", era o que ele acrescentava, "você deve entregar-se à respiração, e não fazê-la". Custou-me certo tempo para entender que meu não respirar era um fazer. Se eu "soltasse" ou não fizesse nada, respiraria fácil e profundamente, como qualquer criança ou animal. Quando permiti que meu corpo respirasse, diversas reações significativas aconteceram nele espontaneamente. Uma delas foi o movimento corporal que Reich denominava reflexo do orgasmo.

Todos os pacientes neuróticos e esquizoides respiram deficitariamente. Na maioria dos casos, a respiração é superficial e fragmentada, pois limita-se

Medo da vida

à região torácica ou abdominal, não envolvendo o corpo todo. A fim de ajudar o paciente a tornar-se consciente de sua perturbação respiratória, o terapeuta encoraja-o a realizar um esforço consciente para respirar mais fundo e completamente. Essa respiração profunda traz mais oxigênio para o corpo e assim aumenta seu nível de energia, mas ainda constitui um fazer e, como tal, não intensifica o senso de ser. Contudo, o esforço para respirar com mais profundidade torna a pessoa cônscia do fato de estar *contendo* a própria respiração. Ela sente que a respiração mais profunda ativa sentimentos e sensações que haviam sido enterrados no inconsciente pela supressão, percebendo então que conter a respiração é um meio eficaz de reduzir a sensibilidade. Isso é necessário quando os sentimentos ou sensações são muito dolorosos ou ameaçadores. Enquanto ela estiver aterrorizada por tais sentimentos ou sensações, não se permitirá respirar com naturalidade. Controlará consciente ou inconscientemente a respiração. Porém, exercícios respiratórios não ajudam nessa situação por serem uma forma de controle. A pessoa parará de respirar quando a sensação de ameaça se intensificar.

A "contenção", apesar de inconsciente, é uma defesa do ego contra sentimentos e sensações que, no passado, foram percebidos como perigosos. Por exemplo, a pessoa pode ter tido medo de sua tristeza, sentindo que, se se entregasse a esse sentimento, cairia num desespero tão profundo que talvez não conseguisse sobreviver. Ou, então, poderia tratar-se de um medo tão grande que se tornasse um terror paralisante, ou de uma raiva tão intensa que a pessoa teria desejos assassinos. As sensações sexuais podem ser muito ameaçadoras porque estão associadas ao temor da castração. Por outro lado, a atitude consciente de refrear um impulso porque sua manifestação em determinado contexto seria inapropriada ou desaconselhável não é uma atitude neurótica. O neurótico teme a sensação, o sentimento; a pessoa saudável consegue aceitar seus sentimentos e identificar-se com eles, embora seja capaz de refrear-se de agir. Por essa razão, a neurose pode ser vista como o medo de ser — ou como medo da vida.

Nesse sentido, a tarefa terapêutica é ajudar o paciente a entrar em contato com seus sentimentos e sensações, aceitá-los e, em condições adequadas, permitir que se desloquem até a esfera da ação. A situação terapêutica é o local adequado para que ele experimente seu ser e a vida sem medo. Com o apoio do terapeuta, ele pode ser encorajado a entregar-se à raiva e a expressá-la, dando socos numa cama com os punhos fechados ou com uma raquete de tênis. Agindo assim, o paciente descobre que não matará ninguém, apesar de sentir vontade de fazê-lo. Aprende que pode entregar-se ao sentimento e controlar a ação. Uma vez que os socos são sempre desfechados contra uma cama ou colchão, nunca contra outra pessoa, o paciente consegue abandonar-se inteiramente a esses sentimentos ou sensações. E, ao desistir do controle inconsciente do sentimento (a contenção), ele ganha um controle consciente eficaz de suas ações. Desse modo, aumenta a força de seu ego. Ele também compreende melhor seus sentimentos e sensações ao perceber a relação destes com experiências do início de sua vida.

Somente ao dar vazão a sentimentos e sensações no ambiente controlado da situação terapêutica é que as tensões musculares crônicas que "contêm" inconscientemente os sentimentos e as sensações podem ser aliviadas. Dessa forma, sentimentos e sensações potencialmente explosivos ou histéricos tornam-se integrados à personalidade e ampliam o âmbito da responsividade emocional do indivíduo. O que mencionei a respeito da raiva vale também para outros sentimentos. Com ajuda, o paciente encontra a coragem de entregar-se à sua tristeza mesmo que ela pareça levá-lo às profundezas do desespero. Ao dar vazão a esse desespero, ele descobre que expor a ferida talvez resulte em uma cura que ele não acreditava ser possível.

Toda vez que o paciente entra em contato com uma sensação ou sentimento suprimido e o libera, diminui a tensão que o mantinha nessa situação. Isso aumenta sua energia, pois sua respiração torna-se mais profunda e plena. Ele pode arcar com as consequências de permitir mais vitalidade a seu corpo, porque vitalidade, ser e sentir já não representam o mesmo perigo que antes.

Ser é o estado de vitalidade do corpo. Quanto mais cheio de vida, maior é o ser. O ser é reduzido por cada tensão crônica que restrinja a mobilidade do corpo, diminua sua respiração e bloqueie sua expressividade. O ser é realçado sempre que nos permitimos sentir profundamente e expressar sentimentos e sensações em atitudes apropriadas.

Um último aspecto da antítese entre o ser e o fazer necessita de aprofundamento. Se temos medo de ser, ou medo da vida, podemos mascarar esse medo aumentando nosso fazer. Quanto mais ocupados ficarmos, menos tempo teremos disponível para sentir, ser, viver. E podemos até nos ludibriar, acreditando que fazer é ser e viver. Podemos mensurar nossa vida pelo que realizamos, em vez de pela riqueza e pela plenitude de nossas experiências.

Medo da vida

Em minha opinião, o ritmo agitado e quase frenético da vida moderna é um nítido sinal do medo que sentimos de ser e viver. E, enquanto esse medo persistir em nosso inconsciente, correremos cada vez mais rápido e faremos cada vez mais coisas a fim de não sentir medo. O que é, especificamente, o medo da vida e o medo de ser?

4. O medo de ser

MEDO DE VIVER E DE MORRER

Se a vida se resume em ser, por que temos tanto medo disso? Por que nos é tão difícil "nos entregarmos e simplesmente ser"? As pessoas passam muitos anos fazendo terapia (como eu), tentando descobrir a si mesmas, encontrar a verdade de seu ser. No entanto, todo animal sabe por instinto o que é e como ser si mesmo. Ser é o estado natural do animal. Todo ser humano começa a vida como animal, com um senso pleno de ser. E, como os animais, a criança simplesmente é. Seu ego é essencialmente um ego corporal, totalmente identificado com os processos naturais do corpo. Essa identificação é rompida na medida em que seus pais lhe impõem uma forma civilizada de comportamento, em oposição à sua natureza animal. Essa forma de educação, ao lado da situação edipiana, força o ego a assumir uma postura antitética ao corpo e à sexualidade. No capítulo anterior, vimos como isso se desenvolve. A questão, neste momento, é: por que é tão difícil restabelecer o vínculo original numa etapa posterior da vida? Que temores se opõem ao resgate da própria inocência? Sabemos que não é tão simples quanto indicar a alguém o caminho de volta para casa. Esse percurso atravessa vales ocultos onde se abrigam perigos desconhecidos que só descobrimos ao fazermos a viagem de volta à nossa infância.

O primeiro caso que apresentarei refere-se a um homem com cerca de 50 anos, que passara os últimos vinte entrando e saindo de terapia. Eu conhecia Arthur e trabalhara com ele, irregularmente, durante boa parte desse período. Ele sofria de insegurança, ansiedade e depressão. Financeiramente não era inseguro, pois tinha dinheiro. Sua insegurança revelava-se com as mulheres. Sua ansiedade decorria de dificuldades de expressar e afirmar a si próprio. Sua depressão era pouco intensa e crônica; não o incapacitava, mas o deixava sem nenhuma alegria. Esses sintomas passaram por uma acentuada melhora durante a terapia e, pela primeira vez na vida, ele conseguiu se sustentar financeiramente por meio do próprio trabalho. Seus relacionamentos com mulheres também tinham progredido de forma considerável.

Há pouco tempo, Arthur veio para uma sessão com o seguinte comentário: "Cada vez mais me vejo um pouco enamorado da ideia de morrer". Devo confessar que, a princípio, fiquei surpreso com essa declaração. Tendo em vista seu progresso significativo, eu não a esperava. Contudo, não foi excessiva a minha surpresa, pois eu aprendera alguns anos antes que a ideia da morte está por trás dos pensamentos de todos os meus pacientes e tem conexão com a neurose.

Arthur prosseguiu: "Uma frase de um dos sonetos de Keats fica sempre rondando a minha mente: 'Me enamorei, de meio-amor, da Morte calma'[43]. Acho que não seria assim tão ruim deitar e morrer, e eu realmente não ligo. Na verdade, sinto-me morrendo e isso não me perturba. Percebo-me passando longos períodos sem fazer nada, deitado na cama por horas a fio, sem nenhum interesse ou desejo. Sei que esse é um estado deprimido. Por outro lado, minha vida está mais ativa, meu apetite sexual é maior e estou vivendo com mais intensidade do que nunca".

Assim que terminou seus comentários, Arthur acrescentou: "Agora percebo que vivi minha vida com uma depressão leve e crônica. Quando me sinto mais cheio de vida, sinto essa tendência depressiva dentro de mim. Toda manhã faço de 15 a 20 minutos de trabalho corporal e a sensação de depressão desaparece. Mas ela retorna quando acabam os exercícios".

Existe uma aparente contradição nas observações de Arthur que pede esclarecimento. Como pode ser que, quanto mais cheio de vida e ativo esteja, mais consciente se torne da morte e do desejo de morrer? Pode-se facilmente pressupor que o desejo de morrer esteve presente o tempo todo, mas bloqueado pela apatia e pelo fato de ele estar sempre ocupado. Arthur antes estava mais ocupado do que agora, apesar de, como ele diz, levar uma vida mais ativa no momento. Antes, ocupava-se com inúmeros afazeres que não lhe permitiam tempo para ser ou sentir. Estava sempre fazendo, muito embora esse fazer nunca resultasse em algo verdadeiramente considerável. Agora que se permite ser (ser no mundo) e faz menos, consegue sentir a si próprio (seus problemas e temores, sua resignação etc.).

Perguntei a Arthur que associação fazia com a ideia de morrer e ele relatou a seguinte recordação, quase como se a estivesse vivendo naquele instante: "Sinto-me deitado nos meus aposentos, no frio. Eu dormia num

Medo da vida

alpendre sem calefação o ano inteiro. A ideia era tornar-me resistente. Morávamos em uma casa espaçosa e essa varanda ficava na extremidade oposta ao quarto dos meus pais. Eu tinha mais ou menos 3 anos. Lembro que nessa época eu sentia orgulho de suportar isso, mas a verdade é que eu ficava exposto ao frio, sozinho".

Arthur explicou que se sentia abandonado no frio, tanto física quanto emocionalmente. Estava tão distante dos pais que, se chorasse, eles não o ouviriam. Sentia que não tinha meios de comunicar-se com eles. Agora ele compreendia como reagira a essa situação. Ele disse: "Quando criança, eliminei o sofrimento de 'ficar abandonado no frio' amortecendo a mim mesmo. Sinto que cortei o suprimento de sangue para o meu cérebro".

Arthur ficava amortecido pelo frio, mas também se amortecia para não sentir a dor de seus anseios por ficar perto da mãe e do pai, para não sentir a própria necessidade do afeto deles. Disse ainda: "Sinto que esse anseio é tão intenso que preciso tê-lo (o afeto) ou morrerei. Como não posso tê-lo, não há problema em morrer".

Essa última afirmação contém um elemento importante para o entendimento da neurose. O neurótico tem tanto medo de viver quanto de morrer. O fato de Arthur estar meio enamorado da morte significa que só está meio enamorado da vida. Seu medo da vida está vinculado ao seu medo da morte. Ele não ousa ir ativamente em busca de afeto porque a dor de seus anseios seria praticamente insuportável. Ele não pode arriscar-se a abrir o coração porque sente que, se for rejeitado, morrerá. Assim, sua atitude neurótica de ser capaz de suportar o frio (falta de um relacionamento humano carinhoso) e de "conter-se" contra o anseio de amar é vivida como meio de sobrevivência. Viver plenamente é se arriscar a morrer. Até certo ponto, vale a crença de que estar aberto à vida é perigoso. Quando, ainda criança, Arthur suprimiu seus anseios e refreou sua busca de afeto, ele pode realmente ter salvado a própria vida. Acredito que uma criança seja capaz de morrer se a dor de um anseio não satisfeito por contato e calor humano se tornar intolerável. Ela desistirá do desejo de viver. Mortes como essas acontecem, como é sabido.

Vejamos o caso da criança que é colocada na cama, sozinha, num quarto escuro, e chora pedindo a mãe. Se esta não responder, a criança continuará chorando enquanto lhe restar alguma energia. Está em estado de dor, que aumenta rápida e infalivelmente. Essa criança poderia morrer, mas a natureza interfere para proteger sua vida. No ponto da exaustão, ela adormece. De manhã, sua mãe está ali de novo e as esperanças são renovadas. Na segunda noite, deixam que a criança chore de novo até se cansar. Ela não chora mais por tanto tempo, pois já não tem tanta energia depois da derrota anterior. Adormece mais cedo porque fica exausta mais cedo. Nenhuma criança consegue suportar esse jogo. Para salvar a própria vida, deve entregar os pontos, e isso representa suprimir seu anseio pelo genitor. Deixar a criança chorar até a exaustão é uma tática eficiente para conseguir que ela se submeta a ir sozinha para a cama, mas isso viola seu espírito. Recuperar sua fé na vida e no ser será uma tarefa hercúlea.

Retornemos ao caso de Arthur e perguntemos por que ele deseja morrer. A resposta é fácil: porque ele não acredita de fato que encontrará na vida o amor e carinho que tanto deseja. E não encontrará. É difícil responder com amor a alguém que se orgulha de sua capacidade de suportar o frio e amorteceu em si mesmo sua necessidade de amor. Arthur ficou amortecido por causa de seu congelamento. Emocionalmente, é uma pessoa fria e já meio morta. O amortecimento que salvou sua vida determinou seu destino. Ele poderia sobreviver, mas teria de ficar sozinho no frio pelo resto da vida.

É evidente que Arthur não vai morrer. Seu desejo nesse sentido não passava de uma meia vontade, enterrada em seu subconsciente desde criança. Ele está se permitindo ser, e isso significa experimentar a verdade de sua vida interior, o que inclui o desejo de morrer. Ele tem de viver essa verdade antes de se permitir ser de verdade. Há muitos anos, quando Arthur veio me procurar pela primeira vez, tinha ideações e impulsos suicidas. Porém, o suicídio não é só o desejo de morrer, é a determinação de fazê-lo. Desejos e sentimentos fazem parte do ser; ações pertencem ao fazer. No suicídio, a pessoa executa uma ação destrutiva contra si mesma e contra os outros. Esse ato deriva, em grande parte, da raiva reprimida, a qual é dirigida contra o *self* para magoar outras pessoas. "Vocês vão ver quando eu morrer." O suicídio representa a rejeição do próprio ser. A percepção que Arthur tinha de seu desejo de morrer significava autoaceitação. Por meio da terapia, ele reunira a coragem de admitir que se empenhara em uma luta vazia: sobreviver em um mundo frio. Estava começando a perceber que a vida, em tais condições, não valia o esforço. Em vez de destinar sua energia à luta pela sobrevivência, como fizera antes, estava agora pronto para investi-la na busca da alegria e do calor humano.

Eu poderia propor a Arthur que assumisse o risco de ir em busca de mulheres, uma vez que ele tem consciência de que elas reagem a ele e de que não vai morrer. Mas, ao lhe fazer essa recomendação, estou lhe dizendo: "Faça-o". Com força de vontade suficiente, ele poderá ser capaz de fazê-lo, mas isso expandiria seu ser? Não creio. Em minha opinião, essa abordagem terapêutica pode modificar seu comportamento, mas não afeta seu ser. Ignora um fato essencial. O problema de Arthur não está mais no lado de fora, no mundo exterior. Agora, está dentro dele, na natureza de seu ser. O fazer apenas cria a ilusão de que o próprio ser foi modificado. Recordemo-nos de Arthur ter dito que se amortecera em relação à dor de estar no frio. Nesse sentido, a tarefa terapêutica consiste em recuperar sua vitalidade, reaquecer seu corpo e reativar sua sensibilidade. Porém, no processo de recuperar sua vitalidade, Arthur vai reviver o estado de dor que suprimira com seu amortecimento. Não há meios de evitar isso. É como recuperar a circulação em um dedo gangrenado pelo frio: dói demais. Por isso, o procedimento deve ser muito lento, nas duas situações. Porém, evitar a dor é correr o risco de perder o dedo. Se Arthur não reviver no corpo a dor proveniente das mágoas que sofreu quando criança, arrisca-se a perpetuar a perda de seu ser.

Arthur disse também que tinha cortado o suprimento de sangue para o cérebro. No dia dessa sessão, aparecera com dor de cabeça e uma tensão na nuca, bem na base do crânio. Ele me pediu que trabalhasse nessa tensão. Inclinou-se para a frente, coloquei os nós dos dedos contra a base de seu crânio e empurrei sua cabeça para baixo, forçando-o a submeter-se. Ele resistiu, forçando vigorosamente a cabeça para cima contra o vetor da pressão. Quando a ergueu, forçando-me a aliviar a pressão, a tensão havia diminuído consideravelmente e seus olhos estavam faiscando. Ele estava zangado e a dor da cabeça tinha desaparecido.

Eu o machucara fisicamente, como seus pais o tinham machucado emocionalmente, forçando-o a submeter-se. Desta vez, porém, ele conseguira reagir contra isso em vez de suportá-lo.

Embora Arthur tenha sido meu paciente durante muitos anos, essa foi a primeira vez que ouvi a história de ele ter sido abandonado no frio. Não sei por que não emergiu antes. Não parecia que Arthur tivesse reprimido essa recordação — estou certo de que o tempo todo ele sabia disso —, mas acredito que não estivesse em condições de enfrentá-la até que surgiu de novo o tema de vida ou morte.

A história de Arthur lembrou-me a de Édipo, que também foi abandonado no frio. Talvez houvesse outras semelhanças entre ambas. Arthur não

Alexander Lowen

matou literalmente o pai nem se casou com a mãe, mas perdeu o pai ainda jovem e herdou uma fortuna considerável. Além disso, a mulher com quem se casou acabou se revelando muito parecida com sua mãe. E, já homem, ele se viu tão abandonado ao frio quanto na infância. Parecia ser esse seu destino. Por quê?

Com base em nosso trabalho analítico anterior, ficou claro que a mãe de Arthur se comportara de maneira sedutora em relação a ele. Ele sabia que havia suplantado o pai no coração dela e sentia culpa por isso. Descreveu o pai como um homem imponente que, conforme sentia, tinha ciúmes do filho, apesar de viver através dele e depender dele. Seu pai havia herdado todo seu dinheiro do avô de Arthur e nunca tinha trabalhado. Suspeito que a situação edipiana de Arthur fosse uma repetição da que seu pai vivenciara.

Arthur encontrava-se abandonado ao frio tanto emocional quanto fisicamente. Não tinha nenhum contato verdadeiro com os pais. A relação com a mãe era por demais sexual e ele se sentia usado por ela. O envolvimento sexual de sua mãe com ele visava substituir o verdadeiro cuidado e afeição materna, coisas que ela não conseguia dar. Mas Arthur também não conseguia estabelecer uma relação verdadeira com o pai. Sentia desprezo por sua fraqueza, mas ao mesmo tempo tinha pena dele. Sentia medo do pai e o odiava. Uma situação como essa só tem dois desfechos possíveis. Um é aquele em que o filho supera o pai e prova sua superioridade, atuando assim a história de Édipo. Foi essa a direção escolhida por Robert, cujo caso estudamos no primeiro capítulo. Para tanto, o filho deve abandonar grande parte de sua sexualidade. O outro resultado é aquele em que o filho se retira da competição e se identifica com o pai. Arthur adotou essa última alternativa. Pai e filho criaram uma relação em que Arthur relatava todas as suas atividades para o pai, permitindo-lhe compartilhar de sua vida. Creio que esse contato com o progenitor impediu que Arthur se tornasse homossexual, mas não modificou seu destino.

A identificação de Arthur com o pai, nessas circunstâncias, foi possível pela eliminação de suas sensações sexuais relativas à mãe. Como todas as vítimas do conflito edipiano, ele foi psicologicamente castrado. Sofria de uma grave ansiedade de castração, relacionada a uma extrema tensão em torno da área genital. Sua pelve era rígida e seu assoalho pélvico, retraído. Essa tensão imobilizava a pelve de tal modo que só eram possíveis poucos movimentos nessa região. A resultante redução de sua potência sexual fez Arthur sentir-se

Medo da vida

inseguro com as mulheres e também na companhia de homens. Ele tinha medo de que as mulheres o usassem se tivesse fortes sensações sexuais por elas. Quanto aos homens, sentia-se tanto superior quanto inferior, exatamente como em relação ao pai. Além disso, ficava preocupado com possíveis tendências homossexuais se permitisse alguma proximidade.

Arthur não escolheu esse resultado conscientemente. Reagiu à situação edipiana a fim de minimizar seu efeito traumático sobre si mesmo. Sua estrutura de caráter desenvolveu-se como defesa contra o possível incesto com a mãe e a possível castração por parte do pai. Se essa estrutura exigia que ele desistisse de parte da vida (o desejo de morrer), também lhe permitia conservar outra parte e, até certo ponto, funcionar como homem, embora com a sensação de estar "abandonado ao frio".

A terapia não pode erradicar o passado. Lida com este no que concerne ao seu efeito sobre o presente. A falta de calor humano durante os primeiros anos de vida de Arthur não pode ser remediada agora amando-o como se fosse bebê. Como adulto, ele só pode ser aquecido por sua paixão sexual e pelo amor de uma mulher. Para que Arthur seja um homem, o problema edipiano deve ser elaborado e sua ansiedade sexual, aliviada. Isso significa que o paciente tem de confrontar fisicamente seu medo de castração. Uma vez que também as mulheres sofrem do mesmo problema edipiano e têm seu medo da castração, este deve ser igualmente enfrentado.

O segundo caso refere-se a um homem muito bem-sucedido com cerca de 45 anos, a quem denominarei Frank, que também se queixava de depressão. Além disso, ele tinha um medo exacerbado da morte que o perturbava muito. Achava que ia morrer, e toda dor ou desconforto que sentisse no corpo confirmava seu medo. Estava o tempo todo preocupado com a possibilidade de ter um ataque cardíaco ou um AVC, mas sua pressão sanguínea era normal e seu pulso, mais lento que o normal. Na realidade, ele sofria de um problema ortostático: quando se punha em pé depois de ter estado deitado, ficava tonto e sentia vertigem. Embora fosse obcecado pela ideia de morrer, tinha outros problemas. Era infeliz na vida conjugal. Tinha medo da esposa e das mulheres em geral. Estava deprimido sexualmente.

O caso de Frank oferece uma boa oportunidade para o estudo do medo patológico da morte e sua relação com a personalidade. Frank era um fazedor, ou seja, seu foco caía sobre conquistas, sucesso, poder. Vindo de uma situação financeira precária, subiu na vida por meio de esforço insistente e competitivo. Quanto mais ascendia na profissão, mais responsabilidade assumia e mais pressão recaía sobre seus ombros. Quando veio me consultar, estava numa posição extremamente vulnerável. Estavam cogitando seu nome para outra promoção importante, e isso o assustava sobremaneira.

Por que alguém teria medo do sucesso? Podemos entender facilmente o medo do fracasso, que é algo bem comum, mas qual é a ameaça representada pelo sucesso?

Para compreendermos esse problema, devemos considerar a situação edipiana. Em nossa cultura, todo menino entra numa luta competitiva com o pai pelo amor da mãe. Uma vez que as mulheres se sentem em posição inferior à dos homens, a mãe olha para o filho como seu campeão, capaz de defender sua honra. Espera-se que o filho se destaque mais do que o pai e, desse modo, honre a mãe. Arthur tinha sido apanhado por essa mesma situação e também não ousava ter êxito. Por causa da culpa, a maioria dos pais apoia a ambição do filho e aplaude seu sucesso, enquanto internamente se ressente da derrota implícita — a saber, que o menino é um homem melhor do que ele.

O menino está em uma verdadeira armadilha. Falhar significa correr o risco de perder o amor da mãe. Também desagradaria ao pai, que ainda espera alcançar reconhecimento por meio dos êxitos do filho. Porém, sucesso significa afastar o pai e casar-se com a mãe. Nenhum menino pode ir por esse caminho, por mais que o deseje em sua fantasia. É pequeno demais para isso. Ele sente que a mãe o possuiria e que perderia sua independência. Sem o pai, seria engolido por ela. E, embora teoricamente o pai consiga aceitar a vitória do filho, por dentro sente-se traído e fica furioso tanto com o filho quanto com a esposa. Talvez ele não reconheça nem esteja consciente desses sentimentos, mas a criança tem sensibilidade para os estados internos dos pais e sente muito medo da raiva que o pai não manifesta.

Evidentemente, o menino deve agir para evitar ser destruído pelo pai e ser dominado sexualmente pela mãe. Se a pressão para realizar feitos for muito grande, suprimirá sentimentos e sensações sexuais pela mãe, dedicando suas energias à luta pelo sucesso. Sacrificará seu ser para tornar-se um fazedor. A supressão de sua sexualidade remove todo perigo porque equivale a uma castração psicológica. Era assim que Freud via a solução para a situação edípica. Porém, a repressão não resolve conflitos emocionais.

Quero acrescentar que nem todas as crianças são afetadas na situação edipiana da mesma forma. Muito depende do relacionamento entre os pais,

Medo da vida

do amor e do respeito que um tem pelo outro, da importância que é dada ao sucesso. Contudo, são poucas as famílias ocidentais que não se encontram presas na luta pelo sucesso e nas quais os filhos são poupados dos efeitos do conflito edipiano.

O sucesso e o poder são a resposta do ego para o problema edipiano. Obtê-los compensa a castração. Garante que a pessoa seja admirada e respeitada. Promete amor pela satisfação das exigências dos pais e proclama a superioridade do filho sobre o pai. Pela mesma razão, o sucesso evoca a ameaça da castração. A admiração suscita inveja. O poder conduz ao medo, não ao amor. A vitória sobre o pai traz de novo o medo de ser destruído ou devorado.

Quanto mais alto a pessoa subir, maior a excitação e, portanto, o perigo. O que sobe tem de descer. A direção da descarga de excitação e da obtenção do alívio é descendente. Sem a capacidade de descer, a pessoa fica ansiosa, incapaz de encontrar trégua para suas lutas e dificuldades. Normalmente, descer ou se entregar se dá por meio do sexo e do prazer. Depois de uma experiência sexual satisfatória, o indivíduo sente-se repousado e descontraído, sente contentamento. Para Frank, porém, essa via estava obstruída; ele jamais se permitiu muito prazer e temia as mulheres. Ao sentir que precisava descer, Frank tinha medo de cair, o que então assumiria a forma de uma doença ou da morte.

Essa análise da situação de Frank levou a uma conclusão surpreendente: Frank tinha mais medo de viver do que de morrer. Sua declaração de que tinha medo de morrer também era verdadeira, pois quem tem medo de viver está pedindo para morrer, e isso é assustador. Podia-se ver, no corpo de Frank, a tensão em seu peito, que restringia gravemente sua respiração. Ele não conseguia chorar, não conseguia gritar, não conseguia ir em busca do amor apesar de sua evidente privação emocional. Sua pelve mantinha-se muito rígida e os músculos dessa região eram contraídos ao extremo. Eu discernia com clareza, nessa tensão, o medo da castração; não obstante, Frank não tinha consciência desse aspecto de seu problema devido à sua preocupação obsessiva com a morte. Depois de anos de psicanálise, ele estava ciente de seu problema edipiano, mas nunca experimentara o medo da castração e, por isso, tal problema não passava de palavras para ele. Quando uma dor no peito o invadia e detinha sua respiração, ele entrava em pânico e a única coisa em que conseguia pensar era que ia morrer. Garanti a Frank que não achava que isso fosse acontecer logo. Ele já consultara todo tipo de especialistas, e nenhum

Alexander Lowen

fora capaz de encontrar um motivo orgânico para sua ansiedade. Eu lhe disse que não era o destino dos hipocondríacos encontrar uma "morte calma". Seu destino parece ser sofrer os tormentos dos condenados, sem o alívio proporcionado pela morte. No entanto, Frank não ficou muito tranquilo com essas minhas observações.

Consegui conscientizá-lo de que sua respiração era muito superficial. Deitado sobre o banquinho bioenergético[44], ele tomou consciência da tensão na garganta e no peito e de como lhe era difícil respirar profundamente. Também consegui lhe mostrar que ele estava com o corpo todo retraído. Tinha mais de 1,80 m e era bastante magro. Dava a impressão de ser muito fraco e não parecia que suas pernas conseguiriam mantê-lo em pé. Seus arcos dos pés eram caídos, os tornozelos, finos, e os joelhos, travados para proporcionar um pouco de apoio. Os ombros eram levantados como se ele estivesse se mantendo erguido por meio deles. Lembrava-me um espantalho, só que era ele quem tinha medo.

Frank estava cansado. Queria se entregar, mas não conseguia. Entregar-se representava o fracasso e a morte. Porém, também não poderia permanecer em pé indefinidamente. Isso era impossível. Eu conseguia entender sua ansiedade; era real.

Frank continuava em pé para salvar a própria vida. Não é de espantar que estivesse aterrorizado pela perspectiva de morrer! Por quanto tempo alguém aguenta ficar "ligado"? Mas toda tensão é, literalmente, uma contenção "para salvar a própria vida", não importa que músculos estejam envolvidos nisso. Toda tensão é parte de um padrão total que constitui a estrutura do caráter, cujo objetivo é garantir a sobrevivência. Renunciar ao caráter é por demais assustador. A sensação aí vivida é a de perda de identidade, de um momentâneo não ser, ou de morte.[45] Mas a morte também é a saída — da armadilha, das lutas, da dor de viver. Frank desejava desesperadamente desistir, entregar-se, morrer, e esse desejo ignorado de morrer o fazia "morrer de medo".

Encontrei esse desejo de morrer em todos os pacientes que tratei. Em alguns é fraco, mas em outros é forte. Sua intensidade é diretamente proporcional ao nível de medo que a pessoa sente de viver. A inibição da vida é a morte. Toda tensão crônica no corpo é um medo da vida, um medo de se soltar, um medo de ser. Pode ser interpretada como um desejo de morrer. Contudo, é diferente do conceito freudiano de instinto de morte. O instinto é algo inerente ao organismo, ao passo que o desejo de morrer aparece somen-

Medo da vida

te quando a vida está muito dolorosa. Há alguns anos, trabalhei com um sujeito num seminário para terapeutas. Ele estava deitado sobre o banquinho de bioenergética e se entregava à respiração. Era sua primeira experiência com o banquinho. De repente, exclamou: "Estou tão cansado que quero morrer!" Caiu no chão e teve uma crise de choro.

Lembro-me de ter vivido uma experiência parecida enquanto nadava numa piscina. Eu estava boiando, com a cabeça dentro d'água, totalmente relaxado. Uma ideia atravessou-me a mente: "Por que não simplesmente ficar aqui para sempre? Que bom seria não ter de fazer o esforço de erguer a cabeça fora d'água para respirar". Claro que fiz esse esforço. Era um esforço porque eu precisava contrariar o desejo de não fazer nada. Esse esforço expressou minha vontade de viver, que mobilizei contra algum desejo de morrer profundamente enraizado em meu ser. Tantos de nós somos como Arthur, esforçando-nos para sobreviver num mundo "frio" e negando o desejo de desistir da luta. Usamos nossa determinação para nos manter ativos, o que quer dizer que o processo de viver é um fazer, e não um ser. Então, sentimos medo de desistir da "determinação", do fazer, porque tememos a possibilidade de morrer. Se temos medo de morrer, temos medo de viver ou de ser. E se temos medo de viver, temos medo de vir a morrer.

O medo da morte é um dos vales que devemos atravessar em nossa jornada de volta à infância. É preciso confrontar em nós mesmos o medo da morte e reconhecer que ele decorre de um desejo de morrer. Esse desejo, por sua vez, provém da luta em que todos nós nos engajamos para provar que somos dignos de amor, para superar nossa vulnerabilidade e negar nosso medo. Esses, porém, são objetivos que jamais serão atingidos e, na realidade, não há mesmo necessidade de atingi-los. Podemos nos permitir desistir da luta. De fato, se não o fizermos, nos encontraremos na situação de Frank: forçando-nos a tal ponto que a morte pareça ser a única saída. Desistir da luta afasta o desejo de morrer e elimina esse medo. Abre a porta para viver e ser plenamente.

MEDO DO SEXO

Dizer que as pessoas têm medo do sexo soa só um pouco menos absurdo do que dizer que elas têm medo da vida. Mas a realidade é que tanto a vida quanto o sexo contêm aspectos assustadores. Ambos são imprevisíveis, estão além do controle do ego e têm uma natureza intrinsecamente explosiva. O

Alexander Lowen

orgasmo não é só um fluxo de sensações. Começa como fluxo e termina numa explosão. É como estar num galope a cavalo e, subitamente, ser lançado da sela para o espaço. Existem muitas maneiras de descrever a resposta orgástica, mas um elemento comum a todas é a ideia da atravessar barreiras, de explodir, de transcender. O grito é algo semelhante. Quando ocorre espontaneamente, é como uma rajada. Até mesmo a reação de soluçar tem essa característica. Dizemos que a pessoa irrompe em lágrimas.

Nem toda atividade sexual conduz a uma descarga orgástica. Se isso não acontece, o sexo ou as carícias preliminares podem ainda ser agradáveis. Porém, sem a descarga orgástica, falta a experiência do júbilo, do êxtase que o sexo pode oferecer. Ter essa experiência é conhecer o significado da vida. Mas não é só no sexo que a vida irrompe em toda sua glória e esplendor, acrescentando significado ao viver. O arrebatamento da primavera, num campo florido, é a magia da criação preenchendo-nos de total assombro e fazendo-nos sentir a maravilha e a magnificência da vida. Não é a transformação gradual que nos excita assim. O mistério reside na natureza intempestiva do fenômeno. Em van Gogh, essa explosão não ocorria somente na natureza, mas também no cérebro e nas pinturas.

Evidentemente, sabemos que a irrupção da vida é precedida por um longo período de preparação. O bebê emerge no mundo ao nascer, mas foi lentamente preparado para isso. Uma flor parece desabrochar da noite para o dia, mas também passou por um longo desenvolvimento. A irrupção é sempre a súbita vinda à tona de um processo que antes transcorreu oculto, e é esse seu aspecto que parece mágico. Há uma sensação de liberação, como se uma força até então contida ficasse livre. Há também uma sensação de criação, como se um novo ser ou novo estado de ser repentinamente se instaurassem.

Contudo, é precisamente esse atributo da vida, sua magia, sua criatividade, seu júbilo, sua exuberância, esse seu lado explosivo que nossa cultura está tentando suprimir. Procuramos controlar o processo da vida para nos defender de suas vicissitudes, para nos proteger das doenças e da morte, sem quase perceber que para tanto devemos transformar a vida em uma operação mecânica. Em nossa tentativa de evitar os desfiladeiros da experiência, acabamos eliminando os seus picos. Achatamos a vida, tornamo-la monótona para que transcorra como a linha de montagem de uma fábrica qualquer. Em nenhum momento ela deve ultrapassar suas barreiras, dominar seus guar-

Medo da vida

diões, confrontá-los com uma nova criação. Falamos de criatividade, mas todas as nossas energias são canalizadas para o trabalho produtivo em vez de para a criatividade. Veneramos o fazer, não o ser.

A monotonia da vida é efetivada pela supressão sexual. É evidente que o sexo não pode ser totalmente suprimido, uma vez que isso deteria toda a atividade reprodutiva. O que se suprime é o lado repentino, explosivo, encantador da sexualidade. No passado, isso se dava por meio de um código moral que limitava sua expressão. A ordem implícita nesse código era a de que a pessoa não deveria "ceder" completamente ao apetite sexual. Códigos assim são tão ignorados quanto observados, mas seu efeito é inibir a expressão natural e espontânea da sensação sexual. Hoje, descartamos em grande medida esse código de moralidade, removendo todos os limites e barreiras à expressão sexual, mas o fizemos de tal modo que a vida se tornou ainda mais monótona. Explorando comercialmente o sexo, fazendo divulgações vulgares e pornográficas, lançando a fria luz do conhecimento sobre os mistérios do sexo, impedimos o acúmulo da excitação até aquele ponto em que pode ocorrer uma explosão. Nos nossos tempos, o sexo tornou-se uma produção, não uma criação.

O sexo é a mais intensa manifestação do processo vital. Controlando o sexo, controla-se a vida. Não queremos deter o processo da vida; o que queremos é que ela transcorra sem percalços, por meio de canais organizados e regulares, previsíveis, como os de uma máquina. Temos medo de sua natureza ebuliente, explosiva. Temos medo de que, se explodir, deixe de existir; se subir como uma fonte natural de água, caia como uma cascata. Podemos brincar com o sexo das maneiras mais sensuais, mas morremos de medo de explodir num orgasmo de júbilo e êxtase. Reich chamava esse medo de "ansiedade do orgasmo". Na visão dele, e na minha, essa ansiedade subjaz a todo comportamento neurótico.

A íntima associação entre sexo e morte é bem conhecida. Os franceses chamam o orgasmo de *la petite mort,* a pequena morte. Uma vez que o ego está extinto no orgasmo completo, este é vivido pelo ego como uma pequena morte. Escrevi em *Amor e orgasmo*[46]:

O íntimo elo [...] entre sexo e morte é o símbolo do chão ou da caverna, que tanto representa o útero quanto o túmulo. A ansiedade de orgasmo, quer dizer, o medo da dissolução do ego que inunda a pessoa neurótica

117

quando da aproximação do clímax sexual máximo, é percebida como medo de morrer.

A maioria de nós não sente medo de morrer quando o orgasmo total se aproxima porque refreamos inconscientemente a descarga, só lhe permitindo ser parcial. Sendo assim, não morremos, mas tampouco renascemos. A descarga orgástica plena é bloqueada por meio de tensões na pelve. Relacionei essas tensões à ansiedade de castração, que está também intimamente associada à ideia da morte. Essa associação fica clara no seguinte relato de um paciente, a quem chamarei de Mike: "Você trabalhou na minha pelve na última sessão e eu senti que minhas nádegas se soltaram. Foi como uma descarga de energia. Toda a energia esvaiu-se de dentro de mim e eu senti como se estivesse morto, uma pequena morte. Aí fui atacado por um vírus, sentindo-me mais fraco que em toda a minha vida. Não tive sensações sexuais. Fiquei com medo de não conseguir melhorar, de vir a morrer, de ir por água abaixo. Fiquei muito deprimido. Durou três semanas. A partir daí minha energia vem voltando lentamente".

Essa experiência tornou Mike consciente de que a morte estava de alguma maneira associada aos seus temores sexuais. Ele comentou: "Os círculos escuros com aspecto cadavérico embaixo dos meus olhos apareceram na puberdade. Minhas fotos mostram que eu aparentava ser uma criança feliz. A puberdade foi meu ponto mais baixo. Eu estava exausto, deprimido, isolado, suicida. Sentia-me perdido. Estava sempre procurando pela garota que ia me salvar, me amar, me fazer sentir vivo".

Em outras declarações feitas por Mike ficou claro que, para ele, excitação sexual igualava-se à vida. Essa é uma equação comum porque a maioria das pessoas sente-se muito viva quando está sexualmente excitada. Por essa razão, a descarga da excitação pode ser vivida como morte. Isso será verdade se a pessoa não conseguir atingir um clímax explosivo e, em vez disso, sentir a excitação esvanecer-se ou esgotar-se. E pode acontecer se o indivíduo sentir medo da descarga orgástica e "congelar" logo antes do clímax. Por outro lado, o orgasmo deixa-o com a sensação de satisfação e de estar preenchido (pleno, não vazio). A expressão *la petite mort* descreve tão somente o obscurecimento da consciência que ocorre no orgasmo total. Após o orgasmo, sente-se uma profunda paz e quietude. À noite, traz um sono calmo e reparador. Mais cedo ou mais tarde, dependendo da pessoa, a excitação sexual acumula-

Medo da vida

-se novamente, e ela está pronta para outro ato de criação. No sexo, repete-se regularmente o eterno ciclo de nascimento, morte e renascimento.

Em outra sessão algum tempo depois, Mike relatou que a tensão em seu pescoço e ombros estava se tornando insuportável. Ele observou: "Se eu soltar a cabeça, deixá-la pender para a frente, sinto-me fraco, desamparado, assustado. Tenho de me manter erguido". A nuca, sobretudo na articulação com a cabeça, constitui uma das áreas mais importantes de "contenção" do corpo. Dificilmente encontraremos alguém que não tenha fortes tensões nessa região. Todos temos medo de soltar a cabeça, o que equivale a ficar fora de controle. "Não perca a cabeça" é um conselho corriqueiro. Estar no controle significa que o corpo está submetido à vontade do ego e que não ocorrerão movimentos sem o seu consentimento. A vontade está no comando. No caso de Mike, isso representava a vontade de viver. Soltar a cabeça significava o colapso, a derrota, a morte.

Naquele dia, chovia forte. Mike lembrou-se de dias assim, em sua casa, quando era menino, junto da mãe. Ele comentou: "Eu costumava me sentir tão pesado. Era tão tenebroso…" Sua mãe foi uma pessoa muito depressiva que sempre dava a impressão de estar morrendo. Ela se agarrava ao filho como se ele pudesse salvá-la. E ele sentia que tinha de salvá-la. Na realidade, isso era demais para ele, mas, se ele a largasse, ela morreria e ele também, já que dependia dela. Tinha de se segurar por ela — e por si mesmo também.

Fiz um pouco de pressão com os dedos nos músculos da junção do crânio com o pescoço, ao mesmo tempo encorajando-o a respirar profundamente. Ele sentiu um zumbido na cabeça e depois uma escuridão, como se estivesse a ponto de desmaiar. Já vi isso acontecer com diversos pacientes que, em vez de se entregarem à pressão, resistem a ela aumentando a tensão e reduzindo o suprimento de sangue para o cérebro. Mas Mike já tinha vivido essa sensação antes, quando eu havia tentado a mesma manobra, e depois me disse: "Naquela hora eu não morri. Não vou morrer agora. Não tenho de sentir medo de me entregar". E soltou a cabeça.

Deitado na cama após ter terminado, Mike sentia uma paz imensa. Chorava profundamente. Não sentia mais necessidade de "se segurar". Deixou que seu maxilar afrouxasse e observou: "Sinto-me como um cadáver. Se as pessoas pudessem me ver agora, diriam: 'Olhem a morte'. Os músculos da minha nuca são como os fios de uma marionete. Se afrouxarem, fico reduzido a nada".

Pelo caráter de Mike, ser é o mesmo que vazio ou nada. Esse não é um problema existencial. Apesar de bastante comum em nossa cultura, não é a condição natural da existência humana. A supressão de sensações e sentimentos, sobretudo da sensação sexual, produz um vazio interior na personalidade, que então é preenchido com o fazer. Para Mike, fazer era proteger outras pessoas. Ele disse: "Sou um protetor. Protegerei qualquer um". Vimos como Mike era importante para a mãe. Isso criou uma situação triangular na qual ele se sentia superior ao pai. Comentou depois: "Acho que ele se sentia *excluído*. Tive de sacrificar minha sexualidade a fim de não ameaçá-lo. Fiz esse sacrifício esperando que ele o retribuísse posteriormente. Mas ele não tinha apreço por mim".

Mike fizera esse sacrifício durante a fase edipiana, em torno dos 6 ou 7 anos. Esperava recuperar sua sexualidade na puberdade. Quando isso não ocorreu, ele ficou gravemente deprimido e apresentou tendências suicidas. Em nossa cultura, o conflito edipiano não leva à morte do pai, e sim à do filho. O pai tem muito poder. No entanto, a morte do filho, simbolicamente falando (castração = morte), significa que o pai também morre. O filho, por sua vez, vira pai, mas, tendo sido antes castrado psicologicamente, agora é o pai "morto", que compensa sua impotência sexual com posição social e poder. E, por sua vez, castrará o próprio filho, não deliberadamente, mas por sua fraqueza como indivíduo.

A terapia de Mike consistiu em ajudá-lo a superar suas sensações de fraqueza, cansaço e desamparo, as quais minavam sua masculinidade. Não havia meios de superá-las por meio da vontade, pois ele estava usando toda sua força de vontade para sobreviver. Sobretudo, isso não seria desejável, mesmo que fosse possível, pois assim aumentaria a "contenção" e, com esta, o medo de entregar-se. Ele não tinha alternativa a não ser ceder a essas sensações. Sempre que eu trabalhava as tensões de sua pelve ou de seu maxilar, ele caía num choro intenso. Isso tornava sua respiração mais profunda e lhe dava mais energia. O que era estranho é que, sempre que ele se permitia sentir-se fraco, ficava mais forte. Sempre que se permitia sentir seu cansaço, descansava e se recuperava. Sempre que se sentia amedrontado, isso virava raiva, o que diminuía seu medo.

Mike precisou fazer algumas adaptações em sua vida. Não conseguiu mais continuar agindo como um homem a fim de salvar sua mãe, sua esposa ou seus pacientes. Menciono isso porque Mike também era terapeuta. Ele

Medo da vida

diminuiu o ritmo de trabalho e afastou-se de novos desafios ou exigências, além de reivindicar as próprias necessidades. Tudo isso levou tempo. Só o vi meia dúzias de vezes em um ano, mas ele sabia que tinha meu apoio.

A grande mudança aconteceu quando ele permitiu que eu trabalhasse vigorosamente sua tensão pélvica. Ficou muito assustado e começou a tremer com força. Depois chorou profundamente. Sentiu-se "arrasado" pela experiência. Foi para casa depois da sessão e dormiu durante doze horas. Quando acordou, sentia-se muito melhor. Disse-me que dali em diante sentiu que aos poucos foi ficando cada vez mais forte. A antiga fraqueza parecia ter desaparecido e seu medo parecia ter diminuído. Tinha ido até o fundo do poço e agora estava subindo. Anteriormente, eu havia trabalhado suas tensões pélvicas e ele se sentira "arrasado". Ele usou as palavras "esvaziado de energia". Desta vez foi diferente. Ele se entregou, e seu corpo entrou numa resposta convulsiva que sugeria a descarga orgástica. Ele tinha se soltado completamente e, em consequência, podia se recompor.

No caso seguinte, o medo da descarga sexual aparece nos olhos de uma mulher. Martha tinha feito terapia por diversos anos antes de me consultar. Era uma mulher atraente de cerca de 30 anos, muito cheia de vida e plena de sensações, mas incapaz de transformar sua energia em uma vida satisfatória. Sua principal dificuldade ocorria em relação aos homens. Seus problemas ficavam claramente retratados em seus sonhos.

Martha comentou que tinha alguns sonhos nitidamente sexuais. Um repetiu-se três vezes, o que nunca tinha acontecido antes. Em suas palavras: "Eu estava deitada, nua, num divã, aberta e pronta para o sexo. Meu pai estava perto de uma parede, nu. Ele veio em minha direção, mas nesse exato momento minha mãe entrou no quarto e ficou a uma distância razoável da minha cabeça. Ela não percebeu minha presença. Ele se virou de costas para mim e ficou lá em pé, sem dizer nada. A sensação que tive dele foi 'Não estou aqui. Não tenho nada que ver com isso.'

"O olhar da minha mãe era muito severo e carrancudo, do tipo 'como você pôde fazer isso?' Mas não se dizia nada. Lembro-me de levantar o olhar para ela, na dúvida, como se dissesse 'não é minha culpa. Você não o está vendo? Não é minha culpa'. Olhei para ele, como se dissesse 'por que você não fala alguma coisa? Você também é parte disso'. Ela não reconheceu a responsabilidade dele, e eu fiquei com a sensação de que era tudo minha culpa. Eu é que sou a parte responsável."

O sonho retrata seu problema com homens. Ela tem fortes desejos sexuais, mas também sente culpa por ser sedutora. Em consequência disso, ressente-se dos homens e não consegue entregar-se sexualmente. No final, acaba frustrada e furiosa.

Cerca de um ano mais tarde, outro sonho revelou seu conflito com a mãe. Ela disse: "Sonhei que meus pais estavam fazendo sexo e eu sabia que seria a próxima. Estava muito excitada, mas não conseguia entregar-me à sensação. Certa vez, quando eu tinha 28 anos, estava com meus pais num hotel. Eles estavam transando, pensando que eu dormia. Fiquei muito excitada.

"No sonho, eu pensei que se fizesse sexo com meu pai seria melhor do que minha mãe. Também pensei que ela ficaria me observando e eu não poderia 'curtir'. Fiquei com raiva dela. Se eu me entregasse e ela não pudesse fazer isso, ela ficaria magoada. Tive pena dela. Eu poderia tê-lo roubado dela, mas aí ela ficaria completamente sozinha. Ela precisava dele mais do que eu".

Mais uma vez, temos aqui o tema do sacrifício da satisfação sexual. Contudo, a fantasia de superioridade sobre a mãe foi contrabalançada pela realidade de o pai ter efetivamente relações sexuais com a mãe.

Pouco tempo depois desse sonho, houve outro: "Estou deitada na cama, pronta para dormir. A cena é o quarto dos meus pais. Há uma batida muito forte na porta. Alguém está invadindo o cômodo. Eu não grito. Espero que meus pais ouçam e venham me proteger, mas percebo que não vem ninguém.

"Entra um homem, que fica em pé no meio do quarto olhando para mim, e sei que ele vai me atacar. Digo: 'Não me maltrate, sou só uma menininha'. No entanto, eu estava do meu tamanho atual. O homem torna-se dois. Um deles se aproxima da minha cama. Estou aterrorizada. Suplico-lhe: 'Sou só uma menininha'. Sinto-me paralisada da cintura para baixo. Eu estava mexendo os braços freneticamente, mas não conseguia atingi-lo porque a parte de baixo do meu corpo não se mexia.

"Investi e o agarrei. Senti suas nádegas contra mim e fiquei sexualmente excitada. Depois o virei de frente e vi que era meu pai. 'É o meu pai. Ele me deseja!', eu gritava para o outro homem. Nos olhos do meu pai havia uma expressão de ira porque eu o denunciara. Fiquei estupefata. Senti que ele ia me matar e acordei com a sensação de sua mão na minha garganta e da outra sobre a minha boca."

Esse sonho foi significativo para Martha, porque a fez perceber que seus problemas sexuais decorriam do interesse de seu pai nela. Apesar de muito

Medo da vida

excitada, ela não ousava responder a esse desejo ostensivamente (movimentando a pelve), pois seria culpabilizada pela mãe e ameaçada pelo pai. Ele a atacaria pelos sentimentos e sensações sexuais que projetava sobre a filha. Martha ainda sofre, até certo ponto, de paralisia na parte inferior do corpo quando fica sexualmente excitada. A redução da mobilidade pélvica é uma forma de castração.

Esse sonho desencadeou a irrupção de material importante relativo aos primeiros anos de vida de Martha. Ela relatou o seguinte: "Eu costumava ir para a cama com uma faca de caçador debaixo do travesseiro e um bastão de beisebol debaixo da cama. Eu ouvia sons como se alguém estivesse vindo me pegar, mas não conseguia contar para os meus pais porque não ousava ir até o quarto deles, além de sentir vergonha porque ninguém mais os ouvia. Ficava tão aterrorizada que costumava sair pela janela e ir até a escola, onde ficava nos balanços a noite toda, cantando, até o sol nascer. Depois eu voltava para casa e me enfiava de novo na cama. Isso acontecia várias vezes por semana, até meus 11 anos de idade. Agora, percebo quanto me sentia aterrorizada quando criança… e ainda me sinto.

"Comecei a ter encontros com 11 ou 12 anos. Entrei em muitas práticas sexuais com meu irmão quando tinha 14 anos. Porém, com outros meninos, era uma puritana. Não me masturbei até os 16 anos, mas costumava fazer movimentos com o quadril. Sentia-me absurdamente culpada pela minha sexualidade. Morri de vergonha quando meus pais contaram aos amigos que meus seios estavam crescendo e que minha menstruação estava próxima. Senti-me terrivelmente exposta.

"Percebo também que existia alguma coisa lasciva a respeito dos meus pais. Na minha família, a sexualidade estava por toda parte, prestes a explodir, mas jamais reconhecida, admitida, sempre encoberta. Eram só insinuações. Eram comuns piadas sujas, comentários pornográficos. Meu pai andava nu pela casa, mas não era para ninguém reparar. Era 'olhe, olhe, mas não olhe'. Até hoje ele fica deitado nu na cama, de porta aberta, mas ninguém deve olhar. Era suficiente para me deixar louca."

Martha não ousava *ser*, porque isso significava ser sexualmente responsiva, o que representava a ameaça da morte. Por outro lado, era atormentada por sensações sexuais que não conseguia descarregar e pela culpa que não conseguia mitigar. Estava presa numa armadilha. Tentava se libertar fazendo aquilo que seus pais mandavam, mas isso não dava certo e ela acabava se

Alexander Lowen

sentindo desesperançada. Isso ela não podia aceitar, então continuava tentando e fazendo. Martha descreveu sua situação da seguinte maneira: "Sinto-me desesperançosa, então acho que tenho de fazer alguma coisa. Mas fazer não adianta, e me sinto ainda mais desesperada. Aí preciso tentar de novo fazer alguma coisa. [Fazer é uma ação destinada a conquistar a aprovação e a aceitação de alguém.] Sinto-me num círculo vicioso, incapaz de sair dele".

É impossível sair de uma armadilha fazendo força, que é o que Martha fazia. Com isso, consegue-se apenas apertar ainda mais as amarras. É preciso parar de se debater, de tentar, de fazer. Para Martha, isso significava aceitar sua desesperança e não lutar contra esse sentimento. E a situação era desesperadora. Ela jamais conseguiria fazer que seus pais a aceitassem e a aprovassem, uma vez que não aceitavam sua sexualidade. Se ela aceitasse esse fato, teria duas sensações muito intensas: uma de tristeza, outra de raiva. A tristeza se debruça sobre o desespero, com ideias de suicídio. A raiva é demoníaca. Diante da raiva e do desespero, ou mataria o pai ou se mataria. Para fazer qualquer uma dessas coisas, seria preciso ficar louca — totalmente louca de ódio. Ela só conseguia manter a sanidade fazendo e tendo esperança, muito embora essa alternativa devesse fracassar.

MEDO DA INSANIDADE

A insanidade representa, para a personalidade humana, uma ameaça tão grande quanto a morte. É uma espécie de morte, já que o *self*, tal como normalmente é vivenciado, se perde no estado psicótico. Nesta seção, veremos como o medo da insanidade impede muitas pessoas de "se entregarem" a suas sensações e descobrirem seu ser. Ilustrarei esse problema com um caso.

Alice era uma mulher de aproximadamente 50 anos que procurou a terapia porque estava deprimida. Superficialmente, não via motivos para estar assim. Aos seus olhos, bem como aos de seus amigos, sua vida era plena. Cerca de oito meses antes, ela sofrera um acidente de carro, mas não por sua culpa. Embora ninguém tivesse se ferido, o acidente a desestabilizara e a levara a uma depressão um tanto grave. Ela perdeu o desejo de sair e abandonou suas atividades costumeiras. O acidente a fez perceber que sentia medo, algo de que nunca tomara consciência antes.

Alice tinha um corpo de aparência juvenil, bem desenvolvido. Quando moça, fora modelo, e seu corpo ainda exibia essa qualidade. Tinha tudo

Medo da vida

no lugar: a barriga para dentro, o colo projetado, os lábios exibindo um sorriso sexualmente sedutor, mas pouca respiração. Seu corpo era um modelo de sexualidade, mas só um modelo. Faltava-lhe a paixão interior da sexualidade. E não havia paixão em sua vida sexual, apesar de ela ter tido muitos romances.

A tarefa terapêutica consistia em devolver a vida a seu corpo, além de descobrir por que estava morto. Pode-se alcançar o primeiro objetivo aprofundando a respiração, levando o paciente a executar movimentos e descarregando um pouco da tensão dos músculos enrijecidos. Ao mesmo tempo, a paciente e eu partimos para o trabalho analítico de desvendar seu passado. À medida que o corpo se torna mais cheio de vida, as recordações são vivenciadas com as mesmas sensações e emoções que pertenceram aos acontecimentos de então. A expressão dessas sensações e emoções, no ambiente da terapia, descarrega do corpo a tensão muscular de mantê-las suprimidas e, desse modo, promove a vitalidade. Assim, o trabalho corporal e o analítico andam de mãos dadas para ajudar a pessoa a recuperar seu ser ou *self*.

No início da terapia, Alice relatou uma experiência traumática de quando era bem pequena. Em torno dos 6 anos de idade, seu pai mandou que ela limpasse a escarradeira. Essa tinha sido, até então, tarefa de sua mãe, mas a mãe recusara-se a continuar fazendo isso. A menina sentiu repugnância à ideia de pegar naquele objeto sujo e recusou-se. O pai ficou enfurecido e a esmurrou com violência. Ela ficou tão gravemente ferida que sua mãe precisou levá-la ao hospital. Vendo seus ferimentos, os médicos disseram à mãe que, se o pai a machucasse de novo, o denunciariam à polícia por maus-tratos.

Seria de imaginar que o relato desse incidente lhe causasse uma sensação de raiva intensa. Alice, porém, não sentia a mínima raiva do pai, nem medo. Ainda estava em estado de choque e amortecida. Seu pai era um homem violento que não raro batia em sua mãe. Após o incidente mencionado, Alice jamais o confrontou ou desafiou. Transformou-se numa boa menina e numa boa aluna; de fato, o modelo perfeito de criança. Mais tarde, tornou-se realmente modelo, casou-se com um homem rico e era uma esposa exemplar, mas sem o menor sentimento.

Alice reagiu muito bem à terapia. Apreciou o trabalho corporal, pois a fazia sentir-se viva e aliviava sua depressão. Pouco a pouco, foi deixando que aumentassem suas sensações, à medida que ia se permitindo relacionar-se comigo como pessoa. Os homens em sua vida eram sobretudo figuras como pai, marido, amante, filho. Ela tinha pouco sentimento por eles, exceto pelos filhos. Lentamente, foi deixando o seu ser emergir mais como mulher do que como modelo.

Repetidas vezes, durante a terapia, abordei o tema de seus sentimentos pelo pai. Em geral, ela dizia que não sentia nem raiva, nem medo dele. Ele já era velho e ela se preocupava com sua saúde. Quando ele ficava doente, se hospedava na casa dela e ela cuidava dele. Então um dia ela me disse: "Não posso nem desejar que ele morra porque isso seria o mesmo que ele morrer. Para mim, a ideia é o mesmo que o fato". Igualar o pensamento à ação é típico do raciocínio infantil e do esquizofrênico. Alice não era esquizofrênica. Ela sabia que sua crença no poder do pensamento era irreal, mas aquilo tinha o poder de controlar seu comportamento. Poder-se-ia suspeitar que havia um forte elemento esquizofrênico na personalidade de Alice. Perguntei-lhe se alguma vez ela sentira medo de enlouquecer e respondeu-me que sim. Disse-me que seu irmão recebera o diagnóstico de esquizofrenia.

Para ajudar Alice a superar o medo da insanidade a fim de que entrasse em contato com a raiva que sentia pelo pai, pedi-lhe que fingisse estar louca, que revirasse os olhos e agisse como insana. Depois a instruí a pegar a raquete de tênis e a bater na cama. Ela seguiu minhas instruções e, enquanto batia na cama com a raquete, a raiva contra seu pai veio à tona. Ela o chamou de canalha e disse que poderia acabar com ele. Estava tão furiosa que seu corpo tremia. Mas não sentia medo, nem se sentia louca. No entanto, sabia que seu medo de ficar louca significava tanto ficar furiosa quanto endoidecer. Em sua mente, os dois estados estavam identificados.

A identificação entre raiva e insanidade, expressava-se na mesma palavra: *louco*. Ficar louco significa perder a cabeça ou ficar zangado a ponto de perder a cabeça. A desorientação se instala quando a mente é inundada por uma sensação[47] que está tentando controlar. À medida que a sensação irrompe através das barreiras defensivas, as bases que a mente mantém na realidade são literalmente varridas. A pessoa se sente confusa, alienada e incapaz de se orientar. Essa desorientação pode ser momentânea se, quando a sensação diminuir, a pessoa recuperar o chão, isto é, sua orientação na realidade. Ou, nos casos em que ela se mostra vulnerável por causa de um contato inadequado com a realidade (*grounding*) — por exemplo, na estrutura de caráter esquizoide —, o efeito poderá ser mais duradouro. A pessoa sofrerá, então, o que denominamos colapso nervoso.

Medo da vida

Teoricamente, toda sensação pode aniquilar o ego se explodir com força suficiente para destruir os limites do *self*. Dizemos que o organismo é inundado, de maneira semelhante à enchente que se dá quando um rio transborda e apaga os contornos habituais da paisagem. Em termos práticos, as duas sensações que mais ameaçam a personalidade são a raiva e o sexo, porque ambas estão intimamente relacionadas ao medo e à culpa. Se um acesso de raiva evoca uma quantidade correspondente de medo, a pessoa tentará controlar a raiva. Se esta escapar ao controle, ela se sentirá como um cavaleiro que perdeu as rédeas de seu cavalo. Poderá entrar em grande confusão com a mesma facilidade com que o cavaleiro seria lançado para fora da sela. Aconteceria a mesma coisa se uma forte necessidade sexual estivesse associada a uma quantidade equivalente de culpa.

Alice, na realidade, era ameaçada por ambas as sensações. Sentia-se furiosa com o pai, mas não havia meios de expressar essa sensação sem que isso significasse pôr a própria vida em risco. É improvável que ele tentasse matá-la, mas ela tinha todos os motivos para pensar que isso poderia acontecer. Não havia outra saída a não ser suprimir a raiva. E assim garantiu sua sobrevivência. Ela precisaria estar "louca" para atacar o pai. Em certo sentido, portanto, ter negado a raiva salvou sua vida. Contudo, também a tornou vulnerável a um surto psicótico, porque a raiva estava latente em seu interior e ela jamais conseguiria ter plena certeza de que não viria à luz repentinamente, tornando-a "louca". Era preciso que ela ficasse alerta o tempo todo contra as próprias sensações. A supressão destas, como ela o fazia, deixava-a somente com a fachada de uma personalidade.

O comportamento sádico do pai em relação a Alice e à mãe fez que a paciente sentisse medo dele como homem. Mais tarde, esse medo se alastrou para todos os homens e, embora também essa sensação estivesse suprimida e negada, forçava-a a ser submissa nas relações sexuais. Ocasionalmente, contudo, ela tornava-se provocante e instigava o marido a atacá-la fisicamente. Então lutava com ele, mas sempre terminava apanhando. Ele descrevia o comportamento da esposa como louco e ela acreditava. Ela jamais ficou zangada com o marido nem questionou seu direito de bater nela. Apanhar era seu dever, seu destino. Alice se casara com um homem violento, tal qual seu pai.

Sua desculpa para a falta de raiva era que ela se sentia culpada. Tratava-se de uma sensação de culpa profundamente enraizada, que impregnava todo seu ser. Alice, porém, não fazia ideia de por que se sentia culpada. Eu não tinha dúvida de que essa culpa decorria da supressão das sensações sexuais pelo pai durante o período edipiano, no qual também ocorreu seu trauma. Para ela, era extremamente difícil aceitar essa ideia. Contudo, quando tentou mover a pelve nos exercícios sexuais[48], ficou muito desconcertada. Tinha de si a imagem de uma mulher sexualmente sofisticada, e foi um choque para ela descobrir que só conseguia mover a pelve com dificuldade. Isto lhe permitiu tomar consciência do quanto era reprimida sexualmente. Ela também compreendeu quão feliz se sentia ao cuidar do pai, o que a fez perceber que havia tomado o lugar da mãe.

Sem mais entrarmos nos detalhes da terapia de Alice, quero acrescentar que ela progrediu na mesma proporção em que enfrentou seu problema edipiano. À medida que sua culpa diminuía, ela conseguia identificar sua raiva sem a sensação de estar louca. Aprendeu a expressar raiva sem provocar uma briga em que ela acabasse apanhando. Sentia que tinha muito mais a avançar a fim de realizar plenamente seu ser, e que não se resignaria mais a ser um manequim.

As crianças podem ser levadas à beira da loucura por pais que sejam ao mesmo tempo sexualmente sedutores e rejeitadores. Trata-se de uma típica situação de duplo vínculo. A criança recebe duas mensagens opostas simultaneamente, e o conflito é suficiente para levar alguém à loucura.

A história que Bill nos relata não é incomum. "Quando estou deitado de costas e minha namorada se debruça sobre mim com ternura, meu corpo começa a derreter e eu fico absolutamente aterrorizado. Eu não conseguia suportar que minha mãe me tocasse. Tenho a sensação de que ela ficava 'saidinha' ao me tocar [com "saidinha", ele quer dizer "sexualmente excitada"]. Porém, se eu ficasse excitado ela se afastava. Eu não conseguia suportar isso. Sentia que perderia a cabeça e explodiria se não bloqueasse essa energia. Quando eu era pequeno, costumava bater na minha mãe até ela ficar toda roxa, mas ela nunca me pediu pra parar."

As crianças não conseguem conter a sexualidade adulta e lidar com ela. Seu corpo não está suficientemente maduro para uma excitação tão intensa, que ameaça dissolver seu ego. Toda vez que uma criança é sexualmente excitada por adultos, lhe é imperioso encontrar uma maneira de reduzir a excitação. Bill era um glutão. Com a terapia, conseguiu enxergar o vínculo existente entre comida e sexualidade. Descreveu seu problema da seguinte maneira:

Medo da vida

"Alimentar e comer são expressões de amor. Comida era a coisa mais importante para minha mãe. Nós pensávamos em comida, falávamos sobre isso, éramos obcecados por isso. Ao mesmo tempo que meu desejo e meu interesse por comida eram estimulados, me diziam que eu era feio e repulsivo porque era gordo e gostava de comer. Minha mãe costumava dizer: 'Sua gula me deixa péssima. Mostra que você não tem a menor consideração por mim, que é uma criatura cruel e insensível'. Se eu não comesse o que ela me dava, me acusava, no mesmo tom e com as mesmas palavras, de não comer. Eu estava num duplo vínculo; não importa o que fizesse, não venceria.

"O duplo vínculo a respeito de coisas sexuais acontecia da mesma maneira, só que num plano mais sutil. Por um lado, havia o estímulo. Minha mãe me pedia que arrumasse sua cama ou coçasse suas costas quando estava só de camisola. Ou então andava pela casa numa camisola transparente, através da qual viam-se claramente seus seios, pelos pubianos e nádegas. Meu pai costumava dizer: 'Na frente do menino, não'. Ele ficava furioso, mas deixava que acontecesse.

"Até os 11 anos, dormi no mesmo quarto que minha irmã, que era oito anos mais velha e muito *sexy*. Masturbei-me com regularidade obsessiva desde os 5 anos, e durante todo o chamado período de latência até a idade adulta. Minha mãe e minha irmã pegavam-me no flagra com certa frequência e acredito que isso acontecia, se não de forma deliberada, inconscientemente. Minha mãe dizia, com característica ferocidade, que a masturbação me transformaria num gorila, num monstro, numa criatura repugnante, numa pessoa grotesca e anormal. Ela costumava dizer: 'A masturbação é uma distorção maléfica de algo natural e maravilhoso'.

"Assim, sendo excessivamente estimulado e desaprovado por minhas tentativas de corresponder, eu girava em círculos, num cenário de total ausência de gratificações, procurando satisfazer as mensagens conflitantes da minha mãe.

"Estímulo — desejo de reagir — culpa por querer fazê-lo — raiva ao ser julgado mau por reagir — sensação de aniquilamento — reações desafiadoras aliadas à sensação de ansiedade — remorso por ter reagido — punição a mim mesmo, ou autopunição, para aliviar a culpa e mitigar o remorso."

A autopunição assumia a forma de glutonaria, e assim Bill era gordo, com mamas caídas e um grande acúmulo de gordura sob a pele. Ele realmente tinha uma imagem grotesca e, por isso, desprezava a si próprio. O excesso de comida também parecia reduzir a excitação sexual do corpo, embora a excitação genital não diminuísse. Bill mantinha esta última sob controle através de masturbação excessiva. Com esses dois recursos, comer e masturbar-se, ele conseguia manter a sanidade. Conhecer essa relação entre comer em excesso e sexualidade nos ajuda a compreender por que tantas pessoas obesas acham tão difícil perder peso e por que, em determinados casos, uma perda muito rápida de peso pode resultar num episódio psicótico.

Aqui apresentaremos outro caso, o de uma mulher de 30 anos de idade, chamada Sally, que era lésbica. Fora filha única. Ela disse: "Meu pai estava profundamente ligado a mim. Ele se excitava através de mim. Me importunava e me estimulava. Ficava dando palmadinhas no meu traseiro, dizendo como era bonito. Costumava me fazer cócegas até eu chorar. Ele conversava comigo como se fôssemos iguais. Eu me sentia excitada por ele e, apesar de querer sair com meus amigos, frequentemente ficava com ele, pois sentia que ele precisava de mim.

"Ele costumava me comparar à minha mãe em detrimento dela. Por exemplo, se ela preparava a refeição e eu a salada, ele elogiava a minha salada, mas desprezava a refeição por estar faltando alguma coisa. Ela se sentia rejeitada e se retraía. Acho que era isso que ele queria, porque então dizia: 'Vamos ao cinema'. Minha mãe costumava responder: 'Não posso ir. Leve a Sally'. Então íamos os dois sozinhos. Ele era paranoico. Insistia que tudo precisava ser feliz e empolgante. Por fim, minha mãe acabou se suicidando."

Nesse caso, a história edipiana se desenrolou até seu fim amargo. Com a morte da mãe, Sally ficou sozinha com o pai. Ele queria que ela ficasse e morasse com ele, mas ela sentia que a situação era intolerável. Saiu de casa, mas deixou para trás sua sexualidade. Eliminou suas sensações sexuais, tal como Édipo eliminara a própria visão.

À medida que a terapia progredia, Sally percebeu que estava perdendo seu desejo de contato sexual com mulheres. Percebeu que o lesbianismo representava tanto uma conciliação com mãe como uma maneira de bloquear quaisquer sensações sexuais que tivesse pelo pai ou por outros homens. Ela mantivera a sanidade, quando criança, à custa de uma profunda negação da realidade de sua situação, de seu papel nela e de suas sensações sexuais pelo pai. Quando a atendi pela primeira vez, ela apresentava a imagem feliz e animada almejada pelo pai, embora sua vida fosse caótica. Havia muito de insano em sua existência, mas ela não percebia. Precisava encenar a farsa e fingir que era real. A realidade fora demais para ela. Ainda era muito amea-

Medo da vida

çadora. Comentou: "Se eu perder a cabeça e me entregar às minhas sensações sexuais, ficarei louca".

Os casos descritos nesta seção podem parecer extremos, mas fiquei convencido de que não são tão incomuns quanto se pensa. Por baixo da superfície aparentemente racional da vida está o medo da insanidade. Não ousamos questionar os valores pelos quais vivemos ou nos revoltar contra os papéis que desempenhamos por medo de colocar em dúvida nossa sanidade. Somos como os pacientes de uma instituição psiquiátrica que precisam aceitar a desumanidade e a insensibilidade como fossem cuidado e conhecimento se esperam ser considerados sãos o bastante para ter alta. A questão de quem é louco e quem é são foi o tema do romance *Um estranho no ninho*. A pergunta "O que é sanidade?" foi claramente formulada na peça *Equus*.

A ideia de que muito do que fazemos é insano e de que se quisermos nos manter sãos devemos nos entregar à loucura foi vigorosamente defendida por Ronald D. Laing. No prefácio de seu livro *O eu dividido,* escreveu: "No contexto de nossa loucura atual dominante, que chamamos de normalidade, sanidade, liberdade, todos os nossos referenciais são ambíguos e equivocados." E, no mesmo prefácio:

> Portanto, eu gostaria de enfatizar que nosso estado "normal", "ajustado", consiste, muito frequentemente, na abdicação do êxtase, na traição de nossas verdadeiras potencialidades; que muitos de nós só somos bem-sucedidos ao adotar um falso *self* para nos adaptarmos a realidades falsas.[49]

Wilhelm Reich tinha uma visão até certo ponto semelhante do comportamento humano atual. Por isso dizia:

> *O Homo normalis* bloqueia por completo a percepção do funcionamento orgonômico básico por meio de um rígido processo de encouraçamento; nos esquizofrênicos, por outro lado, a couraça praticamente entra em pane e, por isso, o biossistema fica inundado por profundas experiências oriundas do cerne biofísico, com as quais não consegue lidar.[50]

As "profundas experiências" às quais Reich se refere são as agradáveis sensações que fluem em associação com a excitação intensa, cuja natureza é predominantemente sexual. O esquizofrênico não consegue lidar com essas sensações porque seu corpo está por demais contraído para tolerar a carga. Incapaz de "bloquear" a excitação ou reduzi-la, como o faz o neurótico, e de "suportar" a carga, o esquizofrênico literalmente "fica louco". Mas o neurótico também não escapa assim tão fácil. Ele evita a insanidade bloqueando a excitação, ou seja, reduzindo-a a um ponto em que não há mais perigo de explosão ou irrupção. Na realidade, o neurótico sofre uma castração psicológica. Contudo, o potencial para uma descarga explosiva ainda está presente em seu corpo, apesar de rigidamente protegido, como se fosse uma bomba. O neurótico está em guarda contra si mesmo, aterrorizado demais para baixar as defesas e permitir livre trânsito a suas sensações. Depois de se tornar, como o chama Reich, *Homo normalis*, de ter barganhado sua liberdade e seu êxtase pela segurança de ser "bem ajustado", ele enxerga a alternativa como "loucura". E, num certo sentido, ele está certo. Sem ficar "louco", sem ficar "fora de si", tão fora de si que seria capaz de matar, é impossível abandonar as defesas que o protegem, assim como uma instituição psiquiátrica protege seus pacientes da autodestruição e da destruição de outrem.

5. Uma terapia para ser

ESPIRAL DE CRESCIMENTO

Quando eu era um terapeuta jovem, me entusiasmava com a terapia e era otimista a respeito do que ela poderia fazer. Acreditava que se podia libertar uma pessoa de suas repressões, devolvendo-a a um estado de harmonia consigo mesma e com a natureza. Estava firmemente convencido de que Reich tinha razão ao afirmar que a supressão da sexualidade era a causa de todas as nossas dificuldades. Portanto, o objetivo da terapia era restabelecer a capacidade para uma plena entrega às sensações sexuais, o que Reich chamava de potência orgástica. Isso seria alcançado com uma combinação de análise do caráter com trabalho corporal. Este último tinha por objetivo reduzir ou eliminar as tensões musculares que bloqueavam a entrega ao corpo e suas sensações. Como paciente de Reich, eu havia experimentado a eficácia de sua abordagem terapêutica.[51]

Já se passaram trinta e cinco anos desde que iniciei minha terapia pessoal com Reich, que durou três anos. Também passei por terapia com meu antigo colaborador, o dr. John Pierrakos, durante três anos, e além disso tenho trabalhado consistentemente comigo mesmo para me libertar das inibições e repressões de minha educação. Seria bom dizer que consegui, mas, embora eu tenha mudado em aspectos significativos, ainda estou consciente de tensões e dificuldades que me perturbam e limitam meu ser. Isso me deixa triste. Contudo, não há nada que me impeça de prosseguir trabalhando com meu corpo para expandir meu ser, e estou comprometido com essa tarefa pelo resto da vida. A ideia de "ainda não ter conseguido" não me deprime. Ao contrário: é estimulante pensar que posso melhorar em áreas nas quais sinto uma falta em meu ser.

E quanto à minha potência sexual? Mudou, junto com as mudanças em meu ser. Na mesma extensão em que eu, enquanto pessoa, cresci e amadureci, minhas sensações sexuais tornaram-se mais profundas e plenas. Contudo, conforme fui ficando mais velho meu impulso sexual perdeu parte de sua intensidade. A sexualidade é uma manifestação do ser e, assim, reflete seu estado. Portanto, também no nível sexual ainda não "consegui". Não sou de todo potente orgasticamente, no sentido reichiano do termo. Tenho tido experiências extraordinárias, que posso creditar à terapia. E, o que é mais importante, as sensações de prazer e satisfação que obtenho de minha sexualidade têm aumentado significativamente.

Acredito que a terapia me ajudou muitíssimo, mas não me conduziu ao paraíso nem me elevou a um estado de transcendência, apesar de eu ter dedicado a maior parte da minha vida a esse processo. Acredito também que ajudei a maioria dos meus pacientes, mas nenhum deles ficou totalmente livre de repressões ou inibições. A terapia não é uma panaceia para os males da humanidade; não é a resposta para o dilema humano. O fato de que a maioria das pessoas atualmente precisa de ajuda para funcionar com um pouco de tranquilidade e prazer é um triste reflexo de nossa cultura, mas é a verdade. Quanto mais industrializada e sofisticada uma cultura se torna, mais problemas ocasiona para as pessoas e mais ajuda elas necessitam simplesmente para conseguir viver. A terapia é um adjunto necessário à vida moderna, assim como, parece, os sedativos e tranquilizantes. São o sinal do "progresso".

Até certo ponto, os limites da terapia decorrem do fato de ela pertencer à cultura que produz os problemas que tenta solucionar. A terapia tem que ajudar a pessoa a se adaptar à sua cultura; tem que ajudá-la a viver e a trabalhar dentro dessa cultura. Isolá-la de sua cultura ou indispô-la contra ela pode ser mais destrutivo. Nesse sentido, estamos tentando ajudar alguém a reduzir o estresse de sua vida em uma situação cultural que a submete diariamente a estresse semelhante. É como dizer a ela que permaneça calma e descontraída enquanto os canhões de guerra estão disparando à sua volta, ou que fique lúcida e racional enquanto vive num hospício.

Nesses termos, o terapeuta moderno não pode ser comparado ao curandeiro ou feiticeiro das sociedades primitivas. Este tratava do indivíduo aberrante, aquele que, por meio de magia ou violação de um tabu, fora contaminado ou possuído por um mau espírito. A recuperação de sua pureza lhe permitia retornar ao seio da tribo ou comunidade. Mas como é que nós, terapeutas, podemos recuperar a pureza ou a inocência de uma pessoa, quando do viver em sua cultura a expõe constantemente à contaminação?

Medo da vida

Para entendermos a contaminação nos termos atuais, devemos pensar na pureza como inocência. As relações antitéticas são pureza-contaminação, inocência-culpa. A culpa é o equivalente moderno da contaminação. A criança, como o primitivo, vive numa condição de inocência ou pureza. E, como ele, perde sua pureza violando um tabu: o tabu das sensações incestuosas por um dos genitores. A criança é levada a sentir-se culpada por nutrir tais sensações e por sentir hostilidade pelo genitor do mesmo sexo. Não lhe resta alternativa a não ser suprimir e repudiar esses sentimentos. Mas os sentimentos suprimidos continuam a existir no inconsciente, na qualidade de forças alheias e dissociadas. Nesse sentido, esses impulsos suprimidos podem ser equiparados aos maus espíritos. E quando nos damos conta de que a sensação sexual da criança também é contaminada pela exposição à sexualidade adulta, através do comportamento sedutor do pai ou da mãe, não fica difícil compreender a relação entre contaminação-culpa e perda da inocência-pureza.

Em certo sentido, a terapia visa remover a culpa e recuperar a inocência ou pureza. Nesse aspecto, nós, terapeutas, somos muito parecidos com os curandeiros e feiticeiros, e nossos métodos guardam muita semelhança com os deles. O feiticeiro admitia que maus espíritos eram sentimentos negativos (hostilidade e malevolência) que podiam deixar uma pessoa doente. Trazer à tona esses sentimentos e descarregá-los, através das manobras do xamã ou do bruxo, libertava a pessoa e a comunidade de uma força negativa que estivera perturbando seu bem-estar. Como terapeutas, tentamos fazer a mesma coisa, mas uma vez que não temos como trazer a comunidade diretamente para o processo terapêutico, não existe solução final para o conflito.

Existe ainda uma diferença significativa entre o problema que o xamã enfrenta e aquele que confronta o terapeuta em nossos dias. O primeiro lidava com uma situação aguda, daquele momento. A pessoa estava doente porque uma força má ou negativa, imediata, estava operando nela sem lhe permitir descarregá-la. No entanto, podia confrontar a situação e assim efetuar a descarga desses sentimentos ruins, indiretamente, por intermédio do xamã. Já o terapeuta tem que trabalhar com conflitos antigos, tão antigos que estão estruturados na personalidade. A pessoa não tem sequer consciência do conflito, que foi reprimido. Seu mal-estar é crônico. Ela não percebe mais a natureza do problema e só sente que não está bem. Praticamente todos os conflitos que criam os problemas que levam as pessoas até a terapia ocorrem na primeira infância, e depois são enterrados no inconsciente. Para pô-los a

Alexander Lowen

descoberto, devemos remexer no inconsciente. Já os conflitos com os quais o xamã trabalha são presentes.

Todos os conflitos emocionais inconscientes estão estruturados no corpo na forma de tensões musculares crônicas, que têm efeito tanto quantitativo como qualitativo. Em termos qualitativos, determinam como o indivíduo age ou se comporta, e com quais sentimentos e sensações responde às situações. Em termos quantitativos, determinam o montante de sensações ou de excitação que ele consegue suportar em determinada situação. Por exemplo, algumas pessoas têm dificuldade para sentir e exprimir raiva, ao passo que o choro é uma resposta mais disponível a elas. Necessitam, portanto, tornar-se conscientes de sua raiva suprimida e então expressá-la.

Mas quanta raiva uma pessoa precisa descarregar antes de podermos dizer que ela se libertou de toda a raiva reprimida em sua personalidade? Sem dúvida, do ponto de vista terapêutico, é útil a experiência da raiva para alguém que não se tenha permitido senti-la antes. Contudo, isso não constitui a cura de seu problema. Pode haver, num nível mais profundo, mais raiva por ser descoberta e liberada. Isso também é válido para as outras sensações, sentimentos e emoções suprimidos. O paciente que ainda não conseguiu entregar-se à sua tristeza e que, através da terapia, descobre a capacidade de chorar, sente uma expansão incomensurável de seu ser. É como se lhe tivesse sido aberta a porta para a vida. Mas de que tamanho é essa abertura? Quanta tristeza ele já descarregou, e quanta tristeza lhe resta expressar? O medo é outra emoção que suprimimos vigorosamente. Não podemos nos dar ao luxo de sentir medo e, portanto, não nos permitimos sentir e reconhecer o medo em nosso interior. Franzimos o cenho para negá-lo, cerramos os dentes para desafiá-lo, sorrimos para nos enganarmos. Mas, no íntimo, continuamos mortos de medo. O terapeuta pode ajudar o paciente a viver e a liberar uma parte desse medo. Ao gritar de pavor, por exemplo, podemos ter a impressão de que nosso mundo vai se estilhaçar, mas o que realmente fica em estilhaços são as cascas que nos resguardam e isolam. Contudo, um só grito não liberta plenamente alguém, assim como uma só andorinha não faz verão. Ambos são indícios de que há mais por vir. Pode-se indagar: quão profunda é a tristeza, quão penetrante é o medo, quão avassaladora é a raiva?

A melhor resposta a essa pergunta decorre de outras. Por que estamos tristes? O que está causando nosso medo? Qual é o motivo da nossa raiva? Atribuir essas emoções a experiências passadas é uma explicação histórica,

Medo da vida

não dinâmica. As sensações derivam diretamente de experiências atuais; contudo, essas experiências são condicionadas pelo passado na medida em que este está estruturado em nosso modo de ser. Nesse sentido, o passado faz parte do presente. Ou seja, não é totalmente correto atribuir um sentimento de tristeza à perda de amor na infância. A tristeza decorre diretamente da experiência de falta de amor no presente. Se a pessoa está realizada, satisfeita, no presente, a perda de amor na infância seria uma recordação sem carga emocional. Mas uma perda de amor na infância pode fazer que, em defesa própria, fechemos o coração e, sendo incapazes de amar, continuemos mal--amados. Não estaríamos efetivamente tristes porque nosso coração está fechado? Da mesma forma, nossa raiva, na medida em que não está associada a uma situação do presente, é uma reação à frustração que vivemos agora, porque fomos forçados a fechar nosso coração e nosso ser. E temos medo de nossa raiva porque sentimos que ela poderia irromper na forma de uma ira destrutiva. São os limites de nosso ser que nos fazem tristes e zangados e constituem nosso medo.

Mas quando uma experiência do presente é parecida com uma do passado que nunca resolvemos, estamos com um problema. Por exemplo, se sofremos a perda do amor quando éramos pequenos, o sofrimento pode ainda estar em nosso interior. As crianças não conseguem prantear adequadamente tais perdas porque não são capazes de conceber uma substituição. Uma perda desse teor seria causada pela morte de um genitor, pela perda de contato com um deles, devido a divórcio, ou por causa de rejeição parental. Uma perda dessas é devastadora para a criança, a menos que haja uma substituição. A criança só consegue reagir negando a perda e vivendo na fantasia de que o genitor retornará com amor. Por isso, não há meios de dar vazão ao sofrimento e à dor, que ficam enterrados no corpo. Essa experiência é como uma ferida que nunca sara. Talvez o melhor seja descrevê-la como um abscesso na personalidade, que a pessoa não percebe, mas que mesmo assim exaure sua energia. Uma rejeição ou desapontamento amoroso no presente toca a ferida, resultando numa dor que é tanto nova quanto velha. Parece mesmo obra do destino.

Um trauma tão precoce que fica encapsulado na personalidade como um abscesso crônico manifesta-se e é vivido como desespero. Afeta o corpo. É possível percebê-lo em olhos opacos, traços faciais abatidos ou caídos, ombros erguidos, peito derrubado à frente, abdome contraído, falta geral de vitalidade. A perda de amor resulta numa pessoa que não se sente capaz de ser amada e que parece desagradável. Isso é motivo suficiente para tristeza. A menos que se modifique essa condição corporal, a pessoa tem sólidas razões para sentir-se triste e chorar. Porém, ao chorar pelo presente, também chora pelo passado. Se, em consequência da análise, a tristeza presente vier a relacionar-se à perda original, a expressão do sofrimento pelo choro e pelos soluços descarrega o abscesso e limpa a ferida. Pode iniciar-se então a cura.

Sentindo-nos desagradáveis e indignos de ser amados, temos receio de expressar amor, de pedir ou exigir respeito. Temendo uma resposta hostil das pessoas, não nos permitimos declarações assertivas e assumidas. Mantemos sob vigilância nossa agressividade natural. Retraímo-nos perante a afirmação de nosso ser. Ou podemos nos tornar contrafóbicos e exageradamente agressivos a fim de ocultar nossos medos. Mas, independente de nos retrairmos ou agredirmos desmesuradamente, nosso corpo manifesta nosso medo. No estado retraído, o corpo fica contraído e encolhido, para dentro; no estado compensado, fica duro e tenso. Ambas as posições são defensivas e, por sua própria natureza, conduzem ao medo. Enquanto nos mantivermos defensivos, sentiremos medo. Embora seja verdade que a atitude defensiva se desenvolveu em resposta a experiências no início da vida, é a contínua manutenção da defesa que causa nosso temor atual. Enquanto o corpo não for libertado de sua postura defensiva, representada por músculos cronicamente tensos e contraídos, não poderemos falar de libertação do medo.

Sentimos raiva porque nosso ser é diminuído. Ficamos zangados porque nos sentimos amedrontados e desagradáveis. E nossa raiva é proporcional ao nosso medo, à nossa dor, e à perda do *self*. Assim como temos todos os motivos para ficar tristes com essa situação toda, também temos todos os motivos para sentir raiva. Podemos trancafiar essa raiva em nossos maxilares, ombros, costas, pernas; ou seja, em todos os músculos que conseguem expressar nossa raiva por meio de mordidas, socos e chutes. Se fizermos isso, no entanto, só nos sentiremos ainda pior e, desse modo, aumentaremos nossa raiva; então, precisamos nos esforçar bastante para mantê-la suprimida. Este é o círculo vicioso típico que se fecha cada vez mais apertado em torno da vida do indivíduo, até que acaba por matá-lo. A alternativa consiste em se abrir por completo e expressar os sentimentos e sensações suprimidas, num andamento progressivo, até que o corpo esteja livre de suas tensões e recupere seu estado natural gracioso e adorável.

Medo da vida

Toda tensão muscular crônica no corpo está associada a tristeza, medo e raiva. Uma vez que a tensão é uma restrição de nosso ser, nos deixa tristes. E também zangados, por sermos tão limitados. E temos medo de demonstrar nossa tristeza ou de expressar nossa raiva, e assim ficamos prisioneiros de um estado diminuído do ser e amarrados a nosso destino.

Uma terapia que tenha por objetivo aumentar ou expandir o estado do ser deve tomar conhecimento do fator dinâmico ou energético. Mais sensações e sentimentos significa mais vitalidade, mais excitação e mais energia no organismo. Corpos tensos e contraídos não conseguem tolerar aumentos de carga energética ou excitação, pois isso ameaça a integridade da personalidade. Da mesma forma que quando sopramos ar demais dentro de um balão de aniversário, a carga elevada apresenta o risco de explodir ou estourar, o que será vivido pela pessoa como medo de morrer ou de enlouquecer. Na próxima seção discutirei como podemos enfrentar esse medo. Neste momento, quero enfatizar que uma terapia para o ser envolve a constante elaboração das tensões musculares e dos conflitos emocionais subjacentes, com uma concomitante descarga de sensações e sentimentos associados.

O padrão terapêutico é o inverso do círculo vicioso. Cada irrupção de sentimentos e sensações aumenta a energia ou a excitação no organismo, que a pessoa deve então aprender a tolerar. Isso é feito integrando a experiência à personalidade e à vida do indivíduo, de modo que seu ser se expanda. Assim, cada vez que a pessoa chora ou se zanga, tem sensações mais profundas e mais energeticamente carregadas. Corresponde a estas uma ampliação da percepção, muito embora o problema confrontado não seja novo. Na realidade, confrontaremos os mesmos problemas vezes e vezes seguidas, esperando, a cada vez, aumentar a quantidade de energia e sensações.

No processo terapêutico, damos várias voltas em torno do círculo da vida do paciente, do passado para o presente e de volta para o passado. Cada circuito realizado evoca suas recordações, sensações e sentimentos a respeito das pessoas e situações de seu passado, relacionando-as a seu comportamento e contexto presentes. Quando um circuito se completa, o resultado é maior percepção, sensações e sentimentos mais profundos, nível de energia mais elevado. O circuito seguinte é empreendido com ainda mais energia e percepção. Os círculos gradualmente mais amplos representam o crescimento da personalidade, através da expansão do ser. Mas o processo jamais atinge o ponto final. Não se conseguem elaborar todos os problemas ou todas as ten-

Alexander Lowen

sões. As feridas produzidas pelos traumas da nossa vida podem até sarar, mas as cicatrizes permanecem. Não temos como retornar ao nosso estado original de inocência. Sempre existirão algumas limitações ao nosso ser. O ser humano é um animal imperfeito e um deus inferior. Não obstante, a tolerância do corpo à excitação, sobretudo a sexual, bem como sua capacidade para descarregar essa excitação através do prazer, especificamente o orgasmo, podem ser significativamente aumentadas.

Existe uma outra forma de se considerar o processo terapêutico: como se fosse uma tentativa de solucionar um quebra-cabeça. Nós, terapeutas, estamos tentando ajudar o paciente a dar um sentido para sua vida, a vê-la como um todo. Eu disse anteriormente que a terapia é uma viagem de autodescobrimento. À diferença do quebra-cabeça, não temos todas as peças no começo, mas, à medida que a terapia avança, mais e mais recordações tornam-se disponíveis. Toda vez que uma peça de informação se encaixa com peças vizinhas, tornando a imagem mais nítida, o paciente tem um *insight*. Ele começa a se conhecer. Apesar de o quebra-cabeça nunca se completar, a imagem vai ganhando nitidez. Conhecendo seu passado, a pessoa entra em contato consigo mesma; estar em contato com seu *self* é estar em contato com seu corpo. Recuperar nosso passado é recuperar nosso corpo. Essas relações também funcionam no sentido inverso. O contato com o próprio corpo dá à pessoa uma sensação de si mesma e reativa lembranças que estiveram adormecidas nas camadas contraídas e imobilizadas da musculatura.

RUPTURA E COLAPSO

O crescimento terapêutico não ocorre numa linha ascendente e retilínea. Existem picos e vales nessa experiência. O pico é a ruptura para atingir um nível superior de excitação. A pessoa rompe uma das cascas protetoras e adentra uma nova esfera de liberdade e esclarecimento. Ou poderíamos dizer que ela emerge com uma maior consciência do seu *self*. A neurose é a casca protetora que encapsula, mas também isola. As cascas não se dissolvem. É preciso rompê-las, como o faz um pintinho recém-nascido. Da mesma maneira, é preciso romper as barreiras ou limites que constrangem o *self*.

A ruptura pode ocorrer no decurso de uma sessão terapêutica ou como sonho. É sempre acompanhada de um *insight,* ou seja, de uma luz que incide sobre uma área escura da personalidade. Essa luz ilumina pela fresta aberta na superfície da casca. Portanto, em minha opinião, a ruptura vem antes da

Medo da vida

luz, e não em consequência desta. A brecha é causada pelo aumento da vida no interior do recipiente, que não tem mais capacidade de conter a excitação ou energia, e então quebra. Em termos mais concretos, são as sensações ou a carga mais intensa que produzem a brecha, a qual, por sua vez, propicia um *insight*. Não se pode predizer o momento de uma ruptura. Acontece espontaneamente, quando há um acúmulo suficiente de força dentro do *self* para produzir a brecha. Esse acúmulo normalmente se faz com lentidão, em resultado de um trabalho terapêutico cuidadoso. Segue-se um exemplo.

Mark é um paciente com o qual venho trabalhando há dois anos. Ele tem uma altura ligeiramente superior à média e é bastante magro. Os traços mais marcantes de sua fisionomia são olhos encovados e sobrancelhas baixas. Seu rosto é sensível. Eventualmente, se ilumina com um sorriso de menino; em outros momentos, as sensações estão retraídas e seus olhos dão uma certa impressão de vazios. Sua tendência a retrair-se tem sido uma de suas dificuldades, e ele tem conseguido resultados consideráveis na conquista de um senso mais forte de *self*. Mas seu ser ainda está muito limitado. Ele ainda não conseguiu desenvolver um relacionamento verdadeiramente satisfatório com uma mulher. Casou-se e divorciou-se duas vezes. Relatarei duas sessões de sua terapia para ilustrar a ruptura que nelas se deu.

Mark estava em pé, na minha frente. Ele tinha consciência de que sua tendência era estar "dentro de sua cabeça" e não o suficiente em seu corpo. Ele sabia que sentia medo de "perder" a cabeça. Inclinava-se para a frente, apoiando-se na parte carnuda da sola dos pés, com os joelhos ligeiramente fletidos e, à medida que permitia que o peso de seu corpo recaísse sobre os pés, conseguia sentir sua cabeça "se perdendo". Por um momento, sentiu-se vinculado a seu corpo e ao chão. Suas sobrancelhas, no entanto, não se descontraíram.

Pedi-lhe, em seguida, que se deitasse na cama. Debrucei-me sobre ele e, com os polegares, fiz pressão moderada sob suas sobrancelhas para erguê-las. Seus olhos estavam focalizados sobre os meus. Quando suas sobrancelhas se ergueram, seus olhos se arregalaram e uma poderosa onda de medo o atravessou. Mantendo contato ocular com Mark, perguntei-lhe do que tinha medo. Ele disse: "Tenho medo de quebrar". Com essas palavras, rompeu em prantos e falou: "Estou me sentindo completamente conectado. Sinto que estou aqui".

Depois de seu choro ter cessado, discutimos sua experiência. Ele falou: "Tem a ver com minha mãe e meu pai. Estou com mais ou menos 3 anos de idade. Vejo minha mãe num roupão branco perolado, brilhante como cetim. É como se estivéssemos na cozinha, de manhã cedo. Meu pai saiu para ir trabalhar. A cena tem algo de suco de laranja e luz do sol. Estou numa cadeirinha alta. Sinto-me muito afetuoso, positivo, radiante."

Pergunto a Mark: "E qual é o medo?"

Ele responde: "Sinto alguma coisa sedutora vindo da minha mãe. Há uma proximidade, um pressuposto de intimidade. Ela deseja isso — intimidade física —, mas eu, não. Se eu estender os braços, não tem nada ali. Minha mãe sente-se sozinha e está se voltando para mim. Sinto que ela me busca, mas se eu corresponder, serei rejeitado. Estou excitado. Gostaria de tocá-la, de acariciá-la, de abraçá-la. Aí há uma *lacuna*. Tenho convivido com essa lacuna desde então, a vida toda. Sinto-me magoado, furioso, mas também sinto o afeto e a necessidade."

Nesse ponto, Mark começou a soluçar profundamente outra vez, murmurando: "Meu Deus! Meu Deus! Me ajude!"

Ele continua: "Com seu afastamento, ela se transforma em bruxa, essa é a sensação da lacuna. Meu Deus! Acabei de entrar em contato com meus dois casamentos. Eu não conseguia suportar a ideia de uma mulher completamente comprometida comigo, amorosa. Não conseguia suportar a proximidade e a excitação, sem a possibilidade de uma descarga ou de satisfação. Se eu poderia ter suportado a excitação? Ora, não. Não consigo aguentar. É demais." E, com um olhar de desespero, acrescentou: "Tive que abandoná-la. Estava me deixando louco."

Nessa sessão, Mark começou a ter consciência do comportamento sedutor da mãe e de sua excitação sexual em resposta a isso. Ele sabia que não conseguia suportar a excitação porque não havia possibilidade de descarga. Seus casamentos se desfizeram por força de seu medo da proximidade e da intimidade, já que essas sensações o faziam recordar sua situação com a mãe.

Quando Mark voltou para a sessão seguinte, duas semanas depois, relatou que no dia posterior à última sessão tinha acordado com uma tremenda sensação de liberdade. "Senti-me livre".

Quando olhei para ele, observei que suas sobrancelhas ainda estavam caídas. Parecia que ele tinha uma tampa sobre a cabeça e os olhos, que servia para manter sua excitação sob controle. Mas parecia também que a tampa era uma defesa contra ver. Perguntei a Mark se ele tinha percebido que não queria ver.

Medo da vida

Em resposta a isso, ele relatou um sonho que tinha tido duas noites antes: "Estou num bote, cruzando águas rasas. Vou para uma casa na praia, onde há muitas pessoas. Vejo minha mãe na cozinha, cozinhando. Ela está cortando um limão.

"A parte mais importante do sonho é sua atitude para comigo. Ela é muito sedutora. Seus olhos estão brilhantes e ela olha para mim com uma evidente excitação. Ela descasca o limão e deixa um grande pedaço à mostra (polpa). Percebo que essa é a maneira de preparar a refeição, mas sinto medo."

Quando discutimos o significado desse sonho, Mark percebeu que o limão representava seus testículos, que sua mãe estava "cortando fora".

Perguntei a Mark como é que sua mãe se relacionava com homens. Ele respondeu:

"É dependente deles. Faz o que lhes agrada, mas os despreza. Quer confiar neles, mas não confia. Fica furiosa com eles. Sente-se desapontada com eles.

"No sonho, senti-me cortado ao meio, na barriga, desviscerado. Não sei o que estou fazendo na casa de praia. Não vejo."

A lacuna referia-se a um lugar vazio no quebra-cabeça. Ele não enxergava a imagem completa porque estavam faltando algumas peças. O não ver é uma cegueira autodeterminada, semelhante ao ato de Édipo de destruir sua visão. A pessoa bloqueia permanentemente uma cena visual porque é por demais amedrontadora ou horrível. A terapia trabalha levando o paciente a enxergar a imagem total de sua vida — a isso chamamos ter um *insight*. O que era que meu paciente não enxergava? Embora possa parecer estranho, a resposta é a mesma que no caso de Édipo: o relacionamento incestuoso com a mãe.

Pedi que Mark descrevesse suas sensações e sentimentos relativos à mãe e, por extensão, a todas as mulheres. Ele me disse:

"Fico tentando agradá-las, mas nunca consigo. Mantenho-me disponível, prestativo, aberto e sensível a elas. Eu confiava muito na minha mãe. Depois comecei a sentir medo de sua raiva. Tenho uma sensação de traição. Fiquei furioso com ela. Era algo tão forte que fiquei imobilizado. Minha primeira esposa destilava raiva, como minha mãe."

Depois desse diálogo, pedi a Mark que se deitasse no banquinho bioenergético. Ele começou a chorar. Sentia a dor e a rigidez da região lombar. Depois comentou que sentia que podia *quebrar* nessa região.

Perguntei a Mark que ideias tinha a respeito de quebrar. Disse-me que tinha duas ideias: que ficaria perdido e que ficaria livre. E prosseguiu dizendo que sua mãe era sedutora, mas "se você fosse atrás dela com sensação sexual, ela te destroçaria." Isso significava ficar sem as vísceras. Perder as entranhas, a coragem. Depois Mark acrescentou: "Alguns anos atrás eu sentia que tinha um buraco na barriga."

Sem entranhas, sem testículos. Mark percebia agora que tinha sido quebrado. As conexões energéticas entre sua cabeça e seus genitais, em seu corpo, tinham sido rompidas e, em resultado disso, seu ego não estava em contato com sua sexualidade. Isso aconteceu quando Mark era pequeno e o deixou temeroso de ir sexualmente em busca de mulheres. Para evitar ser magoado novamente, ele refreou-se. Imobilizou a pelve tensionando os músculos da região lombar das costas e do abdome. A tensão nesses músculos produzia a rigidez e a dor que sentiu ao deitar-se de costas no banquinho. A rigidez nas costas de Mark era como uma tala. Suas costas (espírito) tinham sido quebradas. Depois disso, foram entaladas para se protegerem contra uma nova fratura, mas a defesa perpetuou o medo de quebrar de novo.

Quanto às mulheres, uma vez que Mark adota um papel passivo com mulheres, pois não ousa ser sexualmente agressivo, está destinado a envolver-se com aquelas que assumirão um papel exageradamente agressivo no relacionamento. Mas estas são mulheres zangadas, que sentem que foram traídas pelo pai e que, da mesma forma, colocaram-se com passividade frente à própria mãe. Essa raiva é então projetada em homens que são passivos. Inevitavelmente, Mark acabaria se envolvendo com mulheres que destilavam raiva, como sua mãe.

Descrevi essas duas sessões de Mark com um certo nível de detalhes para demonstrar a íntima relação entre a ruptura e o colapso. Quando Mark confrontou seu medo de quebrar, estava em condições de enxergar os acontecimentos de sua vida que produziram o medo. Ouvi muitos pacientes expressando o medo de, ao se soltar, terem um colapso. Em outras palavras, romper com as defesas é arriscar um colapso. É como o parto. Quando um bebê está nascendo, ele não tem nenhuma garantia de que conseguirá vir ao mundo. Alguns ficam com o cordão umbilical enroscado em torno do pescoço e morrem. Sempre existe um risco na vida, mas em geral é mínimo. Se a pessoa tiver costas rígidas, deitar-se no banquinho de bioenergética pode evocar o medo de quebrar, mas nunca presenciei isso acontecendo.

Medo da vida

Não obstante, alguma coisa efetivamente se quebra. Rompe-se a resistência à expressão de sentimentos e sensações. Em geral, existe uma rendição, uma entrega à dor e à tristeza, e a pessoa se desmancha em lágrimas e soluços. Algumas vezes, irrompe num sentimento de raiva há muito suprimido. Em todos os casos, há um colapso nos controles que foram criados como defesa naquelas situações da infância em que expressar sentimentos era perigoso. Também há o colapso da fachada que foi erguida para proteger o ser sensível do indivíduo. Porém, uma vez que o ego se identifica com o controle, com a vontade e com a fachada, ele vê o colapso como um perigo.

O medo de ter um colapso é mais acentuado quando a estrutura de caráter do paciente é desafiada. Isso é assim devido ao fato de a estrutura ter-se desenvolvido como defesa contra colapsos. A resistência que o paciente opõe é insuperável, a menos que se compreenda o medo que a motiva.

W. D. Winnicott, que estudou esse problema em seus pacientes, definiu a ameaça vivida pelo indivíduo como um medo de "um colapso do estabelecimento do *self* unitário".[52] Em linguagem mais simples, diríamos: uma desintegração da organização do ego. Em linguagem leiga, o colapso significa um surto psicótico. Portanto, devemos saber que, subjacente ao medo de entregar-se, existe também o medo da insanidade.

Indiquei, no capítulo anterior, que o medo da insanidade surge quando o ego é inundado ou tomado de assalto pela excitação ou por sentimentos e sensações. Contudo, isso deve acontecer para que o ser possa crescer ou expandir-se. A serpente troca de pele, o caranguejo sai da casca em seus processos de crescimento. E nós, humanos, devemos romper as velhas estruturas se quisermos crescer. Durante essa transição, o organismo está vulnerável. Existe um risco. Mas todos os organismos aceitam a vulnerabilidade e o risco na natureza dos processos vivos. Por que nossos pacientes são tão amedrontados?

Winnicott tem a resposta a essa pergunta. Ele diz: "o medo clínico de um colapso é *o medo de um colapso que já foi experienciado*". E prossegue: "Trata-se de um fato que se carrega consigo, escondido no inconsciente."[53] O significado dessa observação torna-se claro quando o aplicamos a todas as situações de nossa vida. Como diz o ditado: "gato escaldado tem medo de água fria". Uma criança não tem medo de fogão quente até se queimar. Se a experiência do parto foi traumática, no sentido de ter havido alguma ameaça à vida da criança, então qualquer situação que suscite nascimento ou emergência à luz será vivida com terror.

A pergunta, feita no início deste livro, é: por que aprendemos com algumas experiências traumáticas e não com outras? Nenhuma criança que já tenha encostado a mão num fogão quente repete a experiência. Os neuróticos, como vimos, repetem seguidamente os mesmos traumas. Se a experiência de um colapso estiver soterrada no inconsciente, também será projetada no futuro. O sistema egodefensivo, erguido no passado para negar o trauma e servir de proteção contra futuras recorrências do evento, torna-se um ímã que atrai a experiência que tem a função de afastar. É isso que descrevi como o funcionamento do destino.

É fácil explicar isso com respeito ao medo do colapso. A energia investida no sistema defensivo diminui a tolerância do corpo à excitação. Defesa significa mais estrutura do que movimento. Representa mais um estado paralisado do que um móvel. Diminui o montante de excitação e de sensação, esperando assim impedir a inundação que poderia tomar de assalto o ego e produzir um colapso. Reduz o ser para protegê-lo. Contudo, essa redução do ser evoca o medo do colapso, visto que o organismo se esforça para expandir seu ser ou sua vida até seu potencial máximo. O corpo se orienta para a vida e busca intensificar seu estado de excitação mesmo que arriscando avassalar o ego amedrontado. Isso pode facilmente levar a um círculo vicioso, no qual todo esforço para a expansão é confrontado por um aumento da estrutura defensiva. Isso é o oposto do ciclo de crescimento descrito acima. Sem alguma mudança no caráter da pessoa, seu ser está constantemente se encolhendo, e isso prosseguirá até o ponto em que um colapso será inevitável. Este poderá assumir a forma de uma doença somática ou então mental.

Estar plenamente vivo é permitir ao *self* ser levado por uma inundação de sensações e sentimentos. Isso proporciona uma experiência mobilizadora ou de "pico". É uma resposta de tipo orgástico. Mas tais reações emocionais tão intensas não devem ser corriqueiras. Se a pessoa está constantemente inundada por uma excitação avassaladora, seus limites tornam-se vagos e o *self*, nebuloso. A pessoa fica confusa a respeito de sua própria identidade, e a psicose se avizinha. Egos fracos são particularmente vulneráveis. Um ego mais forte pode suportar e conter um nível mais elevado de excitação sem perder seus contornos. Mas até mesmo um ego relativamente forte pode ser inundado ou avassalado se a intensidade das sensações aumentar consideravelmente. Um ego saudável pode se permitir ser momentaneamente submergido por uma poderosa onda de sensações, sem qualquer risco. Todo rio se

Medo da vida

enche e transborda às vezes. Se isso acontecer permanentemente, as margens serão destruídas e teremos um lago, e não mais um rio. Mas o lago é estático, ao passo que o rio flui. Trata-se de uma das contradições da vida o fato de que o fluxo deve ser contido para que se mantenha em movimento.

Essas considerações sugerem que, quando o paciente desiste de sua posição defensiva, experimenta a sensação de estar louco ou insano. É evidente que ficar "louco" a pedido não é a verdadeira insanidade, mas aproxima-se o bastante para fazer que o paciente tenha consciência de que o medo do colapso é real, de que existem sensações suprimidas em sua personalidade que ameaçam o ego, e de que se pode atravessar a linha divisória entre a racionalidade e a irracionalidade e atravessá-la de volta, sem perigos. O surgimento de sensações intensas num paciente *borderline*, cujo ego seja fraco, pode resultar num "surto" temporário. Ele pode "pirar" se a excitação for forte demais. Isso não representa perigo para o paciente se o terapeuta tiver consciência dessa possibilidade, não entrar em pânico e ficar a seu lado até a excitação se atenuar. Depois que isso acontecer, o paciente estará completamente racional de novo. Através dessa experiência, ele terá aberto o canal para algumas sensações intensas — que então poderão ser integradas à personalidade, fortalecendo seu ego e expandindo seu ser. Dessa forma, o paciente aumenta sua tolerância a excitações e sensações, diminuindo a probabilidade de um futuro colapso.

Rupturas e colapso nunca estão muito distantes um do outro na terapia, já que é preciso que ocorra um certo colapso das defesas do ego para que ocorra a ruptura. Contudo, o colapso das defesas do ego não é objetivo legítimo da terapia. Tais defesas devem ser respeitadas a menos que se possa ajudar o paciente a criar meios mais eficazes de enfrentar as tensões da vida. O colapso só é válido se conduzir a uma ruptura. Isso envolve o desenvolvimento de *insights* e a integração de novas sensações e vivências na personalidade. Integração quer dizer aceitar os sentimentos e sensações e expressá-los com total cooperação do ego.

Uma das minhas pacientes não consegue gritar nas sessões. No entanto, em casa ela grita com o marido e com as crianças. Trata-se de uma reação histérica, expressa contra sua vontade, e seu ego está dissociado da ação. Ela não quer gritar, mas sente-se provocada a fazê-lo. Disse: "Quando grito, sinto-me uma maníaca. Isso me deixa arrasada." Faz que ela se sinta louca. No entanto, ela precisa gritar para descarregar o terror que oculta em seu ser. Foi aterrorizada quando criança e, portanto, tem todos os motivos para gritar. A integração exigiu que ela aceitasse o fato de, em seu interior, ser uma maníaca que berra. Ela fora avassalada pelo terror e isso a deixara louca. *O colapso havia ocorrido.* Depois de aceitar isso, ela não podia mais ser "arrasada". Conseguia conservar sua identidade enquanto pessoa que tinha sido aterrorizada e levada ao ponto de ser uma maníaca que berra. O que fora arrasado anteriormente fora sua falsa identidade, a saber, a de um ser calmo e racional. Essa falsa identidade era uma negação de seu ser, o que aumentava sua vulnerabilidade ao colapso, e aguçava o medo de que isso ocorresse.

Tipicamente, no paciente neurótico, o medo do colapso está oculto atrás de um ego aparentemente seguro e estável. Se alguém perguntar a esse paciente se alguma vez ele já pensou que poderia ficar louco, a resposta é, em geral, não. Mas essa resposta é desmentida por seu próprio problema. Todo neurótico tem sensações e sentimentos suprimidos que poderiam invadir e aniquilar seu ego se viessem à tona com intensidade total. Em poucas palavras: todo paciente poderia ficar "louco" e teme "ficar louco" se "se entregar" completamente a suas sensações e sentimentos. Conserva sua sanidade mantendo dentro de limites toleráveis o seu nível de excitação e mantendo sob vigilância seus sentimentos e sensações, para ter certeza de que esses limites não serão violados. Confiando nesse controle, o neurótico pode sentir-se razoavelmente convencido de que não tem medo da insanidade. Mas a própria defesa trai o medo subjacente. Erguem-se defesas somente quando se sente medo.

Comportamentos por demais racionais (relativamente isentos de sentimento) ou por demais controlados (destituídos de espontaneidade) levam à suspeita de estarem encobrindo um medo da insanidade. A pessoa não pode se entregar plena e livremente a suas sensações e sentimentos e, por isso, seu ser sofre uma severa limitação. Nesse caso, tem-se de encorajar o paciente a agir de modo um *pouco* louco. Isso significa soltar a cabeça, perder a cabeça, ou "perder o juízo".

Uso vários exercícios simples para ajudar o paciente a aproximar-se desse estado para que ele possa tomar consciência do medo. O exercício deve ser apropriado ao paciente e à sua situação imediata. Por exemplo, com um rapaz cujo padrão de contenção muscular expressava a sensação de "deixe-me em paz", o exercício consistiu em chutar a cama, socar com punhos cerrados e berrar "deixe-me em paz". Durante o exercício, pedi-lhe que gritasse as se-

Medo da vida

guintes palavras: "Você está me deixando louco". Depois de tê-lo feito, ele voltou-se para mim e disse: "Meu Deus, é verdade. Ela me enchia tanto o saco que me encurralava". Depois passou a descrever um aspecto de sua mãe que explicava sua personalidade. "Ela era tão confusa que eu não sabia o que era verdade. Jamais conseguia atingi-la pela lógica ou pela razão. Eu me defendi contra a loucura dela e contra a minha possível insanidade". Quando lhe perguntei qual seria sua possível insanidade, ele disse: "Eu ficaria louco e a mataria, viraria um assassino louco. Mas eu sempre tinha a certeza de que isso nunca aconteceria comigo". Depois, com tristeza, acrescentou: "Agora eu sei por que é que nunca consigo deixar minha raiva explodir. Tenho realmente medo de ficar louco."

Se seguirmos o argumento de Winnicott, o medo de um colapso mental implica que esse colapso aconteceu no passado. Tranca-se a porta da estrebaria depois que o cavalo fugiu, não antes. Essa aparente contradição é explicada pela ideia de que, não tivesse ocorrido nenhum roubo, não haveria necessidade, nem sequer a ideia, de trancar a porta. Não se arma uma defesa contra um perigo inconcebível. É importante que o paciente perceba que já aconteceu o colapso, que sua defesa é tanto uma negação desse fato quanto uma proteção contra um possível colapso futuro. Pois, como já vimos, a defesa em si predispõe a pessoa a essa possibilidade.

O colapso que aconteceu no passado foi superado por um esforço de vontade. Foi vivenciado como uma sensação de confusão, como uma sensação de ser aniquilado, como perda dos limites. A pessoa sentiu que estava se partindo em pedaços. Foi aterrorizante. Ela conseguiu se recompor por um esforço da vontade e continua se mantendo inteira como defesa contra o medo de se partir ao meio ou de se sentir confusa e aniquilada pela vida. A vontade age através da musculatura voluntária que contrai os músculos relevantes para o controle necessário. O paciente acima citado observou: "Percebo que lutei para manter minha cabeça em ordem. Isso me ajuda a compreender por que os músculos do meu pescoço são tão exageradamente desenvolvidos."

Um outro exercício consiste em o paciente bater com a cabeça na cama, usando as seguintes palavras: "Não aguento. Você está me deixando louco." Ou: "Não aguento. Vou perder o juízo." Essas expressões são bastante comuns e ouvem-se pessoas comuns dizendo-as. Em minha opinião, refletem um entendimento representado pela linguagem. Qualquer sensação ou sentimento que seja intenso demais para o organismo tolerar ameaça a sanidade da pessoa. Pode-se perder a cabeça por causa de dor, medo, sofrimento, até mesmo desejo. Se o ego for inundado e seus limites forem destruídos, o resultado é confusão e perda do autocontrole e da orientação. Conforme a pessoa tenta conter a sensação ou o sentimento, a tensão fica insuportável. Tem que ser aliviada mesmo que a sanidade seja temporariamente abandonada. Nesse ponto, as crianças batem com a cabeça, como meio de aliviar a tensão na nuca. Quando os pacientes fazem esse exercício, sentem a tensão na nuca e tornam-se conscientes de um sentimento ou de uma sensação que é preciso suportar, muito embora a situação seja atormentadora. Não aguentar é ficar louco. Geralmente fica claro para o paciente qual era o tormento.

Um rapaz descreveu seu tormento da seguinte maneira: "Minha mãe me olhava suplicante, como se esperasse que eu a salvasse. Ao mesmo tempo, havia algo de sedutor em seu olhar. Eu sentia que salvá-la significava ter sexo com ela. Sentia-me excitado e aterrorizado. Era um tormento. Não ousava responder a ela, mas não conseguia me afastar." Isso quase o levou a perder o juízo. Para impedir que se desse o colapso, ele "morreu". Este foi um dos casos que descrevi no capítulo anterior.

A fim de expor esse medo nos pacientes neuróticos, frequentemente lhes pergunto se eles alguma vez sentiram ou pensaram que ficariam loucos. Alguns se lembram de uma situação em que esse medo foi consciente. Uma mulher relatou duas dessas experiências. A segunda aconteceu quando estava com 30 anos de idade: "Apaixonei-me por um padre. A sensação de excitação em meu corpo era muito intensa. Era uma sensação sexual e eu não podia expressá-la. Eu me deitava na cama e sentia a energia se acumular dentro de mim, dilacerante, tentando sair. Eu não podia descarregá-la. Depois comecei a me sentir muito assustada e desesperada. Pensei que fosse endoidecer, ter um colapso nervoso. Orava a Deus pedindo ajuda."

Essa paciente tinha sido educada dentro de preceitos religiosos muito rígidos. Disse que jamais tocara seu corpo até os 22 ou 23 anos. Estava se referindo ao toque sensual, evidentemente. Ela não sabia como se masturbar e não tinha jeito de se aliviar. Em tais condições, uma sensação muito forte e persistente de amor sexual poderia levar a pessoa a ficar louca.

O primeiro incidente ocorreu quando ela estava numa escola religiosa, fora de casa. Disse que era odiada tanto pela diretora como pela madre superiora. Sofria de apendicite crônica, mas era forçada a prosseguir estudando.

Medo da vida

"Eu estava sob uma pressão tremenda. Pesava 45 quilos. Estava no pior momento da minha vida. Então tive uma crise aguda e fui para o hospital, que era administrado pelas irmãs. Depois da cirurgia, permaneci um mês no hospital. Não tinha permissão para ver ninguém. Tinha medo e estava desamparada. Não podia fazer coisa alguma sozinha. Senti que ia arrebentar."

Essa paciente nunca se tornou psicótica e duvido que isso lhe acontecesse. Seu ego tinha uma força tal que lhe permitia manter-se coeso sob a mais intensa pressão. Mas ela não era invulnerável. Se fosse encurralada, disse que preferia morrer. A morte era preferível à loucura. E, de fato, havia um sinal de morte no círculo escuro que rodeava seus olhos. Ela não enlouqueceu no hospital porque resignou-se a morrer. Por sorte, não a forçaram a esse ponto. Mas foi forçada o suficiente para pelo menos ver de perto a cara da morte.

Existe uma relação dinâmica entre morte e insanidade, entre morte física e morte psíquica. Se um organismo é avassalado por uma excitação intensa, os limites do *self* são inundados e se dissolvem; sem limites, o *self* não existe. A insanidade pode ser chamada de uma forma de morte psíquica, a morte do *self* ou do ego. Isso acontece no ponto culminante do orgasmo. Momentaneamente, o ego ou o *self* desaparece. Se tememos ser avassalados, suprimimos nossas sensações e nossa excitação. Quanto maior o medo, maior a supressão. Mas a supressão de sensações e excitação é a morte, uma morte do corpo por congelamento. Assustamo-nos igualmente com esse espectro.

ANSIEDADE DE CASTRAÇÃO

Freud assinalou que evitamos o destino de Édipo suprimindo nossas sensações sexuais por nossa mãe e desistindo de nossa hostilidade para com nosso pai. Tomamos essa atitude devido à ameaça de castração. Depois de nos submetermos a essa exigência cultural, tornamo-nos cidadãos bem adaptados; vamos à escola, casamo-nos com a moça certa, apoiamos a ordem estabelecida. E reprimimos as recordações desse período, o que significa que negamos nossa submissão sob ameaça de castração. Se tivermos filhos, repetiremos o mesmo processo com eles, a fim de nos certificarmos de que a cultura continue fazendo progresso.

Se esse sistema funcionasse direito, não haveria queixas. Mas há queixas. Por exemplo: uma mulher, casada há aproximadamente dez anos, está infeliz em seu relacionamento com o marido. Sua vida sexual deteriorou-se ao longo dos anos. Ela diz que quando se casaram estava ávida pela prometida intimidade sexual e excitada pela ideia do prazer sexual que poderia então gozar. Eles tiveram relações sexuais na primeira noite. Na manhã seguinte, quando acordou e se virou para o marido, excitada e anelante, ele a afastou dizendo: "Não me pressione". Sua lua-de-mel, declarou, foi um pesadelo. Desde então, sempre houve entre eles uma certa tensão a respeito de sexo.

Que ansiedade impediu seu marido de gozar plenamente o prazer sexual que lhe estava sendo oferecido? Seria o medo de ser bem-sucedido? Ou, como acontece com tantos homens, ele sentiu medo quando sua esposa se tornou o agressor sexual? Ao tomar a iniciativa, ela lhe lembrava a mãe e, subitamente, tornava-se o fruto proibido.

Em seguida, vem para consulta um homem que está deprimido porque é obeso e sua esposa está perdendo o interesse sexual por ele. Os dois estão casados pela segunda vez. Sua união começou com romance e excitação, vários anos atrás. O casamento pareceu mudar suas vidas. Meu paciente disse que perdeu peso, sentiu-se mais jovem e mais entusiasmado. Mas, após uns poucos anos, a excitação perdeu parte do brilho. Ele começou a comer em excesso e não conseguia controlar o apetite. Na primeira sessão, contou-me que tivera a experiência de vários anos de tratamento psicanalítico anteriormente, cinco vezes por semana, que na sua opinião tinham-no ajudado enormemente. Conseguira, com isso, dar fim a um casamento muito insatisfatório. Acreditava que o tratamento o libertara de sua neurose e se sentia um pouco chocado ao perceber-se deprimido. Para ajudá-lo a trazer um pouco de movimento para seu corpo, sugeri que vomitasse toda manhã.

A ideia de vomitar pode parecer estranha aos leitores não familiarizados com a terapia bioenergética. É um dos nossos procedimentos básicos. Serve a dois importantes objetivos. Primeiro, ajuda a pessoa a "pôr para fora". Muitas pessoas reprimem seus sentimentos. Vomitar quebra esse padrão. Segundo, abre a garganta e, portanto, facilita a manifestação de sensações e sentimentos. Esse exercício é feito de manhã, antes do desjejum. A pessoa toma dois copos cheios de água para que o estômago tenha algo sobre o que se contrair. Depois enfia o dedo na garganta para induzir o reflexo do engasgo, enquanto se debruça sobre a pia. Se expirar profundamente antes de engasgar, a expulsão do líquido acontecerá com facilidade. É importante expirar profundamente enquanto é feito o exercício, pois isso relaxa o diafragma. De modo algum a expulsão deve ser forçada. Deve vir suavemente. Não se deve tentar pôr para fora a água toda. Várias regurgitadas satisfatórias bastam.

Medo da vida

Quando meu paciente voltou, duas semanas mais tarde, comentou: "Comecei a praticar o vômito, como você sugeriu. Desde então tenho tido diversos pesadelos."

Esta não é uma consequência comum de vomitar. Eu mesmo venho usando essa técnica, intermitentemente, por mais de trinta anos, e nunca fui afetado dessa maneira. Até hoje a pratico com regularidade.

Ele prosseguiu: "Num dos sonhos, eu estava assistindo a um programa na TV. Era como um especial da National Geographic. Eu estava olhando para uma cena em que um predador captura a presa. A presa está paralisada de terror, antes de ser devorada. Enquanto olho para a imagem, ela começa a ficar cada vez maior, como se eu estivesse participando da cena. Depois mudou. O predador tornou-se um homem primitivo, tipo da Idade da Pedra, com 2 a 2,5 metros de altura, que tinha agarrado um homem civilizado pequeno. Ele pegou uma marreta e, com alguns golpes rápidos, quebrou os ossos do braço direito do homem. O braço pendia como se tivesse ficado paralítico. Depois o primitivo arrancou os olhos de sua vítima e a seguir lhe mordeu a cabeça como se fosse arrancar fora. Eu tive a impressão de que ele queria comer o cérebro do civilizado. Eu estava horrorizado. Não conseguia gritar. Acordei sobressaltado, suando e com medo."

De imediato, meu paciente percebeu que o sonho expressava sua ansiedade de castração. Ele se identificava com o homenzinho civilizado e percebeu que o gigante primitivo era seu pai. Acrescento que meu paciente era, ele mesmo, um psicanalista, e, portanto, estava bastante acostumado a tais ideias. Ele comentou que, no decurso de sua análise anterior, havia discutido a questão de sua ansiedade de castração. Contudo, nunca emergira tão nitidamente como nesse sonho.

Esse paciente tinha uma grande tensão em torno de sua pelve. A área pélvica era achatada e tensa, e pendia sobre ela um anel de gordura. Dava a impressão de um anel constritor que circundava o baixo-ventre, no nível das cristas ilíacas. Os movimentos respiratórios não chegavam ao baixo-ventre, e essa parte de seu corpo parecia distante do resto do organismo.

Fiz o paciente se deitar no chão sobre um cobertor enrolado, colocado sob a região lombar de suas costas. Com os pés unidos pelas solas e os joelhos afastados, evidenciou-se a região pélvica. Essa posição frequentemente traz à tona medo e vergonha. Meu paciente não sentiu nem uma coisa nem outra, mas quando coloquei meus polegares sobre suas virilhas e exerci pressão moderada contra os músculos contraídos, ele teve um sobressalto. Não doía tanto, disse, era mais assustador. Toda vez que ele sentia a pressão dos polegares nessa área, sobretudo se eu os deslocasse ligeiramente, ele gritava como se eu... como se eu fosse fazer alguma coisa terrível para ele, nessa região.

Quando discutimos essa experiência, ele disse que estava surpreso de ter sentido tanto medo. Pensava que já tinha falado e resolvido esse assunto durante a análise. Mas admitiu que nunca, até esse momento, tinha sentido esse medo. Até então, a ansiedade de castração não passava de uma ideia. Ele ficou um pouco zangado pelo tempo que perdeu em análise, mas depois percebeu que tinha servido a seu propósito. Saiu dessa sessão profundamente mobilizado.

Várias semanas depois, eu o atendi novamente. Ele continuava comendo demais, devido à ansiedade. Não se sentia deprimido. Estava muito triste e assustado com isso. Sabia que tinha um problema em nível corporal que precisava ser trabalhado fisicamente (reduzir a tensão na região pélvica), para que pudesse gozar plenamente sua sexualidade. Repetimos várias vezes o exercício descrito. No começo, ele gritava e tinha sobressaltos assim que eu o tocava. Mas logo descobriu que, se respirasse fundo e relaxasse a pelve, o medo diminuía e a dor praticamente desaparecia. Ficou muito surpreso ao descobrir que seu pânico resultava não do que eu fazia, mas do que ele acreditava que eu pudesse fazer. Ficou evidente que ao tensionar seus músculos antecipando a dor, estes ficavam doloridos com a pressão, ao passo que, quando os relaxava, recebiam a pressão sem a menor dor. Temos todos que aprender que tensão é medo.

Depois de ter vivido a experiência do grande medo que sentia de ser castrado, meu paciente se indagou de onde esse medo viria. Ele não se lembrava do pai como homem violento. Tinha sido um bom menino, fazendo tudo que era esperado que fizesse. Admitiu que ele e sua mãe eram muito unidos e viu que seu pai poderia ter sentido ciúmes. Não só meu paciente como também seus pais desempenharam o papel de negar as implicações sexuais do relacionamento entre eles, o que só aumentava o medo da criança. Ele conseguiu perceber que uma situação como essa poderia dar margem a um medo da sensação sexual.

À medida que trabalhamos esse problema durante a sessão, meu paciente começou a rir e a sentir-se contente. Em consequência deste e de um outro exercício, sua pelve começou a receber carga. Suas pernas estavam vibrando.

Medo da vida

A parte de baixo de seu corpo sentia a vida. Ele disse que se sentia como se um grande peso tivesse sido tirado de cima dele. Tinha uma sensação de liberação. Havia alcançado um senso mais profundo de seu ser.

Trabalhar com a ansiedade de castração por meio dessa técnica não é a resposta a todos os problemas de um paciente. No entanto, é o problema central, visto que o conflito edipiano é o principal conflito no arco da personalidade. O fracasso em obter progresso nesse nível significa que todo o trabalho restante sobre a personalidade permanece superficial.

Trabalhei com um outro psiquiatra, alguns anos atrás, que se queixava de estar deprimido. Também ele passara por muitos anos de psicanálise. Quando sua terapia comigo estava chegando ao fim e sua depressão já havia desaparecido completamente, ele comentou a respeito de sua experiência comigo: "Você não sentiu medo do meu desprezo por você. Os outros analistas sentiram." Ele se sentia superior a eles. Se fosse um igual, poderia enxergar seus problemas pessoais, que procurava ocultar por trás da máscara profissional. Era uma repetição de sua situação edipiana, em que se sentia superior a seu pai. Mas os analistas nunca desafiaram essa atitude e assim a análise fracassava. Também para ele tinha sido possível ocultar-se por trás da fachada da linguagem psicanalítica. Na terapia bioenergética comigo, ele estava despido. Vi um grande corpo gordo, com um rosto redondo como o de um bebê gigantesco. Sua região pélvica era tensa e contraída. Nesse caso, como em muitos outros, o desprezo era usado para encobrir o próprio senso de inadequação.

Ele disse também que eu o havia ajudado a superar sua ansiedade de castração. Quando pressionei a inserção dos músculos da coxa em sua pelve, sentiu dor, mas também teve consciência de que estava com medo. Sentiu a tensão e tentou "entregar-se" à minha pressão. Nessa posição, entregar-se significa respirar fundo e empurrar a pelve para baixo, contra o chão. Essa manobra relaxa os músculos da coxa, e a dor diminui ou desaparece. Outra parte de seu comentário foi: 'Por meio do que você fez, consegui sentir que você não ia me machucar e minha ansiedade sumiu."

A maioria dos homens não tem consciência de ter qualquer ansiedade de castração. Na realidade, não têm consciência da tensão no assoalho pélvico e em torno do mesmo. Essa falta de percepção se deve a uma falta de sensação. A região está relativamente morta; somente o pênis está vivo. E, enquanto tiverem potência erétil, assumirão que não têm problemas sexuais. Seu critério de saúde sexual é seu desempenho. O fato de que toda sua sexualidade se limita ao pênis não lhes parece estranho, porque não conhecem outra forma de sensação sexual. A adorável sensação de derretimento na pelve, pré-orgástica, e as sensações ondulantes que se seguem ao orgasmo lhes são desconhecidas. Seu corpo não toma parte na resposta sexual. Mas essa mesma condição é a castração, pois a sensação no pênis está bloqueada ou desconectada de quaisquer sensações no corpo.

Quando a excitação sexual se restringe ao pênis, a sexualidade do homem é muito limitada. Seu ser ou sua masculinidade estão igualmente reduzidos. Em suas relações com mulheres, irá se queixar com frequência de que o estão castrando. Irá acusá-las de "lhe cortarem o saco fora". Mas o fato é que ele já está relativamente castrado, em nível psicológico. Mulher alguma quer ou pode castrar um homem de verdade. Sua ansiedade nessa situação reflete um acontecimento que se deu no passado. Somente revivendo emocionalmente esse acontecimento é que a pessoa pode liberar-se da ansiedade associada com ele.

E quanto à ansiedade de castração nas mulheres? Verificamos que a menina está sujeita aos mesmos conflitos que seu irmão. Ela faz parte de um triângulo que inclui seus pais e no qual é objeto do interesse sexual do pai e do ciúme e hostilidade da mãe. A castração resultante é tanto psicológica quanto fisiológica. No primeiro nível, vem como uma sensação de culpa e vergonha a respeito de sensações sexuais. No segundo, consiste em tensões musculares na região pélvica que reduzem a quantidade de sensação sexual. A castração consiste na interrupção do vínculo entre o ego e a sexualidade, entre a pelve e a metade superior do corpo, e na perda da vitalidade e da mobilidade na pelve.

Eis aqui um caso. Claire é uma moça relativamente gorda, com 27 anos de idade. Está deprimida e se sente incapaz de enfrentar o mundo. Contudo, é talentosa e acredita que poderia se sair muito bem. O aspecto mais marcante de seu corpo é o peso de seus quadris e coxas. Parecem grandes, até possantes, mas desvitalizados. Estranhamente, a metade das pernas abaixo dos joelhos é bem torneada. Seu rosto é redondo e suave, e sua expressão revela fraqueza e desamparo. Contudo, ela não é destituída de atrativos. Claire passou antes por muitos anos de terapia, parte dos quais, com um terapeuta bioenergético que não conseguiu abordar seu problema.

E qual era seu problema? Em linguagem rasteira: conseguir que ela mexesse a bunda. Essa expressão significa ficar em pé e pôr-se em movi-

Medo da vida

mento, que era o que ela precisava fazer. Mas também era literal. Suas ná-degas pesadas eram como uma âncora que a impedia de se mexer. Estava atolada pela bunda. Segundo a interpretação bioenergética, o peso e o tamanho de suas nádegas representavam o acúmulo e a estagnação de energia. Gordura é energia acumulada. No caso dela, era energia associada a sensações sexuais que se acumularam ao longo dos anos e ficaram trancadas e presas na pelve. Mexer a bunda ou a pelve é uma expressão sexual e seria possível, portanto, quando as culpas e ansiedades associadas a essa manifestação fossem removidas.

Quando perguntei a Claire a respeito de suas sensações sexuais, ela me respondeu: "Se eu parecer sexual ou atraente, ou se exibir quaisquer sensações sexuais, isso me deixa aberta a ser estuprada. Sinto-me culpada pela minha sexualidade. As pessoas podem ver que me masturbo, podem dizer que sou suja, perversa. Com homens, nunca consegui dizer não, ficar firme para conseguir o que eu quero." Se ela sai com um homem, deixa-se ser usada sexualmente. Nessa altura de sua vida, tem juízo suficiente para manter-se afastada dos homens.

De onde vem a sensação de Claire a respeito de si mesma? O que lhe aconteceu durante a infância para colocá-la nessa posição? Evidentemente, é tarefa da terapia ajudá-la a compreender esse problema, a *ver* o que aconteceu em seus primeiros anos de vida. Uma vez que ver é função dos olhos, pedi a Claire que, enquanto estivesse deitada na cama, abrisse os olhos ao máximo e olhasse para o teto. Enquanto fazia isso, segurei sua testa com minha mão esquerda e, com dois dedos da mão direita, fiz pressão no occipício, no ponto oposto aos centros visuais no cérebro. Esse procedimento exerce um certo efeito na liberação de bloqueios visuais.[54] Ela teve uma reação dramática.

Gritou e disse que via seu pai. "Ele está se debruçando em cima de mim, olhando-me como se eu fosse um inseto, uma coisa. Sinto que sou um bebê deitado num bercinho. Ele está olhando para o meio das minhas pernas, curioso. Eu não entendo por que ele está olhando para mim daquele jeito. Tenho medo de que vá colocar seus dedos dentro de mim, e por isso fico muito quieta. Não vou conseguir detê-lo porque ele é tão grande… Sinto-me paralisada, mas também ansiosa."

Essa imagem é significativa porque indica a raiz de seu distúrbio. Desde bebê ela sente que o pai tem um interesse sexual por ela. Ele a considerava um objeto sexual. Isso se tornou muito evidente mais tarde.

Claire fora filha única. Como sua mãe reagia? Para saber a resposta, pedi-lhe então que olhasse para mim com olhos arregalados. Ela assumiu a expressão de medo e disse que meus olhos se pareciam com os de sua mãe. "Que expressão você vê neles?", perguntei. "Como se ela quisesse me matar. Ela estava sempre me olhando desse jeito. Nunca soube o que tinha feito para ela me odiar."

Em pacientes do sexo feminino, o medo de ser morta ou destruída pela mãe é um fenômeno comum. É a forma específica da ansiedade de castração nas mulheres, ao passo que no homem o medo se relaciona a uma lesão cometida contra os genitais, pelo pai. As meninas pequenas temem uma lesão nos genitais pelo pai se ele tentasse ter relações com elas.

Claire continuou a descrever sua situação doméstica. "Eu causei problemas. Quando era mais velha, percebi isso. Eu o tinha tirado dela. Depois dos meus 13 anos, meus pais nunca mais dormiram juntos. Ele rejeitou minha mãe e se voltou para mim. Eu me tornei sua amante. Cuidei dele." Contudo, não havia relações sexuais entre pai e filha.

Ela comentou que seu pai era inconscientemente obcecado por sexo. "Ele olhava para mim com malícia. Toda vez que um homem olha para meus seios ou vagina com aquele olhar, sinto vontade de matá-lo."

Dei a Claire uma raquete de tênis e ela começou a bater na cama com violência. A cada golpe ela dizia: "Eu vou te esmagar, mas antes mato você." Perguntei-lhe a quem mataria e ela respondeu: "Os dois."

Claire estava tão repleta de raiva suprimida quanto de sensações sexuais suprimidas. Amedrontada por essas duas sensações intensas, sentia-se deprimida e tinha ímpetos suicidas. Uma paralisia parecia acometê-la e contra esta era preciso utilizar toda sua determinação.

A melhor maneira de combater essa paralisia era conseguir que seu corpo se movimentasse um pouco, especialmente a pelve. Ela se deitou no chão, sobre um cobertor enrolado. Nessa posição, disse que se sentia vulnerável. "Sinto que vou ser estuprada por um bando inteiro. Nunca tive um namorado quando era jovem."

Essa foi a segunda vez na sessão que Claire falou de ser estuprada. Fez-me pensar que talvez fosse algo que ela quisesse. Perguntei-lhe isso. Ela me respondeu: "Gostaria que terminassem logo com isso. Quero isso e tenho medo." Ela não estava se referindo a estupro; estava falando de sexo. Estava se sentindo atormentada por suas sensações sexuais e prestes a explodir, mas

Medo da vida

também estava paralisada pelo medo e não conseguia se mexer. Tinha que ser feito para ela, para que conseguisse ter uma descarga. Inconscientemente, ela queria ser estuprada.

Fora essa a situação vivida por Claire ao longo da vida — excitada sexualmente pelo comportamento sedutor do pai, mas aterrorizada e incapaz de responder. Por conta de sua própria culpa, o pai também a rejeitava. Toda vez que se queixava para ele da atitude da mãe para com ela, ele lhe dizia: "'Ela é sua mãe, não iria te magoar'. Mas ela sempre me magoou. Ela era louca."

Quando fiz pressão sobre os músculos tensos da articulação das coxas com a pelve, Claire gritou. Houve certa vibração em sua pelve. Ela comentou: "Estou com muito medo. Sinto que vou derreter e que não vou conseguir me conter." Indiquei-lhe que seu medo da excitação sexual intensa era de que ela cedesse e tivesse relação sexual com seu pai. Ela entendeu essa ansiedade.

Repetimos o procedimento. Mais uma vez, ela gritou de medo assim que a toquei. Depois começou a chorar profundamente. O choro atravessava seu corpo e descia até sua pelve, que se movimentava para cima a cada soluço, espontaneamente. Cada soluço era um bombear de vida em seu corpo. Seu choro era suave e sentido como o de uma mãe que encontra um filho perdido. Ela estava chorando porque havia (naquele momento) encontrado sua sexualidade e, com esta, seu ser.

A sessão terminou com Claire sentindo-se viva e esperançosa. Mas muito mais trabalho precisaria ser feito nessa mesma linha para manter o pulsar da vida em seu corpo, permitindo-lhe que continuasse conectada à própria sexualidade. Ela fora castrada pela perda dessa conexão. Felizmente, estava ciente do que lhe acontecera e, portanto, foi possível termos uma sessão tão dramática.

Todo paciente se sente bem quando a pelve ou as nádegas cobram vida. Com "cobram vida" quero dizer que surgem sensações e movimentos espontâneos na pelve, junto com a respiração. Quanto mais a pelve cobra vida, mais intensa é a sensação geral. Lembro-me de uma moça, minha paciente, que havia confrontado seu problema edipiano. Tínhamos acabado de concluir o exercício acima descrito. Ela estava chorando de manso, sua pelve inundada com sensações. Estava vibrando intensamente. Aí ela exclamou: "Estou tão feliz! Estou tão feliz!" Eu conseguia compreender sua alegria (sua pelve estava literalmente pulando de alegria). Ela havia recuperado sua sexualidade e encontrado seu ser.

6. Uma atitude heroica perante a vida

REGRESSÃO E PROGRESSÃO

Meu foco no papel central desempenhado pelo conflito edipiano na formação do caráter não deve ser interpretado como se os problemas pré-edipianos não tivessem importância e fossem ignorados pela terapia bioenergética. O que se passa no primeiro ano de vida e no início da infância tem enorme influência sobre o desenvolvimento da personalidade e a formação do caráter. A fim de simplificar a discussão, agruparei esses acontecimentos sob o título de experiências orais. O termo "oral" designa o período durante o qual a boca é o órgão principal de contato com o mundo. Refere-se também às funções relacionadas com o recebimento de alimento, amor, apoio e percepção de estímulos. Em termos gerais, o período oral cobre os primeiros três anos de vida.

Entre os 3 e os 6 anos, o foco do desenvolvimento da personalidade recai sobre o aumento da independência e o estabelecimento da primazia genital. Embora uma criança de 6 anos de idade ainda dependa dos pais para receber apoio e proteção, seu caráter básico já está relativamente formado. Apesar de ser um organismo imaturo em muitos sentidos, está pronto para dar alguns passos no mundo exterior com o apoio da família. A criança irá para a escola ou será instruída a respeito de sua posição na sociedade. Chamamos de genital essa fase dos 3 aos 6 anos porque ela é crítica para o desenvolvimento da identidade sexual. É nesse período, ainda, que o conflito edipiano surge e encontra alguma resolução.

Ao contrário do pensamento psicanalítico, não creio que exista um estágio anal no desenvolvimento da personalidade. Contudo, a maioria de nós tem problemas anais devido ao tipo de treinamento dos esfíncteres pelo qual passou quando criança. Constipação e hemorroidas são distúrbios físicos comuns que podem ser produzidos pela tensão oriunda de experiências traumáticas relacionadas a essa função. Em nível psicológico, traços de caráter como avareza, rigidez e compulsão por limpeza foram identificados como consequências de um treino muito precoce e severo para o desfralde. A ansiedade relativa ao funcionamento anal necessariamente afeta o funcionamento genital, já que as duas regiões estão em íntima proximidade. Se o assoalho pélvico está suspenso e contraído por causa do medo de evacuar nas calças, impedirá o indivíduo de se entregar por completo durante o ato sexual. Algumas pessoas exibem também uma fixação anal; o ânus e as nádegas tornam-se erotizados porque seus pais dedicaram muita energia e sentimento à função anal do filho. No entanto, nenhum desses fatores justifica pressupor-se a existência de um estágio anal no desenvolvimento da personalidade como fato natural ou biológico. O desfralde infantil é um problema cultural para as sociedades e as pessoas que sentem vergonha das funções excretoras. Ao lado da sexualidade, tais funções são a mais nítida manifestação da natureza animal básica do homem.

O caráter e o destino de um indivíduo são determinados por todas as suas experiências. Contudo, aquelas vividas durante a infância — do momento da concepção ao final do período edipiano, perto dos 6 ou 7 anos de idade — são as mais importantes porque a personalidade, durante esses anos iniciais da vida, é mais impressionável. A maneira pela qual se resolve o conflito edipiano "determina" em grande medida a natureza do caráter. Contudo, os acontecimentos do período pré-edipiano, do nascimento até os 3 anos, são igualmente importantes para moldá-lo, embora não determinem sua forma final. Na realidade, as características das experiências infantis durante o estágio oral não são muito diferentes daquelas ocorridas na fase genital, já que os pais são os mesmos. Pais amorosos não se tornam odiosos conforme a criança cresce, nem pais hostis tornam-se afetuosos. No que se refere aos efeitos sobre o caráter da criança, conta mais quem os pais são do que aquilo que eles fazem. As crianças se identificam com os pais e inconscientemente absorvem seus valores e atitudes. Os filhos de pais sexualmente saudáveis tendem a ser também sexualmente saudáveis.

O que acontece durante o estágio oral ou pré-edipiano prevê e condiciona os problemas que vão se desenvolver mais tarde no estágio genital. A mãe que não consegue aceitar a necessidade de mamar do filho não será capaz de aceitar sua necessidade de expressar a própria sexualidade. E a mãe que fica genitalmente excitada com a amamentação poderá se descobrir incestuosamente envolvida com o filho quando este crescer.

Para compreendermos a ligação entre os dois períodos, e como o primeiro afeta o segundo, precisamos conhecer a dinâmica do período oral. Nas

Medo da vida

sociedades ancestrais, a criança é amamentada durante toda essa fase, que dura no mínimo três anos. A amamentação satisfaz todas as necessidades orais da criança, provendo-a de alimento, amor, apoio e estímulo. Também atende à necessidade fisiológica de sucção do bebê. Sugar o seio estimula a respiração e promove a respiração profunda, que preenche o baixo-ventre de energia e sensações. A amamentação também fornece à criança o contato físico com o corpo da mãe, experiência essencial à sua capacidade de sentir o próprio corpo. Quantas crianças em nossa cultura tiveram a oportunidade de gozar dessa intimidade com a mãe?

Não creio que a amamentação com mamadeira satisfaça todas as necessidades orais da criança. Mesmo que ela seja carregada no colo enquanto mama, fica privada do contato estimulante da boca com o seio — contato esse tão importante para o bebezinho quanto o sexual para o adulto. Reich acreditava que os bebês sentem um orgasmo bucal quando a amamentação é plenamente satisfatória. Seja isso verdade ou não, o bebê que mama mostra no rosto e no corpo uma paz e um contentamento lindos de se ver. Muitas crianças não ficam no colo enquanto mamam, o que reduz o tempo de contato corporal entre elas e a mãe. Em consequência da falta de aleitamento ao seio, a maioria delas sofre de uma carência oral. Isso significa que existe um vazio em seu corpo e em sua personalidade. Uma vez que suas necessidades orais não foram preenchidas, elas não estão plenamente satisfeitas.

Pode até ser difícil aceitar que o âmago de nossos bebês seja vazio quando eles parecem tão bem alimentados. Na realidade, estão excessivamente alimentados de comidas sólidas, o que aumenta sua massa corporal, seu volume, mas não sua energia. Os bebês amamentados não ganham tanto peso quanto aqueles que usam mamadeira e ingerem alimentos sólidos nos meses iniciais de vida. Mas nosso orgulho pelo aumento de peso de nossos bebês se transforma em sofrimento quando isso continua adolescência afora. Orgulhamo-nos também do fato de cada turma de calouros universitários ter indivíduos mais altos e mais pesados do que a média do ano anterior. Como povo, nós, americanos, estamos ficando maiores e mais pesados, mas não acredito que essa seja uma manifestação de mais saúde. Na verdade, nosso peso é uma questão que concerne aos médicos, pois nos tornamos uma sociedade obesa. Vejo uma relação direta entre peso e falta de energia, a qual se manifesta em queixas de fadiga crônica e incapacidade para suportar os exercícios físicos que nossos pais e avós executavam.

Uma falta grave de satisfação oral provoca o desenvolvimento de uma estrutura oral de caráter; se for menos severa, conduz ao aparecimento de tendências orais na personalidade. O corpo do indivíduo com estrutura oral de caráter é tipicamente esguio e magro, com musculatura subdesenvolvida (tipo ectomórfico de Sheldon).[55] As pernas são sempre magras e rígidas, enquanto os pés são estreitos e fracos. Na maioria dos casos, os arcos de um ou de ambos os pés são caídos. Uma vez que o desenvolvimento na criança é cefalocaudal, quer dizer, da cabeça para baixo, a falta de satisfação se manifesta pela fraqueza ou falta de desenvolvimento da parte inferior do corpo. Psicologicamente, essa personalidade apresenta impulsos agressivos reduzidos, ligados à musculatura subdesenvolvida, e dependência emocional, associada à fraqueza nas pernas. O portador dessa estrutura de caráter quer ser cuidado e procura alguém que lhe dê o que sua mãe deixou de lhe dar. Não está sobre as próprias pernas tanto literal quanto psicologicamente. Contudo, em muitos casos, a fraqueza das pernas é compensada por uma rigidez exagerada que permite à pessoa assumir uma postura de independência — incapaz, porém, de resistir a uma tensão ou a uma crise. Um aspecto dominante dessa personalidade é o medo de ficar sozinho ou de ser abandonado. Essas características são menos pronunciadas quando o caráter contém tendências orais numa estrutura caracterológica diferente.

A pessoa com estrutura oral de caráter está sujeita a oscilações de humor, variando entre a euforia e a depressão. Esta última é patognomônica, quer dizer, constitui o sintoma típico de privação oral de qualquer personalidade. A euforia ocorre quando o indivíduo acredita ter encontrado alguém que conseguirá satisfazer suas necessidades orais — ser uma mãe para ele. Surge, ainda, quando pensa que determinada situação lhe satisfará. Trata-se de uma ilusão, pois não existe pessoa ou situação que preencha o vazio interior de um adulto. Não há sucção de seio que baste para fornecer o leite que faltou na infância. Quando a ilusão desmorona, como é inevitável que aconteça, a depressão se instala. Com o tempo, o indivíduo emerge da depressão com novas esperanças, entrando em outra fase de euforia, que por sua vez desmoronará numa nova reação depressiva.

A consequência da privação oral é fixar o indivíduo no estágio oral de desenvolvimento. Isso significa que ele está sempre em busca de algo, de ser satisfeito pelos outros. Sua sexualidade será orientada na mesma direção. O mais importante para ele é a sensação de proximidade e contato, a sensação

Medo da vida

de ser amado em vez de amar. Desse modo, procurará prolongar o ato sexual a fim de não perder o contato. Contudo, essa manobra reduz a intensidade de um clímax já fraco devido ao baixo nível energético da pessoa. Nesse caráter, a potência orgástica é baixa. No entanto, é somente por meio de uma profunda satisfação sexual que o caráter oral pode ser satisfeito no adulto. Para atingir esse grau de satisfação, é preciso que seu nível de energia se amplie e que ele elabore seus problemas sexuais.

Infelizmente, a privação oral infantil intensifica o conflito edipiano. Quando uma criança carente se volta para o genitor do sexo oposto com interesse sexual, está também buscando a satisfação de suas necessidades orais. O desejo de proximidade e de contato com esse genitor tem dupla motivação: oral e sexual. Entre elas, a primeira é a mais forte, pois está relacionada à sobrevivência. Portanto, a criança, assim como o adulto com necessidades orais insatisfeitas, usará da sua sexualidade para instigar o genitor a uma proximidade física, a fim de obter o calor e o apoio de que necessita. Mas essa instigação sexual, feita inocentemente, só é eficaz se o genitor em questão reagir a ela.

O fato é que os pais respondem com os próprios desejos e sensações sexuais. Existem muitos motivos para isso. O flerte entre pai e filho é excitante para o adulto e, apesar disso, aparentemente destituído de consequências sérias. Não se realiza nenhum ato sexual e o ego do adulto fica inflado pelo interesse e pela admiração da criança. Pais assim foram psicologicamente castrados quando crianças, e por isso sentem necessidade desse tipo de apoio. Nesse sentido, o pai se voltará para a filha numa afirmação de sua masculinidade, coisa que não obtém da esposa. A esposa e mãe fica na posição de depreciadora e detratora, contra a qual pai e filha formam um pacto pecaminoso. Isso evidentemente enfurece a mulher, aumenta seu desprezo pelo marido e sua hostilidade pela filha.

Exatamente o mesmo processo é desempenhado pelas mães e seus filhos homens. Sentindo-se ignorada pelo marido, amedrontada diante de suas sensações sexuais e incapaz de ter um orgasmo total, volta-se para o filho numa tentativa de afirmar sua feminilidade e sua sexualidade. Como pode o menino resistir-lhe? Privado do contato com a mãe no nível oral, agora lhe é oferecida essa oportunidade no nível sexual. Por certo, trata-se apenas de uma oferta: a mãe não tem o objetivo de consumar sexualmente a relação. Apesar disso, o menino sente-se igualmente aterrorizado e excitado pela possibilidade. Com o filho, a mãe volta a agir como uma menininha: coquete, brincalhona, gozadora etc. O pai fica furioso e despeitado. Ele sabe que a esposa é parcialmente frígida, mas vê sua atuação perante o filho como a de uma fêmea erotizada ao extremo. Contudo, sua fúria dirige-se ao filho. Por que não à esposa? Não pode fazê-lo porque se sente culpado pela própria falta de masculinidade — que, a seu ver, é em parte responsável pelo comportamento da esposa. Que confusão!

Devido à culpa, os pais não conseguem falar dessas coisas entre si. Culpam um ao outro, com razão, mas ambos são responsáveis pelo problema. Aí é que a terapia familiar se mostra útil. Se, por meio dessa terapia, os pais conseguirem enfrentar suas ansiedades sexuais e não as "atuarem" com os filhos, estes poderão ser poupados do destino dos progenitores. Se isso não ocorrer, a criança resolverá seu problema edipiano eliminando as sensações sexuais. Então, quando adulta, sofrerá de impotência orgástica e seu casamento será muito parecido com o dos pais.

A privação em nível oral tem ainda outro efeito sobre a sexualidade. Ocorre o que os analistas chamam de deslocamento descendente. Desejos e sensações orais são transferidos para as funções genitais. Isso significa que a vagina se torna uma boca, no sentido de ser usada para a nutrição. No homem, a penetração é como o retorno de um bebê aos braços e ao corpo da mãe. A sensação é a de ser levado ao colo com afeto e segurança. O problema com esse tipo de sexualidade é que a resposta orgástica se encontra reduzida. O homem pode ejacular, mas não tem um orgasmo completo. Provavelmente a mulher não atingirá o clímax. O orgasmo é uma reação corporal de descarga ou de término. Ocorre quando o organismo está repleto de energia ou excitação excedente, que precisa ser descarregada. Não resulta do processo de ingestão. O desejo oral procura a contínua proximidade, abomina a separação. O desejo sexual procura a proximidade de uma experiência compartilhada que tem um fim natural. Assim, na medida em que as sensações orais participam da atividade sexual, a sexualidade — no sentido de uma resposta orgástica — encontra-se diminuída. E, embora a sensação de proximidade seja agradável, ela não é satisfatória. Permanece o vazio interior e a pessoa se vê forçada a repetir mais e mais vezes a mesma experiência.

O deslocamento também se dá de baixo para cima. A genitalidade fica associada à boca. Tal deslocamento ascendente deriva de um medo da genitalidade, ou seja, da ansiedade de castração, e ajuda o indivíduo a evitar o

Medo da vida

confronto com sua castração. Sexo oral é seguro. Parece satisfazer a necessidade de sucção da pessoa e seus anelos orais. Acredito que é por isso que se tornou tão comum hoje em dia. Mas o sexo oral não conduz à resposta orgástica. Não permite os movimentos pélvicos que nos levam à fase involuntária da reação orgástica. Que estranha armadilha do destino! Privando as crianças da oportunidade de satisfazer suas necessidades orais com a amamentação, nós as programamos para atuar seus desejos orais insatisfeitos, quando adultos, em nível sexual.

Um passo necessário na tarefa terapêutica consiste em ajudar os pacientes a separar os elementos orais dos sexuais em seu comportamento. Para tanto, é preciso levá-los a tomar consciência de suas tensões orais e sexuais. As primeiras localizam-se na parte de cima do corpo, envolvendo lábios, boca, maxilar, garganta, peito, ombros e braços. Espasticidades musculares crônicas nessas áreas limitam a capacidade de se abrir e ir em busca de amor. A incapacidade de ir em busca de algo é uma importante manifestação do medo da vida. Tensões sexuais localizam-se na pelve e em torno dela, também na forma de músculos espásticos que restringem os movimentos involuntários naturais da pelve, reduzindo a capacidade da pessoa para tolerar e conter a excitação sexual. Os dois conjuntos de tensão circundam aberturas do corpo: a boca, em cima, e os orifícios genitais, embaixo. São paralelos no sentido de existir o mesmo tipo e a mesma intensidade de tensão nas duas extremidades do corpo. A constrição em nível oral iguala-se àquela em nível genital. Por exemplo, o assoalho da boca é tão tenso quanto o assoalho pélvico. Tensão equivalente é encontrada na garganta e no baixo-ventre. Tal fenômeno se deve à simetria funcional e energética do corpo. A pessoa não pode permitir que mais sensações passem por uma abertura do que pela outra. Isso significa que os problemas sexuais não serão resolvidos antes que os problemas orais correspondentes sejam também objeto de elaboração.

Minha abordagem desses problemas consiste em trabalhar nas duas regiões do corpo alternadamente. O trabalho com o paciente para reduzir a tensão dentro e em torno da boca e da garganta capacita-o a respirar mais profundamente, aumentando assim seu nível de excitação. É então necessário trabalhar com a metade inferior do corpo para que essa maior excitação seja descarregada. Para tanto, pode-se praticar os exercícios de *grounding* descritos em meus outros livros[56], reduzir as tensões sexuais ou realizar ambos os procedimentos. Esse trabalho físico acontece em um contexto de trabalho

Alexander Lowen

analítico que atravessa a história de vida e o rol de comportamentos do paciente. Quando tal abordagem é usada, sua tolerância à excitação aumenta aos poucos e sua capacidade de desfrutar a vida se amplia.

No capítulo anterior, descrevi algumas estratégias terapêuticas que uso para a ansiedade de castração. Neste capítulo, discutirei o tratamento da privação oral. O caráter oral é descrito como vazio e insatisfeito. Uma vez que a privação aconteceu quando a pessoa era bebê, surge a questão de o que a conserva nesse estado quando adulta. Vimos que lhe foi impossível ser satisfeita pelo amor e pelo apoio de outrem. Assim, sua capacidade para *receber* amor e apoio foi reduzida pelas tensões que se desenvolveram em consequência de sua privação original. O indivíduo não consegue sequer inalar ar suficiente para satisfazer suas necessidades de energia porque tais tensões restringem sua respiração. A supressão dos impulsos de sucção implica a incapacidade de realizar um forte esforço inspiratório, feito quando se suga ar. Aquele que é incapaz de inalar profundamente o ar não consegue exalá-lo por completo na expiração ou em sons (de choro ou grito). As tensões que aparecem nos braços, ombros e peito inibem os impulsos de ir em busca de algo devido ao medo e à dor da rejeição. No Capítulo 2, descrevi essa dor como "de cortar o coração".

Todas as tensões servem ao propósito de bloquear impulsos cuja manifestação é por demais dolorosa. É doloroso sugar um seio que não está disponível, ir em busca de alguém quando não há ninguém, chorar quando ninguém se importa. Comprimindo os lábios, endurecendo o maxilar e constringindo a garganta as crianças conseguem bloquear o desejo e amortecer a dor de uma necessidade que não será satisfeita. Mas depois, já adultas, sua capacidade de buscar, com sentimento, outra pessoa estará igualmente bloqueada. Não há meios de recuperar essa capacidade, exceto revivendo a experiência original e expressando todas as sensações a ela associadas. Refiro-me à regressão, parte necessária de uma terapia. Freud percebeu que seus pacientes tendiam a reviver experiências precoces. Denominando essa tendência "compulsão à repetição", escreveu: "Ele é obrigado a *repetir* o material reprimido como experiência contemporânea em vez de, como o médico preferiria ver, *se lembrar* daquilo como algo pertencente ao passado".[57]

Porém, se o paciente necessita reviver a experiência, por que não fazê-lo no contexto terapêutico? Isso impediria que sua "atuação" perante a experiência reprimida na realidade acontecesse em seu detrimento. Em minha

Medo da vida

opinião, o fracasso da psicanálise em alterar o caráter e o destino derivou do medo da regressão vivido por Freud, de sua desconfiança do corpo e de sua supervalorização da racionalidade. Se o que se deseja mudar é o caráter, não basta *falar* a respeito de sensações. Elas precisam ser experimentadas e expressas. O corpo deve se libertar de suas tensões crônicas e de suas constrições para que a pessoa se sinta liberada do destino que elas representam.

No trabalho com os problemas do período pré-edipiano, o paciente é incentivado a regredir ao nível infantil. Eis um exemplo: a pessoa se deita na cama ou no chão e estende os braços à frente, na direção da mãe. Ao mesmo tempo, é instruída a dizer "mamãe, mamãe" e a se entregar às sensações sugeridas pelas palavras. De início, poucos pacientes conseguem realizar esse exercício com sensações ou sentimentos. Dizem: "Não sinto nada". Apesar disso, todos foram bebês que queriam a mãe do fundo do coração. Essa sensação não desapareceu; está suprimida e não pode ser expressa abertamente.

Não pode ser expressa porque inconscientemente a pessoa a associa a uma dor intolerável. Ela não ousa regredir àquele período da vida porque a sensação de desproteção que então vivia era por demais amedrontadora. Foi uma época de sofrimento, não de alegria, e por isso a lembrança é reprimida. A pessoa sobreviveu e não está disposta a colocar em risco a própria sobrevivência. Não está preparada para reviver conscientemente aquelas experiências, muito embora possa atuá-las inconscientemente em sua vida. Apesar disso, outra parte de sua personalidade quer esclarecer a confusão nesses relacionamentos e arrumar toda aquela bagunça. Isso é possível com a ajuda de um terapeuta que esteja "ali", atendendo a essa necessidade do paciente — ao contrário da mãe, que não estava lá quando ele era um bebezinho necessitado.

Para romper essa resistência, por vezes é necessário aplicar certa pressão manual sobre os músculos enrijecidos da mandíbula e da garganta. Por causa da tensão, a pressão é vivida como dolorosa. Mas, sob o efeito dela, os músculos relaxam, permitindo que a voz se torne mais forte e cheia de vida. Também é necessário que o paciente respire profundamente para que as sensações suprimidas sejam dotadas de carga. Em geral, eu o incentivo a se entregar e a ceder à sensação. Em quase todos os casos, essas manobras permitem que os anelos suprimidos pela mãe venham à tona. São acompanhados por profundos soluços, como o choro do bebê pela mãe que não estava ali, que não respondia. Quando isso acontece, a pessoa experimenta a si mesma como

Alexander Lowen

um bebê. Não perde a consciência de quem é ou de onde está; sabe que é adulto, mas se sente um bebê. Isso, em terapia, é regressão.

É importante também levar a pessoa a estender os lábios à frente como se estivessem em busca do seio. Trata-se de um movimento muito simples, mas a maioria de nós não consegue executá-lo corretamente. Os músculos da boca e dos lábios estão tão tensos e contraídos que os lábios não conseguem ser suavemente estendidos à frente. A pessoa pode também lançar o queixo à frente, na tentativa de estender o lábio inferior. Lançar adiante o queixo expressa desafio e nega a ideia de ir em busca de algo. Na maioria das pessoas, a rigidez do lábio superior também impede qualquer movimento significativo de busca com a boca. A tensão nos músculos bucais é suplementada por uma tensão ainda mais forte nos músculos da mandíbula, de tal modo que a abertura real para o mundo está deveras limitada e resguardada. Quando a tensão em torno da boca fica tão reduzida que a pessoa consegue sentir os lábios se estendendo em busca de algo, estes começam a vibrar. Tremem excitados e provocam formigamento no rosto e na boca. Estes transmitem a sensação de estar vivos e a pessoa consegue vivenciar o desejo de sugar o seio. Às vezes eu encorajo o paciente a sugar a junta da própria mão ou da minha, a fim de ajudá-lo a sentir seus lábios e sua boca. Fico sempre surpreso que tão poucos saibam sugar. Só usam os lábios, não a parte de dentro da boca.

Reviver o conflito reprimido implicará a manifestação de emoções fortes, como chorar, gritar, chutar, socar, morder etc. Todos esses impulsos devem ter plena expressão na situação terapêutica para que o paciente consiga liberar as tensões inerentes aos conflitos orais. Uma vez que estas se desenvolveram para bloquear tais impulsos, podem ser desfeitas somente se e quando a pessoa se sentir livre e capaz de expressá-las. Entregar-se de corpo e alma a sensações suprimidas pode evocar o medo da insanidade ou da morte, que paralisam a pessoa na posição estruturada que se tornou seu caráter e seu destino. Porém, ao viver seu destino na situação terapêutica, o paciente se liberta dele na vida real.

Desse modo, a descarga de emoções suprimidas não configura "atuação". O paciente tem a responsabilidade de saber que tais emoções derivam do passado e se expressam no presente somente para libertar o corpo. Todas as ações violentas são dirigidas contra a cama, uma toalha, um objeto inanimado. O papel do terapeuta consiste em orientar e supervisionar a descarga de sensações. Também é sua responsabilidade evitar toda contratransferência

Medo da vida

que possa envolvê-lo com o paciente. Sob tais condições, a situação terapêutica é o local adequado para a descarga desses impulsos, uma vez que é muito remota a probabilidade de lesão para o paciente ou para qualquer outra pessoa. Por exemplo, meus pacientes batem na cama com os punhos ou com uma raquete de tênis, torcem ou mordem uma toalha, gritam até o limite da voz. O consultório é à prova de som. Os pacientes podem se entregar ao máximo porque mantenho o controle. Se quiserem "pirar", torno-me o guardião de sua sanidade.

Assim, a elaboração dos problemas orais ajuda o indivíduo a se abrir para a vida. Ele se torna capaz de respirar mais profunda e completamente, o que aumenta sua energia. Pode ir em busca de obter mais vida, que preencha o vazio causado por sua privação inicial. O ato de se abrir e ir em busca de algo supera a privação que, no adulto, consiste na incapacidade de viver de modo pleno. Volto a mencionar essa ideia porque acredito que ela seja essencial à compreensão de como funciona a terapia. Enquanto a criança foi privada de amor e apoio, o adulto é privado da capacidade de amar, dar e receber. No adulto, esse distúrbio não pode ser remediado apenas com amor. É preciso que a disfunção seja compreendida. Para tanto, o amor pode ser útil, mas o paciente precisa entender que ninguém pode viver, respirar ou buscar por ele. Ele precisa saber que ser completo significa estar plenamente de posse de si mesmo. Precisa ser capaz de respirar profundamente, ir livremente em busca de algo, responder plenamente.

Contudo, se a regressão é parte necessária do processo terapêutico porque libera sensações e sentimentos, o paciente tem de conquistar a capacidade de enfrentar tais vivências de modo maduro. Tornar-se um bebê maníaco e gritão não é exatamente minha ideia do que seja o objetivo terapêutico. A regressão está a serviço da progressão. E progresso, em terapia, representa a capacidade de tolerar níveis mais e mais elevados de excitação sem enlouquecer nem suprimir sensações. A capacidade de conter excitação ou sensação é autodomínio, o terceiro estágio do programa terapêutico. Os primeiros dois são autoconscientização e autoexpressão. O autodomínio é o estágio em que o ego funciona como porta-bandeira de um *self* que sabe quem é e o que tem de fazer. O *self* tem um ego. Nesse estágio, o *self* vivencia seu ser como ser humano plenamente maduro.

A progressão da terapia implica a análise do comportamento atual do paciente perante seus conflitos edipianos e pré-edipianos. A situação transferencial com o terapeuta é especialmente importante nesse sentido, pois o comportamento neurótico se manifesta com clareza nessa relação. Os *insights* alcançados no decurso de uma regressão são aplicados às atitudes e ações no presente. Ir adiante também demanda que a pessoa tenha mais contato (*grounding*) com seus pés e pernas, para que fique firme na defesa daquilo que acredita e tenha fé em que pode caminhar com as próprias pernas. Envolve o aumento da identificação consciente do indivíduo com seu corpo por meio de exercícios bioenergéticos que intensifiquem sua sensação de *self*. Nesse sentido, o processo terapêutico tem duplo aspecto. O objetivo é ir adiante, com mais excitação e satisfação sexual e com uma percepção mais inteira de si. Mas esse movimento para a frente não ocorre a menos que haja um concomitante movimento para trás, para dentro do passado, dentro do corpo e dentro do inconsciente. Quanto mais as raízes de uma árvore se afundarem em extensão e profundidade, mais ela crescerá. Se desejamos dar um pulo alto, devemos primeiro flexionar o corpo bem perto do chão para termos o impulso de uma mola. Como um motor a jato, movemo-nos para a frente impelindo-nos para trás. Na terapia, cada deslocamento para trás confere a energia necessária ao salto para a frente. Regressão e progressão andam lado a lado.

DESESPERO, MORTE E RENASCIMENTO

Os pacientes estão dispostos a falar do passado, mas regredir no sentido de reexperimentá-lo é algo que evitam com todas as forças. Como vimos, as sensações associadas ao passado costumam ser dolorosas. Mas ele é ainda mais ameaçador porque, para muitas pessoas, consistiu numa luta de vida e morte. Elas sobreviveram, mas não sem uma profunda sensação de desespero — o desespero de que a vida nunca seja algo além da luta por sobrevivência. Tal desespero constitui um problema terapêutico difícil.

Quero afirmar, logo de início, que existe uma sensação de desespero em praticamente todo paciente. Ela pode estar próxima da superfície, e nesse caso ele tem consciência dela; ou pode estar profundamente enterrada, revelando-se apenas depois que a terapia evoluiu por certo tempo. Em muitos casos, o desespero aparece como uma expressão de desalento nos olhos do paciente. Por vezes, torna-se ainda mais visível se aplicarmos uma leve pressão, com os dedos, sobre a face, ao longo dos ossos nasais. Essa pressão impede os sorrisos e assim desmascara a pessoa. O desespero é um dos motivos principais para a busca de terapia, porque representa a íntima convicção de que o paciente não

Medo da vida

pode ajudar a si mesmo. Sente-se desamparado, e isso significa desesperança. Para alguns, é um desespero "vizinho à morte", pois eles sentem que podem muito bem morrer já que não existe nenhum sentido em viver. Quando o desespero é profundo, surgem ideações suicidas e sensações associadas a elas. Por essa razão, o desespero é uma sensação assustadora.

É muito difícil lidar com o desespero do paciente, pois ele o considera significativo no presente. Está desesperado tanto em relação à vida quanto à terapia. Sentirá ou expressará que esta é inútil ou não vai ajudar em nada. Como não se podem dar a ele garantias relativas à terapia, também não se pode assegurá-lo de que tudo dará certo. Apesar disso, ofereço ao paciente certo apoio caso ele aceite o desespero. Isso pode parecer contraditório, mas a verdade é que aceitar a *sensação* de que a terapia não adianta pode torná-la bem-sucedida. Negar as sensações não as faz desaparecer. Tampouco podemos superar uma sensação que faz realmente parte do *self*. Por mais doloroso e ameaçador que pareça, o paciente não tem outra escolha realista a não ser aceitar sua sensação de desespero.

Mas tal aceitação requer mais do que uma declaração nesse sentido. Admitir o próprio desespero pode estar vinculado à vontade não expressa de não se entregar a ele. A aceitação significa que a pessoa não faz esforço para lutar contra o desespero. Se ela o aceita e se entrega a ele por completo, *chora*. O choro é o sinal da aceitação. O desespero pode ser definido como um poço aparentemente sem fundo de tristeza e mágoa. A pessoa sente que, se descer o poço, se afogará em suas mágoas. Para impedir essa catástrofe, ela se sustenta e teme se soltar. Essa atitude de se segurar, porém, exige enorme força de vontade, e quando ela cansa cai no poço e fica deprimida.

Tendo aceitado o desespero, o paciente está em condições de compreender a origem dessa sensação. Talvez consiga relacionar o desespero à vivência, quando criança, de não ter ninguém que respondesse a seus anseios com amor ou à sua dor com empatia; pode ter se sentido terrivelmente solitário, com uma profunda sensação de mágoa, ansioso por obter o amor e a solidariedade que desejava com tanto ardor. Pode até ter dito a si mesmo: "Desista. Não adianta tentar conseguir o amor deles. Eles não ligam". Mas nenhuma criança é capaz de aceitar uma situação desesperadora e sobreviver. Ela precisa negar seu desespero, deve acreditar que o amor existe, que poderia consegui-lo se se esforçasse mais para ser boa, para ser o que eles gostariam que ela fosse. Precisa criar a ilusão de que é de fato amada, mas que o amor está sendo retido porque está fazendo algo de ruim ou de errado. Não tem outra escolha a não ser dedicar energia a fazer o que lhe é exigido na tentativa de provar ser digna de amor.

Essa tentativa sempre fracassa. O verdadeiro amor não é uma recompensa: é dado incondicionalmente de todo o coração. Bem no fundo de si mesma, a pessoa sabia que essa tentativa não ia dar certo. As crianças são muito perceptivas, sobretudo com relação aos pais. A criança "sabe" que não é amada, mas a negação e a ilusão são necessárias para ajudá-la a sobreviver até ficar madura e se tornar independente. Todas as defesas psicológicas são meios de sobrevivência; tornam-se defesas neuróticas porque permanecem ativas além de seu momento de utilidade original. Então o indivíduo volta a seu desespero, agora duplamente profundo porque sua tentativa de provar seu valor pessoal fracassou. Ele sente que não faz sentido tentar, nem mesmo na terapia.

Nesse ponto, concordo com o paciente. O esforço, mais uma vez, dará em nada. Se ele estiver tentando conquistar meu amor ou meu reconhecimento fazendo o que espero, não vai funcionar. Tentar superar o desespero também não adiantará. Não há nada a fazer. A pessoa precisa ceder aos próprios sentimentos e sensações e, quando estes forem tristes, chorar.

Dissemos na seção anterior que chorar não é fácil para muitos de nós. Uma grave tensão no maxilar, no assoalho da boca e na garganta dificulta a expressão dos soluços. Lágrimas podem vir aos olhos, mas a voz não irrompe em soluços profundos que convulsionam o corpo. Esse tipo de soluço é um pulso de vida percorrendo o corpo. Mas boa parte das pessoas conserva o lábio superior tenso para evitar a entrega aos soluços.

Quando soluçamos profundamente, a sensação de desespero sempre se atenua. Às vezes, se o choro for suficientemente profundo, chegamos de repente a sensações de alegria e júbilo. Contudo, se for raso ou só tangenciar a superfície da tristeza, acaba nos trazendo ainda mais desespero. Descemos pelo poço, mas por não termos tocado seu fundo ficamos mais assustados. Esse choro pode, na realidade, ser infinito, sem jamais chegar à descarga da tristeza ou da mágoa. Não é uma questão de quanto se chora, mas de até que ponto o choro é profundo.

No corpo, a sensação de tristeza localiza-se na barriga. Falamos em choro ou gargalhadas que vêm lá do fundo. Para compreendermos o papel da barriga na sensação de desespero, devemos admitir que as emoções têm dois componentes: um aspecto mental ou perceptual e outro físico — a saber, o

Medo da vida

movimento no corpo. A percepção de um movimento corporal interno faz surgir uma sensação ou emoção. Quando temos medo ou estamos magoados, nossas entranhas se enrijecem, nossa barriga se contrai e o corpo todo fica tenso. Chorar é o mecanismo mais básico e primitivo para a descarga dessa tensão. Trata-se de uma reação convulsiva que descarrega a tensão para as vísceras e para a musculatura. Ao mesmo tempo, o som sacode o corpo, liberando-o das tensões. Se não chorarmos, os sentimentos e as sensações de mágoa ficarão presos na barriga e no corpo tenso. A risada também é uma maneira de liberar a tensão. A barriga é o poço, mas só aparentemente não tem fundo, pois conta com um assoalho, o pélvico, no qual existem aberturas. A que nos importa aqui é o canal genital — via de descarga da excitação sexual que também tem seu lócus primário na barriga ou no baixo-ventre. E, na mulher, o canal genital é também a passagem para o nascimento de uma criança, concebida na barriga e dada à luz após atravessar o assoalho pélvico.

Eu disse que cada soluço é um movimento pulsátil que flui através do corpo. Quando o choro é profundo e pleno, o pulsar do soluço atravessa o corpo nitidamente até o assoalho pélvico, produzindo na pelve um movimento semelhante ao que ocorre no orgasmo. A pelve se move à frente de modo espontâneo a cada soluço, como numa descarga sexual, mas sem a intensidade ou a excitação sexual desta última. Num choro assim tão profundo, a tristeza é descarregada e a pessoa sente que saiu do poço para a luz do sol. Não tem mais a sensação de desespero. Resolveu o sofrimento e a falta ou perda de amor vivenciados em seus primeiros anos de vida.

O buraco da barriga é também o lócus do *self*, como vimos no Capítulo 3. Os que sofrem de uma sensação de vazio na barriga queixam-se também de uma falta de senso de si, bem como de uma sensação de desespero. À semelhança do fluxo de sensações na barriga presente numa forte descarga sexual, os soluços profundos conduzem a uma vivência mais intensa do *self* quando esse movimento pulsátil atravessa o assoalho pélvico. A íntima conexão entre chorar e ter uma descarga sexual manifesta-se nas mulheres que rompem em lágrimas depois de um orgasmo. Interpreto esse choro como uma descarga da tensão, semelhante ao choro da mãe que se encontra com o filho perdido. No caso do sexo, o filho perdido é o próprio eu, redescoberto através do orgasmo.

Não é muito mais fácil entregar-se a um choro tão profundo do que se render à convulsão do orgasmo a que ele se assemelha. É necessário um considerável trabalho terapêutico antes que o paciente seja capaz de fazê-lo. De um lado, grande parte das tensões sexuais dentro e em torno da pelve deve ser liberada; se isso não acontecer, a onda de soluços fica estagnada na barriga e não a atravessa. De outro, deve-se reconhecer que uma vivência de ruptura não significa que a pessoa esteja livre para sempre de seu desespero. A experiência talvez precise ser repetida várias vezes, à medida que o paciente revive um maior número de traumas de infância. Mas o fundo foi alcançado e a porta se abriu. E permanecerá aberta quando ele começar a viver o júbilo de um orgasmo sexual completo. Se o desespero implica que o indivíduo nunca se sentirá alegre, a sensação de alegria é o melhor — e único — antídoto.

O desespero costuma aparecer associado ao medo da morte. Afundar no desespero tem, para muitas pessoas, a conotação de entregar-se à morte. Refletindo sobre essas conexões, surpreendi-me com o fato de muitas palavras em língua inglesa com implicação negativa começarem com a letra *d: death* (morte), *defeat* (derrota), *disillusion* (desilusão), *despair* (desespero), *disease* (doença), *desperation* (desesperança), *disaster* (desastre), *derogatory* (depreciativo) e *devil* (demônio). Tenho certeza de que o leitor conseguiria encontrar mais termos assim começados com a letra *d*. *Depression* (depressão) é um deles, e o concebemos como representativo de um estado *down* ("para baixo"). Assim, a palavra "baixo" implica uma direção negativa em nossa mente. Mas o *u* de "up" (para cima) não parece ter qualquer significado especial. Pode-se encontrar alguma correlação na oposição *"god-devil"* (deus-diabo). A letra *g* dá início a palavras como *good* (bom), *generous* (generoso), *graceful* (gracioso), *great* (grande), *gorgeous* (lindo) e *gourmet* (gastrônomo). Em nossa mente, essas palavras estão associadas a sensações positivas.

Existem mais dois pares de termos antitéticos que usam as letras *b* e *d*. *Being* (ser, estar) e *doing* (fazer); *birth* (nascimento) e *death* (morte). A letra *b* dá início ao prefixo *bio*, que significa vida. A vida é considerada algo que se ergue, enquanto a morte denota uma queda. Vir à luz pode significar emergir da terra; morrer é retornar a ela. Estamos lidando com o ciclo ascendente da vida. Nós, humanos, nos levantamos pela manhã e nos deitamos à noite. A excitação nos anima e nos levanta; descarregá-la nos deixa "para baixo". Acumular carga nos leva para cima, descarregá-la nos impele para baixo.

Brincando com o som dessas duas letras, *b* e *d*, pensei que conseguiria detectar uma diferença de sensação entre elas. Quando pronuncio a letra *d*, percebo uma inflexão descendente da voz e uma sensação de descida na boca.

Medo da vida

Quando pronuncio o *b*, dá-se o oposto. Talvez seja um mero truque de minha imaginação, mas estou convencido da existência de uma relação entre a sensação de uma palavra quando enunciada e a imagem por ela representada. Originalmente, todas as palavras formam sons. Sabemos que o som da voz é uma expressão direta da sensação. O termo *sigh* (suspiro) tem o som de suspiro, transmite essa sensação. Tenho a impressão de que o som da letra *d* tem um tom ligeiramente agourento.[58] *Damn* (maldição) evoca a ideia de *doom* (destruição).

Para que a pessoa consiga se desfazer das tensões que a detêm, é necessário investigar e analisar as associações que, em sua mente, existem entre "deixar cair" (*let down*) e morte. Essa análise funciona melhor quando o paciente luta contra o movimento de se deixar cair, tanto num exercício quanto numa situação emocional. Nesse contexto, a associação não é uma ideia abstrata, mas uma experiência vívida. Eis um exemplo. Atendi uma mulher que havia sofrido uma crise de lúpus eritematoso muitos anos antes. Ela se recuperara, mas sinais discretos da doença surgiam quando ela passava por uma situação estressante. Em certa sessão, conforme conversávamos sobre nossa relação, uma sensação de tristeza acumulou-se em seu íntimo, mas ela não chorou. Eu conseguia ver seu corpo tentando se entregar, mas ele permaneceu paralisado. Fiz que ela se inclinasse para a frente e tocasse o chão com a ponta dos dedos.[59] Quando ela assumiu essa postura, perguntei-lhe o que lhe aconteceria se ela se "deixasse cair". A paciente respondeu: "Eu morreria". "Mas e se você não se entregar?", indaguei a seguir. Os dois estávamos cientes de que, de alguma maneira, sua doença estava relacionada com a tensão em seu corpo. A mulher replicou: "Eu morrerei". Ela também tinha consciência de que a tensão necessária para mantê-la "em pé" destruía seu corpo e seu ser.

Falamos a respeito de seu passado e de sua relação com os pais. Ela sabia que a mãe lhe fora hostil. Contudo, acreditava que o pai fora presente e se importava com ela. Agora, disse, havia percebido que essa crença era uma ilusão. Foi muito doloroso para ela enfrentar o fato de ter sido usada por ele em vez de ajudada. Por isso, sentiu-se extremamente solitária e vulnerável. Sentia que ia morrer. Tudo isso foi desencadeado quando discutimos nossa relação. Ela disse não ter certeza de que eu estaria "lá" para ela na qualidade de seu terapeuta. Ela vivenciou o desespero.

Eis aqui outro caso. Esse homem, em particular, estava fazendo o exercício de cair, já descrito. Nele, quando a pessoa sente que vai cair, peço-lhe que imagine o que aconteceria se caísse. Esse paciente comentou: "Quando você me pediu que dissesse 'estou quase caindo', tive a sensação de que estava prestes a morrer. Sinto como se fosse uma luta entre a vida e a morte. Se eu me 'deixar cair', serei morto". Socou as coxas com os próprios punhos e acrescentou: "Eu vou me matar se não me segurar. Mas se eu realmente me segurar, vou morrer. Acho que vou ficar com câncer no pulmão se não parar de fumar. Mas quanto mais tento não fumar, mais eu fumo".

Em seguida, relatou que quase morrera quando criança. "Tive septicemia aos 5 anos de idade. Apresentei febre alta e fui hospitalizado várias vezes ao longo do ano. Entrei em coma várias vezes. Tiveram de tirar todo o meu sangue e me fazer uma transfusão. Quase morri. Mas aguentei firme, usando toda a minha força de vontade para viver. Sei como é existir quando está difícil. Não sei como é existir quando as coisas estão bem."

Ouvi comentários semelhantes de numerosos pacientes que haviam se aproximado da morte devido a moléstias infantis. Eles lembram que, num momento crítico da doença, mobilizaram conscientemente a vontade de viver. E acreditam que foi essa vontade que os salvou. Uma vez que cair ou se deixar cair — entregar-se — é experimentado como perda ou rendição da vontade, pode ser considerado perigoso. Por outro lado, viver pelo esforço da vontade é realmente perigoso. Usar constantemente a vontade gera um grande desgaste de energia. Quanto tempo a pessoa consegue "aguentar firme"? Quanto tempo consegue existir em estado de alerta? Mais cedo ou mais tarde a vontade se esgotará — e, se esse for o único recurso do indivíduo, será o seu fim.

É preciso se "deixar cair" para se renovar. É preciso deitar-se para recobrar as forças. A menos que se deixe passar o dia, não se consegue usufruir o sono da noite. Simbolicamente, morremos a cada noite e renascemos no dia seguinte. Sem morte não pode haver renascimento. A menos que caiamos, não poderemos subir.

Não acredito que a sobrevivência do indivíduo dependa da sua vontade de viver. Como já assinalei, a vontade é um mecanismo psíquico que nos permite mobilizar energia extra para enfrentar uma crise. A eficácia da vontade dependerá da disponibilidade dessa energia extra. Se a pessoa esgotou suas últimas reservas, a vontade não servirá de nada. Nesse caso, podemos dizer: "Essa pessoa não tem vontade de viver"; o mais lógico, porém, seria referirmo-nos a ela como alguém energeticamente esvaziado. Contudo, é verdade que a vontade, como mecanismo psíquico, não se desenvolve da mesma maneira em todas as pessoas. Na qualidade de função do ego, a força de

Medo da vida

vontade depende da força do ego. Podemos dizer que aquele com ego forte tem uma vontade forte. Mas a vontade mais vigorosa será inútil quando não existir energia para ser mobilizada. O melhor general não pode ganhar a guerra sem um exército.

Nosso nível de energia aumenta quando repousamos e diminui quando estamos na ativa. Quando estamos "pra cima" ficamos ativos e usamos a energia; repousamos "na baixa" e restauramos nossas forças. Esse é o padrão normal da pessoa saudável. Por isso, quando estamos deprimidos, somos capazes de recuperar a energia e sair da depressão espontaneamente. Isso acontece com frequência. A inatividade do estado deprimido permite-nos recobrar nossas reservas de energia. Quando isso acontece, entramos novamente em atividade. Mas isso não é o mesmo que dizer que não entraremos de novo em depressão. Se, ao sairmos dela, entrarmos num estado maníaco, hipercinético ou hiperativo, perseguindo ilusões, gastaremos toda a energia e recairemos na depressão.

Alguns saem espontaneamente da depressão; outros, não. Uma diferença é o nível de pressão exercida sobre a pessoa deprimida por parte da família. "Reanime-se. Livre-se desse estado. Tente fazer alguma coisa". Não a deixam em paz e, desse modo, impedem o processo natural de cura do corpo. Da mesma forma, se o indivíduo age sob um sentimento de culpa a respeito de seu estado, não se recuperará. Essa culpa se assemelha à pressão externa, roubando sua paz e seu descanso, sensações das quais desesperadamente necessita para recuperar as energias. Em nossa cultura, "baixo" é mau e "alto" é bom. Mas, se "alto" é tensão e "baixo" é relaxamento, isso só pode significar que todos nós vivemos sensações muito dolorosas no estado "de baixa".

Eis aqui um exemplo dessa conexão. Uma de minhas pacientes fez uma estranha observação enquanto realizava um exercício respiratório: "Acabei de ter uma ideia muito louca, a de que se eu respirar morrerei". Quando a questionei, ela disse ter vivenciado uma experiência, quando era bem pequena, na qual por pouco não morreu: "Contaram-me que minha mãe e minha avó costumavam me ninar até eu cair no sono. Certa vez, quando eu estava com mais ou menos 2 meses de idade, minha mãe decidiu interromper esse hábito. Ela me deixou chorando até que eu parasse por exaustão. Chorei durante horas — minha avó não conseguia suportá-lo, mas minha mãe recusou-se a deixá-la entrar no meu quarto. Finalmente, parei de chorar e minha mãe disse a ela: 'Viu'? Abriram a porta e perceberam que eu estava azul. Tinha vomitado e fiquei sufocada no vômito".

Por que respirar evocaria esse medo? Porque aumenta a carga energética no corpo e ativa sensações suprimidas. Se minha paciente respirasse profundamente, choraria. Chorar, em sua mente, está associado a horas de tormento, que culminaram em vômito e sufocação. Não respirar iguala-se a não sentir, não chorar, não sufocar, não morrer. Prender a respiração é uma maneira de se manter firme. Deixar-se cair, entregar-se, fazem a pessoa respirar profunda e completamente.

Deixar-se cair representa uma entrega às sensações. Mas não podemos permitir que isso aconteça quando elas são tão dolorosas que não conseguimos aceitá-las. Eis um exemplo sob medida. Uma de minhas pacientes comentou: "Se eu tivesse de ficar andando em torno dela, ansiando por ela, morreria. A dor é intolerável. O desejo, excruciante. Vejo a imagem de seu seio com total nitidez. Vejo cada rugosidade do bico. A sensação é tão intensa que não consigo suportá-la". Estava falando a respeito de uma mulher que conhecera, de corpo cheio, calorosa, cheia de vida. Minha paciente era magra, contraída, fria, semimorta. Era como um bebê carente que necessitava de uma mãe corpulenta, calorosa e amorosa. Quando bebê, ela havia sofrido exatamente essa privação.

Perguntei-lhe como morreria e ela respondeu: "Eu não dormiria. Não comeria. Ficaria doente, paralisada até morrer. Um corpo só pode aguentar um tanto de dor. Acredito que eu morreria fisicamente. Vi pessoas entrando em um estado de prostração. Vi uma moça chegar a cerca de 33 quilos e morrer. Uma vez passei por coisa parecida. Passei de 52 para 43 quilos em duas semanas. Não conseguia metabolizar comida. Não conseguia defecar. Não conseguia urinar. Meu corpo parou de funcionar. Uma enfermeira no hospital me salvou. Ela me segurou nos braços e meu corpo lentamente se descontraiu e voltou à vida". Tendo o apoio que tão desesperadamente necessitava, ela conseguiu se soltar e viver.

As pessoas morrem de verdade se a vida for por demais sofrida. Lutam para manter as coisas funcionando por algum tempo, mas quando sua energia se esvai, desaparece sua vontade de viver. Na condição denominada anorexia nervosa, que aflige sobretudo mulheres jovens, a pessoa para de comer. Nesse ponto, o corpo não tem energia para metabolizar alimentos. Se o problema persistir, existe uma perda progressiva de peso e de energia, resultando em morte. O suicídio é outra saída para uma situação intoleravelmente dolorosa. Em geral, uma situação dolorosa se torna intolerável quando não há ninguém para compartilhá-la. Se conseguirmos nos entregar à dor e ao choro, desco-

Medo da vida

briremos que ela se torna suportável. Se pudermos aceitar a dor, o processo natural de cura terá início. Mas não podemos nos entregar ao nada. Podemos nos entregar ao chão se o sentirmos sob nossos pés. Podemos nos soltar na presença de um amigo ou de um terapeuta que estejam disponíveis. Mas, uma vez que nossa mãe não estava lá quando éramos pequeninos, não temos a sensação de que, nos entregando, encontraremos apoio. Nessas circunstâncias, deixar-se cair significa desistir e morrer.

Mark, cuja história conhecemos antes, sentia que sua mãe não estava disponível para ele. Em certa sessão observou: "Encolho-me para me afastar do mundo, mas tenho medo de ser deixado em estado de privação. Sinto que meu peito foi esmagado". O peito de Mark era tão achatado que dava a impressão de ter sido mesmo esmagado. Eu conseguia captar sua sensação de ter sido esmagado. Depois ele me perguntou: "O que posso fazer? Não quero ser abandonado ao frio".

O que se pode fazer? Suprimir as sensações não faz que elas desapareçam. Enterrá-las apenas adia o momento de identificá-las. Percebo que o coração de Mark foi esmagado pela mãe. Minha resposta para ele foi: "Entregue-se à dor e à agonia de seu desejo, de seus anseios".

Mark ficou silencioso por um minuto. Depois me disse: "Acabo de sintonizar algo que jamais revelei a alguém: se eu incorporar a minha vida, identificar-me com ela, morrerei. É meu segredo mais íntimo. Sempre culpei minha mãe por minha relutância em estar na minha própria vida. Mas percebo agora que se eu for ativamente em busca da vida e consegui-la, terei de enfrentar um fato brutal: o de que sou mortal. Seria a destruição de minha grandiosidade, de minha fantasia de imortalidade, de minha invulnerabilidade, de minha independência. Não preciso disso. Não consigo suportar o necessitar e a dor de não obter. É demais. Prefiro morrer e desistir do mundo. E o fiz. Retraí-me para dentro de mim mesmo, como num túmulo vivo. Ali eu era invulnerável. Esse era o meu segredo".

Ter revelado esse segredo surtiu um efeito profundo sobre Mark. Ele sentiu uma alegre libertação, como se lhe houvessem retirado a maldição e ele tivesse redescoberto a vida. Ali ele fechou a porta de sua fuga para a morte. A decisão de ir em busca da vida não foi tomada conscientemente. Aconteceu, creio, porque seu corpo se sentiu grande e forte o bastante para suportar a dor. Mark vivenciara a dor na terapia bioenergética e ela não o havia destruído. Na realidade, deixara-o mais forte.

Alexander Lowen

É claro que, na mesma medida em que a pessoa tem medo de viver, está igualmente próxima da morte. Quanto mais perto da morte ficamos, mais a tememos. Nesse sentido, o medo da morte reflete o medo da vida. Aquele que não tem medo de viver não teme morrer. Não deseja morrer, mas não é temeroso — portanto, a ideia da morte está isenta de carga emocional ou energética. Pessoas amedrontadas têm medo de morrer. Contudo, ao mesmo tempo, têm um desejo de morte. O que as aterroriza é o morrer, não a morte em si. O morrer é um encolhimento ou uma contração da energia vital no corpo, que o deixa frio e insensível. O terror é o mesmo encolhimento da energia vital, que se detém a apenas um passo da morte. No terror, sente-se a morte, como no morrer sente-se terror. Mas o morrer é vivido como aterrorizador somente quando ocorre contra a vontade consciente do organismo. Quando todas as partes da personalidade ou do corpo se entregam a seu destino, é um processo pacífico.

Winnicott, a quem nos referimos anteriormente, acredita que o medo da morte, como o medo da insanidade, deriva de uma "morte que aconteceu, mas que não foi experienciada".[60] Segundo o autor, trata-se de uma "morte fenomenal", querendo com isso dizer que aconteceu com a psique mas não com o corpo. Podemos compreender tal conceito relacionando o fato com expressões como "a vida abandonou a pessoa" ou "seu espírito foi subjugado e alguma coisa se partiu dentro dela". Em linguagem comum, diríamos que a pessoa "apagou". Winnicott diz:

> A morte, encarada desta maneira, como algo que aconteceu ao paciente que não era suficientemente maduro para experienciar, tem o significado de aniquilamento. É como se desenvolvesse um padrão no qual a continuidade do ser fosse interrompida pelas reações infantis do paciente às intrusões [...].[61]

Por isso, Winnicott enxerga no desejo de morrer (a expressão de Keats "me enamorei, de meio-amor, da Morte calma") a necessidade de "'lembrar' de ter morrido, mas para lembrar, tem-se de experienciar a morte agora".[62]

O que Winnicott quer dizer com a observação "tem-se de experienciar a morte agora"? Ele não explica no artigo como isso acontece na terapia. Do meu ponto de vista, significa que o paciente deve experimentar o trauma original (morte fenomenal) como se estivesse acontecendo no presente. Ele não

Medo da vida

morreu naquela ocasião, e evidentemente não morrerá agora. Mas naquele momento, ficou de frente para a morte; viveu a sensação de que poderia morrer (o encolhimento e a contração de sua energia vital) e ficou aterrorizado. Para superar esse terror — viver —, mobilizou sua vontade, sua vontade de viver. Desse momento em diante, viveu sobretudo pela força de sua vontade, forçando-se a ir adiante, a *fazer* por medo de morrer caso se soltasse. É como viver sob a espada de Dâmocles, constantemente ameaçado pela morte. Uma vida assim não só é exaustiva como dificilmente digna de tanto esforço. Deseja-se que a espada pendente despenque de vez, que a morte venha e liberte a pessoa daquele embate e daquele tormento. Essa é a base do desejo de morrer.

A tarefa terapêutica consiste em ajudar o paciente a se soltar, a se deixar cair agora, antes que seja tarde demais — antes que sofra um ataque cardíaco ou desenvolva um câncer. Ele não se arrisca a morrer, mas vive momentaneamente a sensação de morrer. Descreverei como isso aconteceu a um de meus pacientes, um homem de seus 40 e poucos anos, com pescoço curto e grosso. Sua forma de se refrear contra a entrega, contra o abandono às sensações, concentrava-se sobretudo nos músculos do pescoço. Ele sofria do medo de perder a cabeça (ficar louco). Estávamos juntos havia dois anos e ele fizera um progresso considerável, mas ainda sentia medo. Sentado de frente para ele, pedi-lhe que pusesse a cabeça em meu colo. Depois fiz uma pressão firme e constante com os punhos contra seu pescoço, na base do crânio. Ele deveria respirar e se entregar a mim. Cerca de trinta segundos depois, o paciente disse: "Sinto que vou morrer. Está ficando escuro". Percebi que ele havia tensionado os músculos do pescoço contra minha pressão e bloqueara o suprimento de sangue para o cérebro. Diminuí a pressão e, ainda com sua cabeça no meu colo, perguntei-lhe que pensamentos haviam lhe passado pela mente durante os instantes em que se sentiu perto de morrer.

Respondeu: "Pensei que podia ser o fim. Eu não conseguia mais lutar com você. Nesse momento, você me deixou levantar a cabeça".

Discutimos isso quando ele se sentou. Perguntei-lhe por que lutava comigo quando era de esperar que se entregasse. Respondeu: "Estou sempre lutando. Se não lutar, morrerei".

Mas ele não estava lutando comigo; não fez nenhum movimento agressivo contra mim. Estava resistindo a mim, e essa resistência (tensionamento dos músculos do pescoço) o colocou diante da sensação de morrer. Por que ele teria medo de ser morto? Por que não conseguia lutar? Ele não fizera esforço

Alexander Lowen

algum para se livrar. Era porque aquilo já tinha acontecido antes, quando era criança, incapaz de lutar contra a força superior de seu pai. Tudo que conseguira fazer então fora tensionar o pescoço e esperar que sobrevivesse. Tinha medo de perder a cabeça (castração). Defendeu-se desse perigo desenvolvendo exageradamente os músculos do pescoço. Mas essa própria defesa punha sua vida em perigo pela constrição do suprimento de sangue ao cérebro. Essa experiência permitiu que o paciente explorasse a culpa relativa a suas sensações sexuais pela mãe e recuperasse sua capacidade de lutar. Ele descobriu que podia se entregar a mim sem que eu lhe cortasse a cabeça.

É importante perceber que o medo de morrer sentido por um paciente tem base em seu medo da vida. Se ele teme viver, morrerá. Eis um exemplo dessa relação. Uma paciente jovem tinha sido hospitalizada por causa de um colapso nervoso algum tempo antes. Desde a alta vinha tomando medicamentos, que usava para bloquear suas sensações. Ao mesmo tempo, estava perturbada pelo fato de não conseguir dar passo algum no sentido da saúde. Atendi-a e decidi assumir seu caso para um tratamento bioenergético. O seguinte incidente ocorreu em nossa quarta sessão. Pedi-lhe que realizasse um exercício expressivo para ajudá-la a confrontar seu medo de sentir. O exercício foi feito enquanto ela estava deitada na cama. Consistia em chutar a cama e dizer: "Por quê?" Ela sentia necessidade de protestar contra sua situação existencial. Começou o exercício chutando e gritando "por quê?" e depois, subitamente, parou. Virou-se para mim e disse. "Estou com medo. Sinto que vou desmaiar. Tudo começou a ficar preto". Depois acrescentou: "Estou com medo da sensação. Sinto que estou sendo levada por ela. Parece que estou prestes a morrer".

Para compreendermos o que aconteceu, devemos ordenar corretamente os acontecimentos. Quando a paciente começou a se entregar ao sentimento de protesto e raiva, pareceu correto que tal sentimento a tomasse. Porém, a sensação de que poderia perder o controle a aterrorizou. Para bloqueá-la, a jovem parou de respirar, contraindo os músculos do pescoço. Essa manobra bloqueou o suprimento de sangue e de oxigênio para o cérebro, que então produziu a sensação de vertigem e de escuridão. Então ela sentiu que ia morrer.

Expliquei esse mecanismo à paciente, assinalando que ela carregava uma ira suprimida que poderia arrebatá-la se ela se entregasse. É natural que uma emoção forte "carregue a pessoa". Se não sentimos medo da emoção, vamos com ela. Se sentimos, contraímo-nos contra ela e então surge a sensação de

Medo da vida

morte. Uma vez que a paciente entendeu minhas explicações, sugeri que repetisse o exercício. Ela o fez, entregando-se, e deu tudo certo. Ao final, ela me olhou e disse: "Desta vez eu não parei. Não senti que ia desmaiar". A experiência provocou nela um efeito drástico. Era visível que se encontrava mais radiante e cheia de vida. Era como se uma sentença de morte lhe tivesse sido comutada. Ela passara por uma ruptura em direção à vida. Comentou: "Nunca tive permissão para demonstrar meus sentimentos".

Depois desse exercício, ela descreveu sua vida durante a infância. Era um pesadelo. Comentou que amava muito o pai, mas sentia que não era suficientemente boa para ele. "Minha mãe", acrescentou, "berrava e gritava comigo independentemente do que eu fizesse. Sentia-me atacada o tempo todo e terrivelmente só. Não havia ninguém a quem recorrer. Eu pensava que ela ia me matar. Que quando eu fosse dormir ela viria com uma faca para me matar. Tinha medo de morrer quando era pequena, mas de certo modo eu me sentia mesmo morrendo".

Nem todos passamos, durante a meninice, por experiências nas quais tenhamos ficado tão doentes que se tratasse de uma questão de vida ou morte. Mas a maioria foi magoada a ponto de a morte lançar uma sombra sobre nossa existência. Sofremos rejeições que nos partiram o coração. Se não morremos, foi porque nosso coração teve mais do que uma vida, talvez três. No Capítulo 2, sugeri que, como os jogadores de beisebol, temos três chances antes de ser eliminados do jogo. A nossa primeira rejeição é experienciada em nível oral, quando o amor e o apoio de nossa mãe são retirados porque ela talvez não tenha mais nada a dar nesse sentido. Talvez tenha ocorrido quando fomos desmamados depois de um período muito curto de amamentação. Pode ter sido causado pelo nascimento de outra criança. Ficamos terrivelmente magoados, choramos, mas vamos em frente. Chance número um. O segundo golpe ocorre durante o período edipiano, em nível genital. Somos rejeitados por causa de nossa sexualidade e nosso coração é mais uma vez partido. Só temos mais uma chance, mas não ousamos aproveitá-la. Precisamos proteger a nós mesmos e ao nosso coração trancando-o numa caixa fechada ou gaiola (o tórax). Não o abriremos mais para o mundo, acreditando que isso garantirá nossa sobrevivência. Mas, por meio de nossa defesa, provocamos a rejeição, que finalmente nos partirá o coração, desperdiçando nossa última chance.

Se conseguirmos aceitar que o que nos amedronta aconteceu no passado, não necessitamos repeti-lo. Naquela ocasião éramos crianças, totalmente dependentes de nossos pais para receber amor, intimidade e contato humano. A nossa vida dependia deles. Agora somos adultos independentes, podemos sair em busca daqueles com quem compartilharemos amor, intimidade, prazer. Se abrirmos o coração, talvez sejamos novamente magoados, mas ele não se partirá. O coração partido é causado pelo sentimento de traição. Como adultos, não podemos ser traídos a menos que sejamos ingênuos. Se formos ingênuos, trairemos a nós mesmos negando nosso passado.

A repressão do passado significa que parte da vida da pessoa está perdida. Só é possível recuperá-la revivendo o passado na terapia, o que implica a regressão emocional a um estado infantil. Todo movimento de regressão leva o paciente a entrar em contato com uma experiência traumática do passado que ameaçou sua sanidade ou sua vida e o forçou a proteger-se contra o mundo e contra os próprios impulsos. Como a armadura de um cavaleiro medieval, a couraça fisiológica é um escudo protetor ou concha em torno da pessoa. Equivale ao conjunto de nossas tensões musculares. Em sua totalidade, constitui a estrutura de caráter. Sair do caráter é como nascer. Para um indivíduo consciente, trata-se de um movimento muito assustador e aparentemente perigoso. Quebrar a concha equivale a confrontar a morte. Viver dentro dela parece garantir a sobrevivência, ainda que ela represente uma grave limitação ao ser. Ficar dentro da concha e sofrer parece mais seguro do que arriscar um confronto com a morte em busca de liberdade e alegria. Não se trata de uma escolha deliberada, mas de uma atitude que deriva de uma lição amargamente aprendida no passado e que não é fácil de esquecer.

A concha é também uma prisão, uma forma de detenção protetora que a pessoa fantasia como sendo o útero. Na concha, o ego oculta aquela parte do *self* que representa o bebê desamparado que ele deve resguardar do mundo cruel. A parte do *self* que representa o bebê é o coração. Isso fica claro em nosso trabalho terapêutico. Se alcançarmos o coração do paciente, traremos à luz o bebê que existe em seu interior. Por outro lado, se fizermos contato com o bebê lá de dentro, alcançaremos e tocaremos seu coração. Mas existe um outro lado dessa metáfora. A concha que pode ser concebida como o útero (retirar-se para dentro da concha = retornar ao útero) acaba se tornando uma tumba. A situação é verdadeiramente trágica. Romper a concha é arriscar a morte, mas ficar lá dentro implica uma morte em vida que inevitavelmente se torna verdadeira e concreta.

Medo da vida

A morte é um destino a que ninguém pode escapar. A pergunta então é: como se morre? Podemos morrer como heróis ou como covardes. A diferença é que o herói encara a morte sem medo, ao passo que o covarde, não. Mas o que faz de alguém herói e de outro, covarde? A resposta a essa pergunta implica reconhecer que o herói é caracterizado mais pela forma como vive do que como morre. Descrevo o herói como aquele que não tem medo da vida, que consegue encará-la. E, por não temer a vida, não teme a morte. Vimos, ao longo deste estudo, como o medo da vida se desenvolve nas pessoas. Há um ditado segundo o qual o herói só morre uma vez, mas o covarde enfrenta mil mortes. Quando o indivíduo morre muitas vezes de medo, acaba se tornando um covarde. Seu espírito foi subjugado. Um número exagerado de meus pacientes viveu aterrorizado durante a infância. Toda vez que a mãe olha para o filho com ódio nos olhos, é como uma adaga no coração da criança. Se olhares pudessem matar, muitos de nós estaríamos mortos há muito tempo. Mas, embora olhares de ódio não nos matem fisicamente, nos calcinam psicologicamente quando nos são dirigidos por nossos pais. Forçam-nos a construir as conchas que aprisionam nosso espírito. Quanto mais espessa a concha, mais temerosos somos. Tornamo-nos covardes, com medo de sair da casca, temerosos de nos arriscar e morrer em nome da liberdade. E, cada vez que pensamos em romper a proteção e fracassamos, voltamos a morrer de medo.

Confrontando cada morte psicológica por medo da terapia, recuperamos a coragem. De frente para a morte, perdemos o medo dela. Desafiando os terrores de nosso inconsciente, somos como os heróis gregos. Não deveríamos dizer que, em última instância, o objetivo da terapia é o de ajudar a pessoa a desenvolver uma atitude heroica perante a vida?

7. O conflito edipiano torna-se um fato da vida moderna

SURGE A DOMINÂNCIA DO EGO

O conflito edipiano ocorre num estágio crucial do desenvolvimento da personalidade — a saber, entre os 3 e os 6 anos de idade. Até os 6 anos, temos uma criança, pois que basicamente governada pelo princípio do prazer e com um ego bastante identificado com seu corpo. Fisiologicamente, a criança ainda usa os dentes de leite. Esse estágio muda depois dos 6 anos. A criança então se torna um jovem pronto para o processo de aculturação. Em quase todas as sociedades, a escolarização oficial tem início nesse período, tanto no ambiente formal quanto em casa. Os indígenas norte-americanos, por exemplo, não fazem esforço algum para ensinar aos filhos as maneiras adequadas de agir como membros da sociedade antes dos 6 anos. Também na cultura japonesa essa idade assinala o término de um período de indulgências e o início de um treino mais sério. A educação formal, nos Estados Unidos, começa tradicionalmente nessa fase. Podemos supor que o ego se desenvolveu a ponto de começar a asseverar seu domínio sobre o corpo e sobre as ações corporais em nome do princípio da realidade.

A fim de compreendermos por que esse desenvolvimento está associado ao conflito edipiano, precisamos considerar o processo histórico que levou à emergência do ego consciente. Assim como a ontogênese recapitula a filogênese em nível físico, também a personalidade em desenvolvimento recapitula a história cultural da humanidade. A lenda de Édipo localiza-se numa encruzilhada cultural. Marca o aparecimento do ser humano moderno, que tem um ego consciente desenvolvido. O ser humano moderno se vê como ator consciente no drama da vida, ao passo que seu predecessor se sentia parte de uma ordem imutável, dentro da qual seu lugar estava predeterminado. Essa mudança na consciência é simbolizada pela lenda de Édipo.

O significado histórico de Édipo foi investigado por Erich Fromm. Baseando seus comentários nas famosas peças teatrais de Sófocles a respeito do mito — refiro-me a *Édipo Rei*, *Antígona* e *Édipo em Colono* —, o autor afirma:

> O mito pode ser compreendido como um símbolo não do amor incestuoso entre mãe e filho, mas da rebelião do filho contra o pai autoritário da família patriarcal; o casamento de Édipo com Jocasta é apenas um elemento secundário, um dentre os muitos símbolos de vitória do filho que toma o lugar do pai e, com este, todos os privilégios.[63]

Fromm fundamenta sua argumentação no fato de o mito não conter qualquer menção de sentimentos sexuais ou desejos de Édipo pela mãe. Seu casamento com Jocasta não aconteceu devido a um amor especial por ela; ela foi um dos prêmios recebidos pela solução do enigma da Esfinge e por ter salvado a cidade da destruição. A outra parte de seu argumento baseia-se na existência de um conflito entre pai e filho em cada uma das três peças. Em *Édipo Rei*, como vimos, o filho recém-nascido é considerado uma ameaça pelo pai. Anos mais tarde, sem conhecer a identidade um do outro, eles lutam e o pai é morto. Em *Édipo em Colono*, relativo aos últimos anos de vida de Édipo, existe uma violenta discussão entre Édipo e seu filho, Polinices. Este último suplica que Édipo o ajude a destronar seu irmão, Etéocles, que se tornara governador de Tebas. Édipo fica furioso com Polinices e amaldiçoa ambos os filhos. Em seguida, os dois irmãos matam um ao outro.

Em *Antígona*, Creonte, que agora é o governador de Tebas, sofre a oposição de seu filho Hêmon pela brutalidade de sua decisão de condenar Antígona à morte. Fromm encontra uma pista para o mito de Édipo nesse texto. Diz ele:

> Creonte representa o princípio estritamente autoritário tanto na família quanto no Estado, e é contra esse tipo de autoridade que Hêmon se revolta. Uma análise da trilogia completa de Édipo evidenciará que a luta contra a autoridade paterna é seu tema principal e que as raízes desse embate podem ser retraçadas até a luta ancestral entre os sistemas matriarcal e patriarcal de sociedade.[64]

Concordo com Fromm quando insiste em que o mito tem um profundo significado cultural. Ao mencionar a luta entre os sistemas sociais do ma-

Medo da vida

triarcado e do patriarcado, o autor não está sugerindo que o conflito pelo domínio da sociedade se dá entre homens e mulheres. Trata-se de um embate entre filosofias diferentes, entre princípios opostos e entre sistemas religiosos antagônicos. Em *Antígona*, Creonte representa o princípio patriarcal, ao passo que Antígona encarna seu oposto, o princípio matriarcal. Fromm os define assim:

> O princípio matriarcal baseia-se nas relações de sangue como vínculo fundamental e indestrutível, na igualdade entre todos os seres e no respeito pela vida humana e pelo amor. Já no princípio patriarcal os vínculos entre marido e mulher, entre governador e governado têm precedência sobre os laços de sangue. É o princípio da ordem e da autoridade, da obediência e da hierarquia.

A assim chamada luta entre esses dois sistemas acontece no início da civilização, tendo representado o fim do chamado barbarismo. O princípio matriarcal governou a sociedade em seu período pré-civilizado. Contudo, a descrição desse estado feita por Fromm é muito idealista. Havia respeito pela vida, mas não pela vida da pessoa, a qual podia ser sacrificada pelo bem comum. Sacrifícios animais e humanos foram praticados em inúmeras sociedades pré-civilizadas; respingava-se sangue sobre a terra para estimular a renovação da vida. O parentesco era determinado pela mãe, pelos laços de consanguinidade, uma vez que o papel do pai, na concepção, era em grande medida desconhecido. Ele era um estranho na família e não tinha direitos. O cabeça responsável era o irmão da mãe. Acreditava-se que a concepção ocorria quando o espírito entrava no corpo da mulher. Como a terra, esta era a transmissora da vida, sendo o sangue sua essência. Apesar disso, tratava-se de um sistema em que não ocorriam conflitos entre cultura e natureza, ou entre ego e corpo.

Outra interpretação do mito de Édipo é sugerida pelo analista junguiano Erich Neumann. Para ele, a lenda exemplifica a emergência do ego ao poder e seu desafio ao inconsciente. Diz o autor: "O mundo experimentado pelo ego desperto da humanidade é o mundo do matriarcado de J. J. Bachofen"[65], cujo representante é a Esfinge. Ele a descreve como "um inimigo tão velho quanto o tempo, o dragão do abismo, representando o poder da Mãe Terra em seu aspecto urobórico."[66] Essa expressão se refere à natureza tal como era vivenciada pelo homem primitivo, em seu duplo aspecto de provedora e privadora, protetora e destruidora, doadora e tomadora de vida. A natureza foi a grande força desconhecida perante a qual o ego do homem primevo colocou-se impotente e espantado. E foi também a natureza do próprio homem, o grande inconsciente, contra o qual a consciência e o ego lutaram. Essa condição caracterizou a humanidade durante o estágio da caça e da coleta de alimentos, antes que a civilização houvesse evoluído com a domesticação de animais e plantas.

Ao longo dos primeiros anos da civilização, o princípio matriarcal ainda predominava largamente. Esse período é representado, na mitologia, pela figura de uma deusa dominadora e de um deus juvenil que é tanto seu filho como seu amante. Átis, Adônis, Tamuz e Osíris são exemplos de deuses jovens nascidos da Grande Mãe que se tornam seus amantes, morrem e por seu intermédio renascem. Esses deuses jovens são símbolos da vegetação que surge da terra a cada primavera (nascimento), voltam à terra no outono (morte) e renascem todo ano. Nesse estágio, o ego tem atributos juvenis e, embora mais desenvolvido que o ego infantil do homem primitivo, ainda é em grande medida um ego corporal destituído do senso de vontade que lhe permitirá asseverar seu poder sobre o corpo e sobre o inconsciente. Para Neumann, o significado de Édipo está em que "somente com ele é que o laço fatal entre a Grande Mãe e o filho-amante finalmente foi rompido".[67] Representa, assim, a vitória do ego sobre o inconsciente.

Como o inconsciente, por meio de suas associações com o corpo, identifica-se com a terra e com a natureza, ele tem conotação feminina. O consciente e o ego, como conceitos opostos, assumem conotação masculina. Isso leva Neumann a definir a diferença entre patriarcado e matriarcado em termos psicológicos. Ele diz o seguinte:

> Usamos o termo "patriarcado" para indicar o mundo predominantemente masculino do espírito, do sol, da consciência e do ego. No matriarcado, por outro lado, o inconsciente reina supremo, e o caráter central aí é um modo de pensar e sentir pré-consciente, pré-lógico e pré-individual.[68]

No livro *The origin of consciousness in the breakdown of the bicameral mind* [A origem da consciência na desconstrução da mente bicameral], Julian Jaynes desenvolve o mesmo tema. Ele localiza essa mudança em torno do final do segundo milênio antes de Cristo. Contudo, Jaynes não está se referindo

Medo da vida

à consciência em geral, e sim à autoconsciência ou à consciência do ego. Ele assinala que, na *Ilíada*, não há nenhuma referência a um ego ou eu capaz de refletir ou tomar decisões conscientes e deliberadas. As ações dos personagens principais da *Ilíada* são dirigidas pelos deuses e não expressam um sentimento pessoal de vontade. Isso leva o autor a dizer que o herói da *Ilíada* "não tinha absolutamente ego nenhum".[69]

Jaynes oferece algumas ideias interessantes a respeito da base neurológica para o desenvolvimento do ego. Ele postula que os deuses são funções mentais associadas ao lado direito do cérebro, que falam ao ser humano (funções do lado esquerdo do cérebro) na forma de alucinações auditivas. O termo *bicameral* é usado para indicar a existência de dois centros no cérebro, os hemisférios direito e esquerdo — os quais, apesar de normalmente integrados e conectados, podem funcionar com independência. Jaynes acredita que os indivíduos, no início da civilização, eram governados por esses dois centros: o hemisfério direito (lado divino) oferecia as diretrizes da ação, enquanto o hemisfério esquerdo (lado humano) as executava.

Recentes pesquisas neurológicas têm evidenciado que os dois hemisférios servem a funções diferentes. Já se sabe há algum tempo que o hemisfério esquerdo em pessoas destras contém os centros da expressão vocal da língua. Aqueles que sofrem lesões nas áreas da fala perdem a capacidade de articular e enunciar palavras ou de fazer declarações relevantes. Contudo, o reconhecimento da linguagem é bilateral. As novas descobertas referem-se à função do hemisfério direito. Uma lesão nesse hemisfério prejudica gravemente a capacidade de lidar com relações espaciais. A identificação de padrões fica perturbada. A diferença funcional entre os dois hemisférios é descrita por Jaynes da seguinte maneira:

> O hemisfério direito está mais envolvido em tarefas sintéticas e de construção espacial, enquanto o esquerdo é mais analítico e verbal. O direito, talvez como os deuses, percebe que as partes só têm significado dentro de um contexto; procura as totalidades. O esquerdo, ou hemisfério dominante, à semelhança do lado masculino na mente bicameral, procura pelas partes propriamente ditas.[70]

Não há motivos para se acreditar que o hemisfério esquerdo tenha sido sempre dominante. Ele predomina nos povos ocidentais, mas mesmo entre estes o grau de dominância do hemisfério esquerdo varia. Algumas pessoas são mais intuitivas e criativas (funções do hemisfério direito) do que outras. Por exemplo: artistas, como pintores e compositores, envolvem-se menos com palavras e análises do que com a visualização de padrões e sua expressão por recursos não verbais. Em geral, a diferença entre os dois hemisférios pode ser comparada à diferença entre a abordagem racional do cientista e a intuitiva do artista. Acredito que o ser humano antigo estava mais próximo do temperamento artístico do que do científico. Seu trabalho era mais criativo do que produtivo. Ele fazia coisas não só para ser usadas, mas para expressar sua personalidade e suas crenças religiosas. Toda produção era uma obra de arte.

O mundo antigo era muito diferente do nosso. Não se tratava de um mundo de objetos independentes, mas de um universo em que tudo era visto em conexão com o todo do qual fazia parte. A própria pessoa não era um indivíduo à parte, pois a individualidade não existia então como conceito, como o assinalou Neumann. A existência ou o ser dependiam do pertencimento, descrito por Lévy-Bruhl como *participation mystique* (participação mística) no processo da vida e da natureza. Nesse sistema, o caçador e sua presa estão unidos, ambos fazendo parte da ordem natural. O êxito na caçada não era considerado simplesmente o resultado de uma habilidade individual, uma vez que essa habilidade não era sempre bem-sucedida, mas também o produto de uma orientação divina ou sobre-humana. Portanto, uma cerimônia religiosa ou mágica sempre precedia a caçada e a concluía, caso tivesse sido bem-sucedida. Uma vez que nosso hemisfério direito é o instrumento para a apreensão de totalidades, deve então ser o refúgio dos deuses, como o alega Jaynes, já que estes representam o todo ou aspectos deste. Quando os deuses dominavam a vida humana, havia em certa medida a dominância do hemisfério direito.

O conceito de matriarcado é semelhante à visão de mundo representada pelo hemisfério direito. O matriarcado foi derrubado e o hemisfério direito tornou-se subordinado ao esquerdo quando as funções deste cresceram em importância. São as seguintes: capacidade para manipular coisas; uso crescente de palavras para descrever e compreender as coisas; capacidade de análise das relações. Jaynes acredita que as convulsões sociais e materiais ocorridas no final do segundo milênio a.C. foram responsáveis pelo colapso da mente bicameral, do que resultou o desenvolvimento da consciência do ego. Esses acontecimentos, sem dúvida, foram a causa precipitante, mas o

Medo da vida

motivo subjacente da mudança foi a intensificação das funções do hemisfério esquerdo, identificadas, como vimos, com o princípio patriarcal.

A mudança também pode ser descrita como o deslocamento da posição subjetiva para a objetiva. O homem se destaca do todo, o que lhe permite adotar uma visão objetiva da natureza tanto dentro quando fora de si. O ego ou eu começa como um observador do *self* e termina controlando-o e dominando-o. O ego ganha poder por meio do uso da razão e da vontade. Essas duas funções egoicas são acionadas na história de Édipo. Tanto Laio quanto Édipo usaram da vontade para contrariar a profecia do oráculo, ou seja, para evitar seu destino. Tal atitude caracteriza aquele que tem um ego razoavelmente bem desenvolvido. O homem bicameral de Jaynes obedeceria à voz e à vontade dos deuses. Então veio a resposta de Édipo ao enigma da Esfinge, resposta essa que só pode ser descrita como verbal, analítica e lógica.

Chegamos à conclusão, com base no exposto até aqui, de que a lenda de Édipo é um relato da ascensão do ego e da ordem social patriarcal. Contudo, essa vitória do ego e do patriarcado não foi absoluta. Não significou o desaparecimento das deidades terrestres associadas à ordem matriarcal. Estas foram rebaixadas dentro da hierarquia de poder. O resultado foi a criação de uma antítese entre cultura e natureza, entre ego e corpo, entre pensamento racional e sensações intuitivas. Essa antítese produziu uma tensão dinâmica que intensificou a consolidação da cultura, embora contenha também um potencial destrutivo na forma de conflito. O sistema patriarcal é caracterizado pelo conflito entre indivíduo e comunidade, entre homem e mulher, entre pais e filhos. A história de Édipo, segundo a versão de Sófocles, aborda o conflito entre pais e filhos; mas, num nível mais profundo, também se relaciona ao conflito vivido pela própria personalidade de Édipo.

Vimos, no Capítulo 1, que o reinado de Édipo em Tebas foi próspero por mais de vinte anos. Mas as Erínias, como são chamadas na peça, estavam esperando. Elas lançaram uma praga sobre a cidade, levando à descoberta de que Édipo assassinara o pai e desposara a mãe. Horrorizado por essa descoberta, Édipo cega a si mesmo e deixa Tebas para se tornar andarilho. Durante muito tempo fiquei intrigado com esse aspecto da história. Por que as Erínias puniriam Édipo por atos de parricídio e incesto, os quais são crimes contra a ordem patriarcal, com a qual elas não têm nenhuma relação? Percebi que a verdadeira transgressão que estariam vingando e pela qual Édipo devia sofrer era a destruição da Esfinge.

A Esfinge, uma das deusas-mães originais, foi importada do Egito, onde era idolatrada como deidade benevolente. Para o ego grego em desenvolvimento, tratava-se de um monstro, pois exigia o sacrifício da vida humana. Na qualidade de deusa da terra, porém, a Esfinge comia todos os seus filhos, já que todos eles retornavam à terra após a morte. As deusas da ordem matriarcal eram as detentoras da vida e da morte (as moiras, fiandeiras da vida). Enquanto esses processos permaneceram misteriosos, o homem sentia um respeitoso temor por mulheres e mães. Ao resolver o enigma da Esfinge, Édipo eliminou o mistério sobre o qual repousava o poder daquela. De todos os heróis gregos, ele foi o único que agiu sem a ajuda de um deus do Olimpo. Sua conquista representou a vitória da mente racional. Ele opôs conhecimento ao mistério, coragem ao medo. Com isso, tornou-se o primeiro homem moderno.

Aos olhos do mundo matriarcal, o crime real de Édipo foi a arrogância do conhecimento e do poder. Assim, Sófocles faz que o coro diga a respeito dele:

> *Vejam: este é Édipo*
> *Que desvendou o grande enigma*
> *E subiu ao primeiro lugar do poder*
> *Sorte que é invejada e elogiada*
> *por todos os cidadãos*
> *Vejam em que amarga adversidade afundou.*

É arrogância pensar que se pode superar a estratégia do destino. É arrogância acreditar que se conhecem as respostas de todos os mistérios. Édipo pensou que sabia a verdade a respeito do ser humano, que compreendia sua natureza. Mas estava cego para o fato de que o homem descende da mulher e deve retornar à mãe, a terra, em seu leito nupcial e em seu leito de morte. Ele, que pensou ter visto claramente, não enxergou que todo homem se casa com a mãe. Mordido pelo remorso de tanta ignorância, e em sinal de autopunição perante ela, Édipo se cegou. Ao se voltar contra seu ego, enfraquecendo a luz da consciência, encontrou a paz do inconsciente e do corpo. Retornou ao reino das deusas mãe-terra. Isso denota o abandono da arrogância do conhecimento e do poder e a aceitação da humildade.

Nos gregos antigos, a ascensão do ego ao domínio da personalidade produziu a primeira situação edipiana. Desde então, o ego consciente ou au-

Medo da vida

toconsciência veio se desenvolvendo e ampliando. A maioria das pessoas nas culturas industriais de hoje é egotista, ou seja, valores egoicos — poder, posses, progresso — dirigem seu pensamento e suas ações. Existem também valores patriarcais e famílias que os seguem. Toda criança criada nesse tipo de família está necessariamente sujeita ao conflito edipiano, com as consequências que apontamos nos capítulos anteriores. Nas próximas seções, tentarei demonstrar por que isso acontece.

HIERARQUIA DE PODER E LUTAS PELO PODER

O elemento fundamental na situação edipiana é o conflito. Uma vez que a situação edipiana compõe um triângulo, todos os envolvidos experimentam conflitos. Na seção precedente, vimos que o conflito entre pai e filho foi o tema principal das três peças teatrais de Sófocles baseadas na história de Édipo. Mas uma interpretação mais profunda revelou que o conflito básico das peças era o que ocorria entre os temas matriarcal e patriarcal de sociedade, conflito esse que foi culturalmente resolvido em favor do segundo. Assim, o princípio masculino, representado pelo ego, pela individualidade e pela cultura tornou-se dominante em relação ao princípio feminino, representado pelo corpo, pela comunidade e pela natureza.

O conflito básico na situação edipiana da criança se dá, portanto, entre os pais. Seu relacionamento forma a base do triângulo e os conflitos nessa relação são a causa de todos os problemas que se desenvolvem nas crianças. Afirmei no primeiro capítulo que os casais em que marido e mulher são sexualmente realizados e satisfeitos por seu relacionamento têm filhos que não são apanhados nas teias do conflito edipiano. Porém, devemos admitir que em nossa cultura, baseada no princípio patriarcal, o relacionamento homem-mulher raramente se vê livre de desentendimentos sérios. A satisfação sexual é igualmente rara. Embora existam uniões nas quais o amor floresce, a maioria das pessoas ergue fachadas que ocultam as insatisfações e os desapontamentos conjugais. Tais fachadas servem para encobrir o fracasso de seu matrimônio aos olhos do público, bem como aos próprios olhos.

Minha mãe costumava dizer que não devemos ficar surpresos com as guerras internacionais quando existem tantas guerras em casa. Até onde consigo recordar, meus pais estavam em constante conflito. Quando criança, eu ficava apavorado com essa situação. Estava preso no meio do fogo cruzado. Os dois confiavam em mim e eu reconhecia que cada um fazia queixas legítimas contra o outro. Mais tarde, percebi que a personalidade deles era oposta. Minha mãe acreditava em trabalho primeiro, lazer depois; meu pai, em lazer primeiro, trabalho depois. Em consequência disso, minha mãe não sentia alegria e meu pai não tinha dinheiro — até certo ponto, claro. Dividido entre eles, eu precisava encontrar uma solução para meu conflito interior, o que fiz dizendo que o trabalho da vida era o prazer. Mas não cheguei a essa conclusão antes de ter elaborado todos os medos e ansiedades da minha situação edipiana.

Nessa época, vim a perceber que a situação em minha família não era tão peculiar quanto eu imaginara. O conflito é mais comum no casamento do que a harmonia. Por quê?

A ordem patriarcal implica uma hierarquia vertical de poder e posses. O indivíduo no topo, rei ou líder do partido, por exemplo, tem o maior poder, os que estão abaixo têm menos e os que estão na base têm o mínimo ou nenhum poder. Essa hierarquia também existia na família, estando o pai no topo, a mãe abaixo dele e os filhos no fim. No ponto máximo da civilização romana, o pai tinha poderes legais absolutos de vida e morte sobre esposa e filhos. Até pouco tempo, legalmente, as mulheres eram cidadãs de segunda categoria. As propriedades de uma mulher casada pertenciam ao marido. Embora muito tenha mudado, ainda persiste a desigualdade entre os gêneros.

A desigualdade prejudica a harmonia da relação homem-mulher, que deveria se basear na partilha, no esforço comum. A pessoa que se sente inferior ressente-se daquela que está na posição superior. Isso é especialmente verdadeiro quando a consciência do ego está muito desenvolvida, como se dá em nossa cultura. A maioria das pessoas considera humilhante submeter-se a um poder que não foi por elas outorgado. Nessa situação, não sentem amor, mas ódio.

Na família patriarcal, a desigualdade estendeu-se ao sexo. As mulheres foram submetidas a um duplo padrão de moralidade que lhes negava o direito a uma vida sexual plena ao mesmo tempo que garantia ao homem total liberdade para a fruição irrestrita de seus desejos. Esse duplo padrão foi observado sobretudo na sociedade burguesa, em que os maiores valores eram o esforço para fortalecer ego, o poder e as posses. Entre os nobres, foi menos respeitado porque o ego e o poder destes fundamentavam-se nas raízes aparentemente sólidas do nascimento. Nas classes inferiores, foi ainda menos observado, pois nestas era restrito o esforço para atingir o poder. Na sociedade burguesa, a castidade da mulher tinha valor no mercado do casamento. Ine-

Medo da vida

vitavelmente, desenvolveu-se em todos os lares burgueses uma luta pelo poder. O homem tinha poder por meio do controle da propriedade, mas a mulher revidava retirando sua sexualidade da relação ao alegar mal-estar ou indisposição. Consciente ou inconscientemente utilizada, essa tática constituía uma arma eficiente. A mulher podia também ameaçar o homem com a infidelidade, que seria um verdadeiro golpe para seu ego. Esse jogo, porém, era praticado por ambas as partes. O homem com frequência ultrapassava os limites do casamento tendo em vista seu prazer sexual.

As lutas entre marido e mulher não são novas. No passado, as mulheres costumavam se queixar da falta de dinheiro, enquanto os homens reclamavam do pouco sexo. Essa situação parece ter se alterado com o abandono do duplo padrão, depois da revolução sexual dos anos 1950 e 1960. Essas mudanças, contudo, não parecem ter reduzido as lutas que transcorrem entre os cônjuges. Enquanto a questão do poder entrar nos relacionamentos pessoais, haverá conflitos. O aspecto lamentável disso tudo é que os pais usam os filhos nessas lutas travadas no seio do lar.

Embora o homem seja favorecido no sistema patriarcal, ele não é sempre o vencedor na luta pelo poder entre marido e mulher. E, apesar de ser muitas vezes o esteio financeiro da família, nem sempre é ele quem manda dentro de casa. É o titular do poder, mas o poder efetivo está na mulher. A maioria dos pacientes, quando indagada a respeito de quem era a figura dominante em casa, diz ser a mãe. Talvez isso tenha acontecido porque o lar é seu domínio, posição essa que a sociedade defende vigorosamente devido à responsabilidade materna perante os filhos. Na verdade, as lutas familiares são com frequência decididas em favor daquele que tiver o ego mais forte e o senso de *self* mais bem desenvolvido. Porém, independentemente de quem é dominante na família, o conflito entre os pais é a base sobre a qual repousa o triângulo edipiano.

Não são só os pais que usam os filhos em suas lutas um contra o outro; as crianças também tiram vantagem de tais lutas a fim de conquistar poder. Formam pactos com um ou outro dos genitores tendo em vista os próprios objetivos. Essa afirmação pode parecer contraditória em relação à minha declaração anterior de que as crianças são inocentes. Elas são, mas só até serem magoadas pelo uso do poder contra elas. Como têm o menor poder dentro da hierarquia, tornam-se as mais vulneráveis. Os pais costumam descarregar nos filhos sua hostilidade e sua raiva pelos próprios progenitores, sentimentos que não ousaram expressar. Muitos são os que descontam suas

Alexander Lowen

frustrações nas crianças. Em geral, o pai sente-se superior ao filho. A maneira mais simples de demonstrar que a superioridade é um problema comum é dar uma ordem que a criança deve obedecer sem questionar.

O conflito subjacente entre pais e filhos deriva da necessidade dos primeiros de manter uma posição egoica contra os segundos, o que gera um embate de vontades. Por exemplo, a criança pede alguma coisa (um doce, ou um brinquedo) que o pai não pode ou não quer dar. Ele diz não. Mas a criança se recusa a aceitar essa rejeição e pergunta: "Por quê?" A essa pergunta são muitos os pais que respondem "Porque eu disse não". O ego do pai se envolve rapidamente, mudando a situação para um embate de vontades. Quando isso acontece, a criança deve se submeter, pois o pai não pode permitir que sua autoridade ou seu poder sejam contestados. Sendo imparcial, devo dizer que as crianças fazem mais pedidos do que os pais conseguem satisfazer. Isso é verdade sobretudo em nossa cultura, em que são tantas as coisas que tentam o desejo infantil. Os pais são muitas vezes forçados a dizer não. Embora essa resposta possa perturbar a criança, jamais causará um problema sério, a menos que ela sinta que o problema real é de poder e autoridade.

Outro fator que produz esse estado de tensão entre pais e filhos é a pressão da vida moderna à qual os pais estão submetidos. Eles têm tantas coisas para fazer que não têm energia ou paciência para lidar com a natureza ativa da criança. É sempre: "Fique quieta. Cale a boca. Não se mexa". Criança alguma pode obedecer a essas exigências, e por isso acontece outro conflito. Já vi a cena seguinte repetir-se em diferentes locais. Essa aconteceu num aeroporto. Uma mãe com um bebê de colo e outro filho de 2 anos estava esperando o embarque. A criança maior saiu andando e a mãe a trouxe de volta. Aconteceu de novo e a mãe tornou a trazer a criança, já zangada. Na terceira vez, ela estava furiosa. Agarrou o braço da criança e o sacudiu com tanta violência que o filho começou a chorar. Num tom azedo, ela lhe disse: "Já falei para ficar aqui". Embora possamos compreender a situação da mãe, devemos reconhecer que a criança se sentiu maltratada e impotente. Ela não conseguia entender o motivo da ansiedade e da irritabilidade da mãe.

Em nossa cultura, os pais usam sua força superior e seu poder para forçar os filhos a obedecer a suas ordens. A criança sente-se desamparada e fraca. Naturalmente dependentes dos pais, os filhos são impotentes em relação a eles; mas só quando os pais impõem sua vontade sobre o filho é que este se torna consciente de sua vulnerabilidade. Em geral, a criança vê o

Medo da vida

genitor como fonte de apoio e proteção, não como antagonista. Quando isso acontece, ceder representa de fato submeter-se, e isso a criança compensa tomando a decisão íntima de conquistar um poder que lhe permita derrotar o pai. Assim, toda submissão tem um duplo efeito sobre a personalidade da criança. Diminui seu senso de *self*, enfraquecendo o ego em desenvolvimento; e, ao mesmo tempo, aumenta seu comprometimento com o ego enquanto representante do poder. O filho se torna consciente do ego e centrado nele, ou seja, orienta-se para o poder. Entra na situação edipiana com sensações mescladas: desejo sexual pelo genitor do sexo oposto, medo e hostilidade com relação aos dois genitores e a consciência de que o sexo pode ser usado na luta pelo poder. Essa é uma situação extremamente carregada que só pode ter um resultado para a criança: a perda das sensações sexuais ou a castração psicológica. Esse resultado é consequência direta dos medos e hostilidades engendrados pelo triângulo.

A intensificação da consciência egoica não constitui um desenvolvimento positivo. Resulta numa consciência antecipada de si próprio, o que inibe a expressão de sentimentos e a entrega à descarga orgástica. A autoconsciência exagerada está subjacente ao estado esquizofrênico e prenuncia o surto psicótico. É uma situação extremamente dolorosa. Em sua forma menos grave, leva ao narcisismo patológico.

O conflito se torna um estado interno e uma condição externa. Assim como o homem se volta contra a natureza no esforço de subjugá-la, também o ego se volta contra o corpo. Por sua condição de controle e de atividade volitiva direta, o ego pode assumir o comando do corpo. A vontade surge por meio desse mecanismo. Os seres humanos são os únicos animais capazes de ações ditadas pela vontade. Através dela, o homem transcende sua natureza animal e cria a cultura, mas nesse processo se afasta da natureza e se torna vulnerável a doenças. Esse perigo fica mais nítido se compararmos a personalidade a um cavalo com seu cavaleiro. Nessa analogia, o cavalo representa o corpo, enquanto o ego é o cavaleiro. Quando cavaleiro e cavalo estão sintonizados entre si, como um vaqueiro e sua montaria, podem obter muitas coisas e sentir prazer. Mas o cavaleiro insensível a seu cavalo pode derrubá-lo. Dessa maneira, o ego, que está sem contato com o corpo e movido por um desejo compulsivo de ser bem-sucedido, força o organismo até o ponto de um colapso físico. Se o cavaleiro estiver dissociado de seu cavalo, será lançado para fora da sela. O ego dissociado do corpo entra em crise.

Retomemos a questão mais ampla das lutas pelo poder que ocorrem nas famílias modernas. A maioria dos pais, consciente ou inconscientemente, criará os filhos da mesma forma como foi criada. O pai que passou por uma educação rígida tenderá a ser rígido com sua prole. Homens que foram espancados pelo pai quando eram pequenos provavelmente baterão nos filhos. Raramente é só uma questão de ensinar a criança a obedecer ou de ter pulso firme. Tal comportamento por parte do genitor tem motivação pessoal. O pai se ressente da ideia de que o filho tenha uma vida melhor do que a que ele teve. "Por que você deveria ter uma vida melhor do que a que eu tive?" — eis aí uma sensação ignorada por muitos pais com respeito aos filhos. O genitor egocêntrico compete com o próprio rebento. Pode sentir ciúme da relativa liberdade deste e tentar aquebrantar o espírito infantil da mesma forma como ele, quando criança, passou por isso. Tal situação é exemplificada no caso a seguir.

Uma mulher procurou terapia queixando-se de depressão, ansiedade e sentimentos de inferioridade e incompetência. Seu casamento se rompera recentemente e ela estava sozinha com dois filhos adolescentes. Era muito dependente do marido e tinha pouquíssima habilidade para caminhar com as próprias pernas. O problema ia além do fator psicológico. Ela sentia muito pouco as pernas e, embora soubesse que estavam ali, faltava-lhe a sensação de segurança que experimentamos quando percebemos nossas pernas bem apoiadas no chão. O motivo do problema era uma grave constrição em torno da cintura que parecia dividir seu corpo em duas metades. Essa aparente divisão era também funcional. Seus movimentos respiratórios não atravessavam a constrição em seu abdome. Como não há sensações onde não há movimentos espontâneos, ela estava de fato apartada do contato com a metade inferior do corpo. Além disso, suas sensações sexuais encontravam-se muito reduzidas. Tinha sido psicologicamente castrada e se tornara indefesa.

Certo dia, ela estava se referindo às dificuldades pelas quais um de seus filhos passava. O menino era revoltado e não a obedecia. Eu conseguia entendê-la, porque os jovens em crescimento, imersos nessa cultura caótica e sem disciplina, podem se meter em sérios problemas. Contudo, fiquei chocado quando a ouvi dizer: "Vou subjugar o espírito dele. Vou parti-lo ao meio". Foi exatamente isso o que lhe fizeram e ela agora estava se propondo a fazê-lo com seu filho. Quando indiquei para ela essa relação, fiquei ainda mais chocado com sua resposta: "Bom, é desse jeito que tem de ser".

Medo da vida

Fiquei tão furioso que não consegui continuar a sessão. Eu estava me esforçando ao máximo para ajudar a paciente a superar a mutilação que ela sofrera na infância e agora ela insistia em submeter o próprio filho ao mesmo tratamento. Em sessões anteriores, havíamos discutido suas experiências da meninice e ela me revelara que a mãe a espancava quando ousava desobedecer. Percebi que ela havia sido mais "partida" do que eu pensara. Apesar de nosso trabalho, ela não aceitara sua mutilação. Ao negar sua mágoa e sua dor, ela as infligiu a outra pessoa.

É evidente que nem todos os pacientes submetem os filhos ao mesmo tratamento que receberam. Os que são conscientes das mágoas por eles vividas com pais insensíveis fazem todo esforço possível para poupar os filhos de experiências parecidas. Isso é comum entre os pais que fizeram terapia. Mas até mesmo nesses casos eles muitas vezes percebem que o filho está reagindo exatamente como eles reagiram ao próprio pai. Por exemplo, um de meus pacientes observou: "Percebo que meu filho tem tanto medo de mim quanto eu tinha do meu pai. Queria poupá-lo disso". Ele não entendia como isso tinha acontecido, pois jamais batera no menino. Eu o fiz ver que, às vezes, quando estava aborrecido, suas sobrancelhas se cerravam e uma expressão escura tomava seus olhos. Era um olhar mesclado de ressentimento, ódio e medo. Era fácil imaginar uma criancinha mirando esse olhar do pai e sentindo medo.

O olhar do meu paciente era sua reação ao próprio pai, de quem sentia medo. Representava sensações que ele nunca conseguira expressar. Ao suprimi-las, as estruturara em seu corpo e em seu caráter. Tornou-se seu destino ser ressentido, ter ódio, sentir medo, embora não compreendesse em absoluto a origem dessas sensações. E, a menos que ele mude sua estrutura de caráter, será também esse o destino de seu filho.

No entanto, em muitos casos, os pais atuam mais diretamente sobre os filhos a hostilidade que sentem pelos próprios pais. Há alguns anos, tive uma paciente que me procurou devido a uma raiva incontrolável pela filha. Ela reconhecia que estava destruindo a menina, mas não conseguia se conter e não parava de bater na garota e de brigar com ela. Sentia que sua atuação era neurótica porque a criança não a provocava nem era malcriada. Mostrei-lhe que, embora sua raiva fosse útil em outros aspectos de sua vida, exprimi-la contra a filha era algo injustificado. Do que ela me contou, deduzi que havia muito mais coisas na vida dessa paciente que a tornavam colérica e que ela se recusava a enxergar. Estava sexualmente frustrada na relação com o marido, mas não podia falar com ele a esse respeito. Tornou-se óbvio, para nós dois, que ela estava usando a criança como bode expiatório. Porém, como não conseguíamos atingir a origem da raiva, o passo lógico era descarregá-la dando-lhe vazão no ambiente terapêutico. Simplesmente à guisa de exercício, pedi-lhe que chutasse a cama enquanto berrava de frustração. Ela também bateu na cama com uma raquete de tênis para descarregar a raiva. A paciente ficou agradavelmente surpresa ao descobrir que a relação com a filha melhorara de imediato. Relatou, ainda, que a filha também estava indo melhor na escola.

Dar vazão à raiva na sessão terapêutica permite que o paciente aja com mais realidade em casa. É como desativar uma carga de explosivos que se está carregando o tempo todo. Mas essa técnica não resolve o problema. O paciente precisa encontrar o motivo de tanta fúria. O que aconteceu no passado para gerar essa ira? O que está acontecendo no presente para mantê-la? Além disso, o paciente precisa reestruturar seu caráter para que sua vida seja mais satisfatória.

Na primeira vez em que lhe perguntei sobre sua infância, a paciente, June, disse que fora uma época feliz. Só depois que a terapia progrediu um pouco ficou claro que ela e a mãe nunca tinham se dado bem. Lembrou-se da atitude intrusiva e crítica da mãe em relação a ela e da falta de contato afetuoso entre elas. Por outro lado, June e seu pai eram próximos, e ela nutria sentimentos muito afetuosos por ele. O sexo foi tabu durante sua meninice. Ninguém conversou com ela a esse respeito, mas ela contou ter sido espancada mais de uma vez, quando pequena, por se masturbar, embora na época ela não soubesse que aquilo que estava fazendo era errado.

June tinha um sonho que se repetia com frequência, no qual não conseguia abrir os olhos. No sonho, eles estavam cerrados, não colados, mas tentar abri-los usando as mãos e sacudindo a cabeça não adiantava. Ela não conseguia abri-los e se sentia amedrontada e frustrada. Disse que era como dirigir de olhos vendados.

A interpretação desse sonho é simples. June não consegue abrir os olhos porque tem medo de ver alguma coisa — uma imagem ameaçadora e amedrontadora.

Seus olhos, em geral, se mantinham apertados e meio fechados. Ela precisava abri-los para enxergar o que a estava assustando. Para tanto, apli-

Medo da vida

quei a seguinte manobra: pedi-lhe que se deitasse na cama, abrisse os olhos o mais que pudesse e olhasse para o teto. Enquanto ela fazia isso, apliquei certa pressão com os dedos na parte de trás de sua cabeça, na região occipital.[71] June disse ter visto o rosto da mãe. Pedi-lhe que focalizasse a expressão dos olhos e do rosto. Para sua surpresa, June viu que a mãe a olhava com intensa hostilidade. Antes desse momento, ela só se lembrava do olhar preocupado e ansioso da progenitora. Chocada com o que viu, perguntou: "Por que ela está olhando para mim com tanto ódio? O que foi que eu fiz?"

Foi preciso um considerável trabalho analítico antes que June percebesse que a mãe a via como rival e como ameaça. Sua mãe perdera o marido quando June tinha 11 anos e se casara com um homem onze anos mais velho, que a amava e a tratava como pai. A mãe havia reagido a June como se ela fosse uma intrusa na relação idílica entre os dois. June relatou que "eles andavam de mãos dadas, abraçavam-se, aninhavam-se um no outro e nos contavam histórias maravilhosas de seu período de namoro". June havia cerrado os olhos para não enxergar a hostilidade da mãe contra ela. E havia desligado a mente para não sentir a própria ira contra a mãe. Mas essa sensação emergiu contra sua filha.

As sensações não podem ser indefinidamente suprimidas. Suprimir sensações implica morte. Em geral, elas vêm à tona contra os mais inocentes porque estes são os mais vulneráveis. Por que os pais gritam tanto com as crianças? Eles descarregam nos filhos a frustração da própria vida porque as crianças não podem revidar. Dominar uma criança dá ao pai a sensação de poder que compensa a sensação de impotência vivida por ele na infância. Essa é a essência da luta pelo poder. Se o pai tem necessidade de dominar alguém, o filho é deveras conveniente. Além disso, os pais projetam nas crianças suas culpas sexuais, punindo-as pelos mesmos atos inocentes (masturbação) que os levaram a ser punidos na infância. Numa cultura patriarcal, a desgraça passa de geração a geração.

Tais comportamentos em relação a crianças são inconcebíveis em culturas ancestrais e raramente encontrados nas orientais. Não porque a vida desses povos transcorra sem dificuldades: também eles têm seu quinhão de dor e frustração, que aceitam como destino. Mas lhes falta o egoísmo segundo o qual tudo se mede em termos pessoais. Em nossa cultura, quando uma criança não vai bem na escola, o pai considera o fracasso do filho sinal de seu próprio fracasso. Pela mesma razão, o êxito do filho infla o ego do pai. O ego do homem moderno está mais comprometido nessas relações do que seu coração. Assim, quando uma criança desobedece, não se trata de algo certo ou errado, mas de um desafio ao ego paterno. Depois de ter dito não ao filho, torna-se uma questão de orgulho egoísta sustentar o não diante das súplicas ou argumentos da criança. Em muitas famílias, a assertividade da criança desencadeia imediatamente uma luta pelo poder, um conflito de vontades no qual as duas partes envolvidas perdem — afinal, o que deveria ser uma relação de amor se transforma em antagonismo.

Pode-se alegar que todas as sociedades, tanto matriarcais quanto patriarcais, têm regras de conduta que são impostas por uma autoridade, o chefe ou o conselho tribal. A diferença entre os dois sistemas é que a regra é a prática aceita pela comunidade ou o decreto voluntarioso de uma autoridade. Este último caso deve necessariamente criar conflito, já que dispõe o ego de determinada pessoa contra o de outra. Na peça *Antígona*, por exemplo, Creonte, governador de Tebas, após a partida de Édipo, diz a seu filho, Hêmon: "Sim, isto, meu filho, deve ser a lei imutável de teu coração — em tudo obedecer a vontade de teu pai".[72]

Os seres humanos não nascem para se submeter à vontade de outrem. Ainda não foram plenamente domesticados, como o foram nossos animais de carga. Contudo, a civilização exige que caminhem de acordo com os ditames de um sistema político e econômico que limita sua liberdade e os sujeita a uma hierarquia de poder. Como isso acontece?

Freud disse: "O preço do progresso civilizatório é pago pela privação de felicidade através da intensificação da sensação de culpa".[73] Para ele, a cultura seria impossível sem a renúncia aos instintos, ou seja, "a não gratificação (supressão, repressão ou alguma outra coisa?) das poderosas necessidades instintivas".[74] Essa não gratificação produz uma agressividade destrutiva, que então deve ser vencida. A princípio, essa agressão é controlada na criança com punições ou com a ameaça da retirada do amor. Como vimos, a criança se submete a isso e desenvolve o superego, que é a introdução da autoridade parental. O superego é mantido pelas energias dos impulsos agressivos suprimidos, os quais são dirigidos contra o *self*, criando a sensação de culpa. Desse modo, a sensação de culpa é diretamente proporcional ao grau de supressão. Quanto mais se suprime a hostilidade, mais culpa se sente. Culpa pelo desejo de destruir a civilização que nos nega satisfação e pela vontade de matar o pai, seu representante.

Medo da vida

Freud afirma que "o senso de culpa se origina no complexo de Édipo, tendo sido adquirido quando o pai foi assassinado pelo pacto entre irmãos".[75] Não importa para esta discussão se esse fato é historicamente real, como o acreditava Freud. Vimos que o conflito com o pai é inerente ao sistema patriarcal, que, por basear-se no poder, convida à luta pelo poder. Assim, todos os homens civilizados orientados pelo ego e pela luta pelo poder sentem-se culpados pelo desejo de afastar o pai e matá-lo. Essa sensação de culpa desenvolve-se em consequência do conflito edipiano. Nessa época, o superego também assume uma posição de comando dentro da personalidade, e a estrutura de caráter da pessoa torna-se definitivamente determinada.

Devemos lembrar que o passo inicial no drama de Édipo foi dado pelo pai. Na lenda, foi o fato de ter amarrado o bebê a uma estaca para que morresse que deu início ao desenrolar dos fatos cumpridores da profecia do oráculo. Foi um ato hostil praticado contra a criança para proteger a posição e o poder paternos. Da mesma forma, na família moderna, o conflito edipiano é criado pelas ações hostis de um genitor que enxerga na criança uma ameaça a seu poder e um rival dos afetos do cônjuge. Na minha opinião, a criança entra no período edipiano inocente, como qualquer animal. Perde a inocência ao se tornar consciente das intrigas e manipulações de seus pais para controlá-la, para fazê-la adaptar-se à cultura e para usá-la para necessidades egoicas. Em defesa de si própria, a criança aprende a usar contra os pais as mesmas táticas das quais é vítima, e nesse processo torna-se egoísta como aqueles, talvez até dando um passo adiante nesse sentido. Diz o ditado: "Quem luta contra o diabo usando suas armas se torna diabo também".

Mas por que o processo de adaptação cultural está invariavelmente associado à repressão sexual? Não concordo com Freud quando diz que realizações criativas dependem da sublimação do impulso sexual. Ao contrário, as pessoas com mais vitalidade sexual são quase sempre mais criativas. Mas a produtividade é outra questão. Se desejamos atrelar o animal humano à máquina, devemos "subjugá-lo" como fizemos com outros animais que colocamos a nosso serviço. Isso só acontece se domesticarmos a *sexualidade* livre e selvagemente animal dos indivíduos. Há muito tempo, o ser humano aprendeu que podia transformar o animal selvagem numa besta de carga castrando-o. Era assim que obtinha bois para seus arados. Sem que isso tivesse sido planejado conscientemente, a mesma técnica é empregada com seus descendentes, porém o agente eficaz é a ameaça da castração. Essa ameaça reduz a intensidade do impulso sexual e funciona como castração psicológica, tornando a criança maleável à escolarização para exercer o papel de trabalhador produtivo. Além disso, tem a vantagem de não interferir na função reprodutora. Erich Fromm chegou à mesma conclusão. Diz ele: "O empenho feito para suprimir a sexualidade estaria além de nossa compreensão se tivesse ocorrido apenas em nome do sexo propriamente dito. A vilipendiação do sexo não atinge o sexo, mas o domínio da vontade humana".[76]

Ao descrever as condições sociais que produzem o caráter neurótico, posso dar a impressão de que na família moderna não existe nada além de hostilidade para com os filhos e um desejo de aquebrantar seu espírito. Claro que isso não é verdade. Existe tanto amor como ódio, tanto o respeito pela integridade da criança como a necessidade de subjugá-la. Nos casos em que o processo de aculturação é conduzido com amor e respeito pela criança, ela não fica gravemente traumatizada. Contudo, não acredito que até mesmo as melhores das intenções sejam suficientes para criar um filho no mundo moderno sem que este desenvolva certo grau de neurose. Pai algum que viva nessa cultura consegue dissociar-se dela por completo. A tentativa de agir assim cria outros problemas.

Devemos lembrar também que em nossa cultura a sexualidade infantil não é aceita como normal ou natural pela maioria dos pais. Enquanto sustentarmos uma hierarquia de valores, tudo que estiver associado à metade inferior do corpo será considerado comum, vulgar e sujo. Por outro lado, consideramos as funções da metade de cima superiores, especiais e limpas. O conhecimento e o poder são valorizados; o sexo e o prazer, depreciados. Estes últimos pertencem à ordem matriarcal. A maioria das pessoas fica embaraçada quando uma criança toca sua região genital em público. As crianças absorvem rapidamente as atitudes dos pais perante o sexo, ou seja, sexo é ruim. Tal atitude é tão insidiosa em nossa sociedade que não tenho sequer um paciente que não sofra de culpa sexual e ansiedade de castração. Isso vale tanto para homens quanto para mulheres.

Contudo, o grau de culpa e de ansiedade varia entre os indivíduos. Uma vez que se trata de funções da luta pelo poder, encontra-se menos culpa e ansiedade nas classes trabalhadoras do que nas elites. Por exemplo, Reich relatou ter encontrado nos operários alemães da década de 1920 a saúde sexual emocional que estava ausente nas classes mais abastadas. Se avaliamos a saúde sexual pela ausência de tensão no corpo, sobretudo na região torácica,

Medo da vida

encontramos mais saúde nos povos pobres da América Latina do que em seus ricos vizinhos do hemisfério norte. Por outro lado, as classes médias em todo o mundo são em geral bastante neuróticas. Seu esforço de ascensão social em busca de *status* e prestígio resulta numa grande pressão sobre os filhos para que estes se ajustem ao padrão social. Nas sociedades modernas industrializadas, as distinções de classe tendem a se desfazer. Nessas sociedades extremamente móveis, em que dinheiro e poder determinam a posição social, a maioria dos indivíduos pertence à classe média, na qual progresso e poder são os valores mais prezados.

PROGREDIR PRODUZ CONFLITO

A civilização — ou sistema patriarcal — é caracterizada por sua ênfase na mudança consciente e no movimento ascendente. Ambos estão relacionados. A mudança consciente é denominada progresso, concebido como dotado de uma direção ascendente. Falamos da ascensão do ser humano, do surgimento da cultura, da escalada rumo ao sucesso e ao poder. O progresso tem também uma dimensão temporal, implicando que o novo é sempre superior ao antigo, que aquilo que veio depois é melhor do que o que veio antes. Embora isso possa ser verdade em certos campos tecnológicos, é uma crença perigosa quando aplicada de forma ampla. Pode ser generalizada para denotar que o filho é superior ao pai, ou que a tradição é meramente o peso morto do passado. Numa cultura em que o progresso é um valor importante, o conflito entre as gerações inevitavelmente se desenvolverá.

Houve, como ainda há, culturas nas quais o respeito pelo passado e pela tradição são mais importantes que o desejo da mudança. Nelas, o conflito entre as gerações é um fenômeno raro e a neurose incide numa porcentagem mínima. Por milhares de anos, inclusive abrangendo a maior parte da era civilizada, o padrão da vida era o filho seguir as pegadas do pai, e a filha as da mãe. A criança não queria nada além de ser uma pessoa tão grande quanto o pai e fazer algo tão bem quanto ele. Isso não quer dizer que a relação com o pai sempre tenha sido amistosa — esta não é a natureza humana. Não significa que todo filho adotava a escolha profissional ou o trabalho do pai. Até pouco tempo, os caminhos para ganhar o próprio sustento eram muito limitados. O menino encontrava seu lugar no mundo identificando-se com o pai e aprendendo com ele, enquanto a menina identificava-se com a mãe e aprendia com ela. Ou, no caso de famílias numerosas, o filho poderia

Alexander Lowen

ser o aprendiz de outro homem, que então se tornaria seu pai substituto nesse sentido.

No livro *The ascent of man* [A ascensão do homem], Jacob Bronowski descreve um povo nômade, os bakhtiaris (que vivem no atual Irã), que vêm seguindo o mesmo padrão de vida há incontáveis gerações. Todo ano deslocam seu rebanho de carneiros e bodes através de montanhas, cruzando rios em busca de pastagem; na segunda metade do ano, fazem a viagem de volta. Cruzam seis cadeias de montanhas a cada viagem, marchando sob a neve e pelas cheias de primavera; esse padrão não mudou substancialmente por milhares de anos, exceto que agora os bakhtiaris têm animais de carga.

Bronowski visitou esse povo e os filmou para uma série de programas de TV. O que viu e nos mostrou foram meninos de olhos arregalados e inocentes, que olhavam para os pais com admiração e respeito. O comentário de Bronowski expressa seu desprezo: "A única ambição do filho é ser como seu pai."[77]

Sem dúvida, trata-se de uma cultura estática. Eis como ele descreve a vida desse povo:

> É uma vida sem contornos. Todas as noites são o final de um dia igual ao anterior; todo dia de trabalho terá o início de um dia de trabalho como o anterior. Quando amanhece, uma pergunta cruza a mente de todos: será possível levar o rebanho através do próximo desfiladeiro? Em algum momento da viagem, o desfiladeiro mais alto de todos deverá ser cruzado: trata-se do passo Zadecru, a 3.600 quilômetros de altitude, na cordilheira de Zagros, o qual de algum jeito o rebanho deve se esforçar para atravessar ou bem perecer em seus cumes elevados. Para que os animais possam ir adiante, os pastores precisam diariamente encontrar novas pastagens, pois nessa altura a grama rasteira se esgota num só dia.[78]

Não sei como Bronowski consegue descrever essa vida como destituída de contornos. É uma vida simples, mas também cheia de aventuras. Se a sobrevivência é a única recompensa, ainda é o maior dos prêmios. Atravessar trechos montanhosos a pé e a cavalo é um desafio à coragem e à força de qualquer pessoa. Além das preocupações corriqueiras da vida comunitária, como nascimentos, crescimento, casamentos e morte, que todos nós partilharmos, os bakhtiaris vivem no esplendor de uma natureza vasta, imprevisível e

Medo da vida

sempre diferente. A eles pertence a maravilha do mundo natural, e a nós a mágica (teatro, rádio, televisão) e o encantamento do mundo feito pelo homem. São dois universos diferentes, mas considerar o "civilizado" superior é típico da nossa arrogância.

A vida nômade constitui uma das provações físicas em que a sobrevivência está perenemente em questão. Com seu poder de garantir nossa sobrevivência, a civilização nos permite uma vida de comparativa facilidade material. O mundo do nômade é circunscrito e isolado; o mundo civilizado é aparentemente aberto e ilimitado. Tais descrições, porém, não qualificam existências individuais. Um número exagerado de ocidentais tem vidas circunscritas, isoladas, sem contato com as correntes enriquecedoras da civilização. Não estou, no entanto, argumentando contra ou a favor desta. Se a vida nômade não é romântica, a nossa certamente não é ideal. Mas não podemos retroceder nem que o desejássemos. A civilização é o nosso destino.

Qual é o destino do nômade? Bronowski diz que a chance de os pastores aumentarem ou diminuírem seus rebanhos é sempre a mesma, ano após ano. "E, além disso, ao final da viagem, não haverá nada além de uma imensa e tradicional resignação".[79] Porém, resignação não é o termo correto para a atitude de um povo que tem a coragem de levar uma vida árdua. Resignação implica que houve esperança de algo melhor. Eles não têm esperança ou desejo de mudar porque estão contentes com sua vida. Aceitam-na com a paz interior e a calma que nos faltam. Somos nós que lutamos com a vida para melhorá-la, que não a aceitamos porque ela termina em morte — e, no fim das contas, é o ser civilizado que se resigna e morre dolorosamente. Para o bakhtiari que chegou ao final de sua viagem, não há luta. Ele aceita a morte como aceitou a vida, resoluta e inflexivelmente.

Os bakhtiaris não têm o refinamento cultural que associamos a maneiras civilizadas. Contudo, justamente por isso, eles têm algo que nós perdemos: uma sensação de harmonia, de integridade e de paz de espírito. Nós, pessoas civilizadas, estamos todas em conflito, lutando constantemente para harmonizar as exigências contraditórias da cultura e da natureza, do ego e do corpo, do dever e do prazer. Para todos nós, essa luta é dolorosa — e, para alguns, é o próprio inferno. Os bakhtiaris não vivenciam essas lutas internas. Seus olhos são límpidos; eles conseguem sentir maravilhamento e se preencher de espanto pela grandiosidade e pela magnificência do universo. Em minha opinião, não há grandiosidade em nosso mundo de metrôs e arranha-

Alexander Lowen

-céus, nenhum maravilhamento, nenhum espanto. Comparando-nos aos bakhtiaris, vivemos como toupeiras. Tudo que enxergamos são cifrões. Talvez eu seja preconceituoso. Mas em minha cidade natal, Nova York, percebo que à medida que os edifícios ficam cada vez mais altos a qualidade da vida urbana decai ainda mais.

Fiquei especialmente surpreso ao ler esse relato quando do comentário de Bronowski a respeito da relação entre pai e filho, pois desacredita a visão de Freud de que o complexo de Édipo é inerente à natureza humana. Acredito que esse complexo só surge quando os pais têm poder. Os genitores sempre tiveram autoridade, mas poder é algo diferente. A autoridade dirige, mas o poder controla. O poder representa a capacidade de impor a própria vontade. Quem tem autoridade é respeitado; quem tem poder é temido e obedecido. O poder cria o tipo de desigualdade entre as pessoas sobre a qual se assentam todos os conflitos, porque ninguém quer ser submetido à vontade de outrem. Isso nos rouba a liberdade, a dignidade, a humanidade. As crianças, em especial, são muito sensíveis a manipulações de poder até aprenderem a manipular.

Durante a longa história da civilização humana, o poder tem sido uma mercadoria limitada. Somente alguns a possuíram: governantes, seus asseclas, os ricos. E é nas famílias com genitores poderosos que surge o problema edipiano. Esse fato foi claramente indicado por Reich em sua análise da origem da repressão sexual. Baseando seus comentários no estudo da sexualidade feito por Malinowski com os habitantes das Ilhas Trobriand, Reich assevera:

> As crianças trobriandesas não conhecem a repressão sexual, nem há para elas segredo sexual. [Sua] vida sexual [...] desenvolve-se naturalmente, livremente e sem interferências através de todos os estágios da vida com satisfação sexual plena. As crianças entregam-se à atividade sexual de acordo com a idade.[80]

Sua sociedade não demonstrou "quaisquer perversões sexuais, enfermidades mentais funcionais, psiconeuroses e assassínio de origem sexual." Reich a seguir assinalou:

> Há apenas um grupo de crianças excluídas desse processo: são as crianças reservadas para um casamento pré-arranjado, economicamente vantajoso,

Medo da vida

com um primo cruzado. Esse casamento traz vantagens para o chefe e constitui o núcleo em torno do qual se desenvolve uma ordem patriarcal. O casamento de primos cruzados encontrou-se em toda parte onde a pesquisa etnológica pôde provar a existência atual ou histórica do matriarcado (cf. Morgan, Bachofen, Engels e outros). Exatamente como as nossas, essas crianças são obrigadas a viver vida ascética; demonstram as mesmas neuroses e traços de caráter que conhecemos nos neuróticos de caráter.[81]

Se a análise cultural de Trobriand feita por Reich estiver correta, existe uma conexão direta entre a posse do poder, a repressão sexual e o conflito edipiano. A mesma relação se dá na civilização ocidental. A ilegitimidade, por exemplo, não era um problema para famílias de camponeses nos séculos passados. As crianças costumavam ser bem-vindas como ajudantes, independentemente de sua origem. Pela mesma razão, não se desprezavam as mães de filhos nascidos fora do vínculo matrimonial. As crianças da zona rural não sofriam do mesmo nível de repressão sexual a que eram submetidos os filhos da burguesia, moradores das cidades. O duplo padrão de moralidade sexual era mais observado nas famílias burguesas, cujas filhas ficavam prometidas para casamentos vantajosos que aumentassem a fortuna da família. Esse código poderia ser imposto somente se as crianças se vissem submetidas a uma educação sexual repressora desde os primeiros anos de vida. Foram as crianças dessas famílias que Freud atendeu em seu consultório no início do século passado. Enquanto a maior parte da população vivia em fazendas, em íntimo contato com a terra, havia uma reserva de pessoas cuja saúde emocional não tinha sido contaminada.

A vida no campo, apesar de significativamente diferente da existência nômade, tinha muitos elementos em comum com esta última. Era ainda um estilo natural de vida em que a sobrevivência não estava garantida. Antes da introdução das máquinas, o agricultor estava apenas um pouco menos sujeito às forças naturais do que o nômade. Também ele aceitava o eterno ciclo de vida, morte e renascimento sem cogitar que isso pudesse ou devesse mudar. Ficava contente se seus filhos seguissem seus passos, pois a sobrevivência ainda era o principal problema da existência.

A agricultura foi importante para o desenvolvimento da civilização porque não só permitiu ao homem instalar-se e começar a acumular bens como ainda produziu um excedente de alimento. A existência de uma maior quantidade de alimento permitiu um grau maior de especialização no trabalho, pois nem todos precisavam se dedicar em tempo integral à produção agrícola. Além disso, o excedente alimentar constituía poder nas mãos de quem o controlava, pois com esse estoque era possível contratar trabalhadores.

Assim que as pessoas ultrapassam o nível de subsistência, ou seja, quando dão o primeiro passo ascendente na escala social, tornaram-se cônscias de sua posição. Sentem-se superiores aos que ainda se encontram no nível inferior, e inferiores aos que estão acima. Tornam-se conscientes de si mesmas, de seu ego. Aqueles que vivem no nível de subsistência não são conscientes de si mesmos porque todas as suas energias estão voltadas para a tarefa de sobreviver. Aqueles dentre nós que vivem acima desse nível descreveriam a situação dos outros como uma luta pela sobrevivência. Mas a palavra luta é imprecisa. Não há luta quando aceitamos nosso destino e nossa posição. É o indivíduo consciente de seu ego que luta para subir mais na hierarquia social. Quanto mais ele se destaca, mais consciente se torna de seu ego, o que intensifica o impulso egoico para o domínio e para a luta que este desencadeia. A pessoa chama de progresso todo degrau que galgar.

Outro aspecto dessa situação é que esse impulso do ego não conhece limites. Racionalizamos o desejo de poder falando de segurança, de conforto material, das benesses associadas a este, mas quando todas essas necessidades estão satisfeitas o impulso para ter mais dinheiro e mais poder permanece. Até mesmo os que estão no topo continuam lutando para ter mais poder. Parece que, depois que o impulso domina as rédeas da personalidade, não há mais como detê-lo. Sei que existem muitas exceções a essa afirmação, mas acredito que ela possa ser generalizada. Na verdade, esse impulso não se limita a indivíduos ou a famílias. As nações buscam constantemente mais poder para dominar outras nações. Em seu nível mais profundo, o impulso do ego para o poder representa o desejo do homem civilizado de controlar a vida (a natureza e o destino) porque tem medo da vida.

Vejamos como esse impulso afeta as relações familiares. Sua própria existência pressupõe uma insatisfação do indivíduo diante de seu estado de ser. O indivíduo consciente de si não é feliz. Sofre de uma profunda sensação de inferioridade que o desejo de poder procura compensar. Essa sensação de inferioridade deriva em grande medida da castração psicológica que ele sofreu na fase edipiana de seu desenvolvimento. O resultado, como vimos, é uma luta pelo poder entre os cônjuges que produz ressentimentos e hostilidade dos dois lados, corroendo o amor que existiu entre eles. Seu prazer sexual diminui, o que acentua as sensações de ressentimento e de hostilidade. Os filhos são lançados nesse conflito. Normalmente, apoiam o lado do genitor do sexo oposto, a quem se sentem atraídos por suas sensações sexuais. Contudo, o filho percebe que cada um dos genitores tem certa razão em suas queixas.

Quando isso acontece, o ciúme emerge e toda a hostilidade latente é dirigida contra a criança, que está presa no meio do fogo cruzado. O pai sedutor não ajuda em nada, pois, para se defender, ele negará suas manipulações e até mesmo acusará a criança de ser sexualmente provocadora. Isso é fácil, uma vez que as sensações sexuais da criança são cristalinas, enquanto as do adulto estão ocultas. A criança está numa situação impossível e deve bater em retirada. A solução que ela dá ao dilema é abandonar suas sensações sexuais. Rendendo-se, a criança aceita a culpa por sua responsividade sexual e se torna psicologicamente castrada.

A ideia de progresso acrescenta mais lenha à fogueira do problema edipiano. O progresso exige que cada geração ultrapasse a precedente. O filho deve fazer melhor que o pai e ter mais poder e prestígio que ele. A filha deve ter uma casa melhor, uma vida melhor, uma posição social mais elevada que a da mãe. Essa exigência é imposta pelos pais em nome do progresso, mas na realidade visa satisfazer a necessidade deles de ascender socialmente. Para a mãe, o sucesso do filho vinga o sacrifício de sua realização sexual e de sua felicidade. Para o pai, o êxito do filho é um substituto dos próprios fracassos. O interesse dos pais pelos sucessos da filha obedece a motivações semelhantes.

Quando tais expectativas são colocadas contra um filho, tanto faz se abertamente ou não, elas intensificam o conflito edipiano. O menino se vê forçado a competir com o pai e a se comparar com ele. Percebendo a discrepância no tamanho de seus órgãos sexuais, o menino se torna muito consciente de sua inferioridade, consciência essa que pode permanecer com ele pela vida afora. Tal sensação de inferioridade é responsável pela tendência dos homens de comparar os órgãos genitais uns com os outros. Aumenta também o desejo de poder, a fim de compensar essa sensação. Ser forçado a competir com o pai produz no menino o medo paterno, que é vivido como ansiedade de castração.

No entanto, existe um outro lado nessa história: quando o menino também acredita que é superior ao pai. Espera-se dele que seja melhor que o pai.

Depois, à medida que vai crescendo, absorve da cultura a ideia de que os mais velhos, incluindo a geração de seus pais, são ultrapassados, retrógrados. Uma quantidade absurda de jovens acredita ser mais esperta e sofisticada que a geração anterior. Em certos casos, isso pode até ser verdade, dada a exposição precoce de crianças a sexo e violência. Pensando que são superiores, esses jovens resistem demais à ideia de aprender com os mais velhos ou com figuras de autoridade. Com excessiva frequência, sentem desprezo pelo que é antigo, pelas formas consagradas. Esse desdém encobre tanto seu medo quanto uma sensação interna de inferioridade.

O menino também sente que sobrepujar o pai é desalojá-lo de sua posição de marido e chefe de família. Os pais não estão pensando sexualmente, mas o filho está. Ter êxito significa vencer o pai e, portanto, ter a mãe. Foi isso que Édipo fez. Aparentemente, é isso que o pai estimula, mas, também não expressa, é a ameaça de castração pela ousadia do filho em competir. Contudo, se o menino não for bem-sucedido, também será culpabilizado. Em alguns casos, o perigo do sucesso é tão grande que a pessoa prefere fracassar em todas as tentativas a arriscar-se a um tal desafio. Em outros, o sucesso só é alcançado depois que o filho aceita a castração. Tem então permissão para ter sucesso porque está fazendo isso pelo pai. Era essa a situação de Robert, cujo caso descrevi no primeiro capítulo. A dinâmica da situação no caso das meninas é muito semelhante.

As crianças que são educadas nessa cultura moderna não conseguem evitar a situação edipiana ou os conflitos que a circundam. Não parece existir outra solução além daquela visualizada por Freud, a saber, a supressão das sensações sexuais perante a ameaça implícita da castração e a submissão às exigências do progresso. Depois de aceitar a derrota, o filho dispõe-se lentamente a inverter essa situação. Compromete-se com os objetivos do poder e do progresso. Com poder, ele não precisa sentir-se tão amedrontado. Com mais poder, pode até superar o medo da castração. Com os progressos mais espetaculares, ele poderia negar a existência do problema edipiano e se convencer de que pertence a uma geração liberada. Mas não se engana o destino; ele está aguardando. Apesar de nosso poder, ou talvez por causa dele, como no caso de Édipo, somos assolados pela praga da doença mental. Mais progresso não é a resposta. Nossa saída dessa armadilha é a que Édipo não encontrou: obter sabedoria e humildade pelo abandono da arrogância associada à consciência do ego. Existe um

Medo da vida

tema secundário na mitologia grega que aborda essa questão. Se o herói "age na arrogância da egomania, a que os gregos denominam *hybris*, e não reverencia o *numinosum* contra o qual luta", deverá acabar enfrentando uma catástrofe, a morte ou a loucura.[82] Contudo, Édipo conseguiu encontrar a paz de espírito que estamos todos buscando.

8. A sabedoria do fracasso

O ENIGMA DA ESFINGE

Quando as pragas assolaram Tebas, Édipo consultou Tirésias, um vidente cego, como se hoje aquele que sofresse da moderna praga da doença emocional fosse consultar um terapeuta. O vidente pode prever o futuro porque consegue *ver* o interior da natureza das coisas. Mas Tirésias era cego: a visão do profeta não é uma função da consciência do ego, como a visão comum, mas sim do inconsciente, ou da função divina do hemisfério direito, como o crê Jaynes. O olhar consciente pode ser enganado pela aparência das coisas, que muitas vezes contradiz sua verdadeira natureza. No caso de pessoas, é regra geral que, quanto mais elaborada a fachada, mais vazio é o interior. Para que possa profetizar o destino do indivíduo, o vidente precisa compreender a natureza humana.

Um terapeuta ideal seria como o profeta Tirésias, capaz de ler o caráter e predizer o destino. Dirigimo-nos a ele para pedir conselhos porque esperamos que seja sábio e entenda a natureza humana. Sem essa compreensão, ele não é capaz de ajudar os pacientes a curar as cisões em sua personalidade, que destroem sua unidade e harmonia interiores. Neste capítulo, consideraremos a natureza do ser humano e tentaremos chegar a um entendimento da sabedoria. Veremos que, se nossa análise for mais profunda que a versão consagrada, o enigma da Esfinge contém alguns pontos fundamentais para a compreensão da natureza humana.

Édipo disse que o *ser humano* era o animal que andava de quatro pela manhã (infância), com duas pernas ao meio-dia (maturidade) e com três à noite (velhice). Embora essa seja a resposta correta ao enigma, deixa de responder à pergunta mais importante: qual é a natureza dessa criatura que tem três diferentes maneiras de se pôr em pé ou de ser no mundo? Anteriormente, afirmei que Édipo era culpado pela arrogância do conhecimento; ele pensava que sabia. Ninguém é tão cego quanto aquele que pensa que sabe.

Examinemos em detalhe os três estágios da vida de um ser humano. Como um bebê que engatinha de quatro, o homem é igual a todos os outros animais. O animal é caracterizado pelo fato de viver plenamente a vida de seu corpo, seguindo livremente seus impulsos e só conhecendo a necessidade de satisfazer seus desejos e vontades. O bebê humano é exatamente assim. Nasce mais impotente e dependente do que todos os outros jovens mamíferos, mas com o mesmo instinto de sobrevivência. Uma ação instintiva básica, comum a todos os mamíferos, é a sucção do seio para alimentar-se. Ninguém precisa ensinar um recém-nascido a executar essa ação; faz parte de sua natureza. Nas culturas ancestrais e não industriais, as crianças eram amamentadas até os 5 anos, muito tempo depois de já serem capazes de ficar sobre as próprias pernas, falar e comer alimentos sólidos. Esse longo período de aleitamento não só satisfaz as necessidades orais da criança como estimula sua natureza animal, que é a base de seu ser. A neurose é marcada tanto pelo grau de distúrbio sexual (impotência orgástica) quanto pela dificuldade de sugar. Esta última se manifesta na incapacidade de inspirar plena e profundamente quando se respira.

O segundo estágio começa antes que o primeiro termine. Representa a fase da existência do homem em que ele é mais humano, quer dizer, quando se torna capaz de falar. O uso da linguagem é o mais humano dos atributos. Está intimamente relacionado, em termos temporais, com a capacidade de ficar sobre os próprios pés. A criança diz as primeiras palavras quando dá os primeiros passos, em torno de um 1 ano de idade. O falar e a deambulação bípede destacam o homem de outros animais. Ele agora tem uma relação diferente com o mundo ao seu redor. Com sua visão em foco, percorre as coisas com o olhar e procura dominar e controlar o mundo. Não é mais um participante passivo dos acontecimentos naturais. Com a manipulação do ambiente, impõe sua vontade sobre a natureza. Torna-se um criador. Na qualidade de criador, o ser humano se identifica com Deus, a quem considera o criador do universo. Nesse estágio da vida, aspira a ser como Deus; isto é, esforça-se para ter onisciência, onipotência e imortalidade, atributos divinos. Olha para o céu em busca de inspiração e conhecimento.

A ideia de que o homem tem dupla natureza é comum. Erich Fromm fala da "natureza paradoxal do homem, metade animal, metade simbólica".[83] Nosso dilema tem sido descrito da seguinte forma: somos simultaneamente vermes e deuses. Essa dualidade também pode ser expressa em termos do ego

Medo da vida

e do corpo, da autoconsciência e do inconsciente, dos hemisférios direito e esquerdo do cérebro. Embora essa dualidade seja inerente à nossa natureza, desenvolveu-se através de um processo histórico no qual a consciência do ego veio à luz e a ordem matriarcal foi substituída pela patriarcal. Vimos também que a tensão entre os aspectos dual e antitético da natureza humana nos torna vulneráveis a problemas mentais.

O enigma da Esfinge acrescenta um terceiro estágio à vida humana. Sem este terceiro elemento, restaria a impressão de que estamos fadados a conduzir uma existência dividida. Qual é o significado do terceiro estágio, quando o homem anda sobre três pernas? Eis aí, de fato, uma estranha criatura, nem homem, nem besta; ou talvez, nesse ponto de sua existência, completamente homem e besta, como a Esfinge. Um terceiro elemento é sempre necessário para compreendermos as dualidades e as contradições. Segundo o pensamento dialético, o terceiro termo é chamado de síntese; representa a conciliação, num nível mais elevado, das oposições existentes entre tese e antítese. Nascimento e morte podem ser vistos, por exemplo, como uma relação dialética decorrente da vida. Como o nascimento implica o começo da vida e a morte, seu término, trata-se de conceitos opostos. A síntese é o renascimento ou vida nova, que emerge da interação das duas primeiras forças. Sem nascimento e morte não haveria renascimento ou vida nova.

Um velho não consegue mais apoiar-se sobre duas pernas, daí a bengala. Não consegue mais aspirar à divindade. Perto do fim de sua jornada existencial, está cansado. Aceita a mortalidade e assim a morte deixa de inspirar terror. A morte costuma ser vista pelos mais velhos como um repouso merecido, uma bem-vinda interrupção no tumulto existencial, o retorno aos ancestrais. Em muitas culturas antigas, os idosos afastam-se voluntariamente para morrer a fim de não sobrecarregar as gerações mais novas. Fazem-no sem medo.

Renascimento não é necessariamente reencarnação. Antes de mais nada, trata-se de um retorno à fonte da vida. O corpo volta à terra de onde veio e o espírito se torna parte do oceano de energia cósmica. Ambos agirão novamente em conjunto na criação de outro corpo vivo. O indivíduo retorna ao universal e deixa de preservar suas características individuais. Como gotas d'água que caem sobre o oceano, perdemos nossa alteridade. A analogia com o oceano é boa porque a vida, tal como a conhecemos, teve início no oceano. Toda forma de vida se cristalizou a partir da matriz universal. É por isso que o bebê se sente tão parte do todo, que a criança se sente em tão íntima relação com todas as criaturas vivas. Seus limites e contornos ainda não foram completamente determinados e esse ser ainda está aberto a todos os tipos de influência.

O segundo estágio é marcado por uma sensação intensificada de individualidade. Isso se deve ao desenvolvimento e ao amadurecimento do ego, que dota o ser humano de um senso consciente de *self*. Mas individualidade significa alteridade. Não nos vemos mais como parte de um processo mais amplo de vida na Terra, e sim como seres cuja distintividade é mais importante do que a comunalidade. Não estamos mais apenas conscientes de nós mesmos; temos consciência de nosso ego e, na realidade, somos egotistas. E, uma vez que nosso ego não sobreviverá à morte do corpo, vivemos com medo da morte. Aqueles que não estão identificados com o ego — que conservam uma forte identificação com sua natureza animal — não temem a morte.

À medida que envelhecemos, a sensação de alteridade se reduz aos poucos. As pessoas idosas não vivem no nível do ego. Suas preocupações não se limitam à própria individualidade: abrangem o curso da vida, a família, a comunidade, a nação, as pessoas, os animais, a natureza, a vida. Podem morrer com serenidade se tiverem a garantia de que a vida continuará positivamente, pois se sentem novamente parte do fluxo existencial e logo farão parte do oceano cósmico. Quando estiverem muito velhas, não pertencerão mais ao nosso espaço e tempo e sim a todo tempo e a todo espaço. Laurens van der Post chega à mesma conclusão após observar dois velhos bosquímanos enfrentando a morte porque não conseguem mais acompanhar a comunidade. "Teremos a coragem de encontrar a morte e de dar sentido a ela desde que nós, tal como esses velhos bosquímanos humildes e cheios de rugas, não coloquemos uma parte de nós mesmos acima da totalidade da vida."[84]

Examinemos agora cada um desses estágios em detalhe. Observe-se que os três estágios do homem também são relacionados a três diferentes perspectivas temporais. O bebê, como todos os outros animais, vive completamente no presente. O adulto, por outro lado, vive parcialmente no futuro. Elabora e planeja ações em função de necessidades futuras. Os seres humanos conseguem projetar parte de sua consciência, ou toda ela, para o futuro, habilidade esta que pode produzir uma ruptura momentânea em sua percepção da realidade. O indivíduo por vezes cai num devaneio tão vívido que perde a consciência do que está lhe acontecendo. A capacidade criativa

Medo da vida

do homem depende diretamente de sua capacidade de projetar sua consciência no futuro.

As diferentes perspectivas temporais de uma criança e de um adulto são relativas aos princípios básicos subjacentes ao comportamento humano: o princípio do prazer e o princípio da realidade. O primeiro afirma que todo organismo vai em busca de prazer e evita a dor ou a tensão. Todas as criaturas vivas, inclusive os seres humanos, obedecem a esse princípio, que governa por completo o comportamento infantil. Mas, no caso dos adultos, existe um princípio secundário que modifica a ação do primeiro. O princípio da realidade afirma que o prazer pode ser adiado — ou a dor tolerada — em nome de um prazer maior — ou para evitar uma dor maior no futuro. O funcionamento do princípio da realidade depende da capacidade de antecipação de uma situação futura. Todos os animais têm essa capacidade até certo ponto, já que ela é a base do aprendizado. No ser humano adulto, porém, essa capacidade está num ponto de desenvolvimento tão avançado e consciente que a diferença de nível se torna uma diferença de espécie.

Os problemas começam quando nos tornamos incapazes de manter um equilíbrio entre essas duas perspectivas. Com o avanço da industrialização, a tendência de qualquer cultura é focalizar cada vez mais o futuro. Praticamente todo mundo — da criança que entra na escola à maior das nações — está às voltas com planos, projetos e objetivos. Não é apenas uma questão de atingir determinada meta. Assim que se atinge um objetivo, determina-se o próximo. Isso se chama progresso. Envolve as pessoas numa atividade interminável, num incessante fazer, que é a antítese de ser. Somos tão condicionados a olhar para a frente que logo depois de iniciarmos a carreira já estamos elaborando planos para nossa aposentadoria. Assim que a criança entra na escola, ou mesmo antes, ela e sua família estão planejando o curso universitário. As pessoas trabalham para conquistar um patrimônio para o período em que se aposentarem ou morrerem. Com excessiva frequência, a última alternativa se concretiza antes.

O enfoque desmesurado no futuro rouba do presente o significado e seu prazer. E, uma vez que o futuro decorre do presente, a perda deste faz do futuro um sonho ou uma ilusão. É como tentar construir uma casa sem fundação. Não é de surpreender que tantas pessoas terminem deprimidas ou com um senso tão reduzido de *self*. Quando o futuro se sobrepõe ao presente, quando o fazer nega o ser, estamos em sérios apuros. O equilíbrio adequado se dá quando a pessoa ou a sociedade estão fundamentadas no corpo, no presente, no ser. Nessa situação, o ego, o futuro e o fazer têm sólidas raízes. Em nível mais profundo, as próprias fundações repousam no fato de fazermos parte da terra e da natureza.

Qual é a perspectiva temporal do terceiro estágio da vida? Se o bebê vive no presente e o adulto, no presente e no futuro, onde vive o idoso? Conforme o ser humano fica mais velho e seus olhos se embaçam pela idade, o futuro se esvanece, o presente se nubla e o passado torna-se vívido e real. É típico do idoso voltar o olhar para o passado. Trata-se de um fenômeno verdadeiramente surpreendente. Significa que os anciãos são nossos vínculos com o passado e, assim, prestam um serviço da maior importância à sociedade. O passado pode ser lido nos livros, mas há uma realidade diferente nos relatos da experiência pessoal dos velhos.

O conceito de três estágios na vida humana, ou os três termos de qualquer análise das funções existenciais, é dialético. Existe uma unidade original que, através da ação da consciência, divide-se em aspectos opostos ou antitéticos em busca de uma síntese num nível mais elevado. O princípio dialético pode ser também aplicado ao modo como as informações são processadas. Os dois modos antitéticos de processar informação são a compreensão e o conhecimento. Pintinhos recém-nascidos numa chocadeira "conhecem" que alimento comer. Conhecer não é a palavra exata para essa situação. Eles recebem informação de seus órgãos da visão, olfato e paladar, que é processada inconscientemente e orienta suas ações. A isso chamamos compreensão. Conhecer denota que a informação é processada conscientemente. Examinemo-las a fim de chegar a uma síntese.

A segunda edição do *Webster's new international dictionary* cita Samuel Coleridge quando este diz que compreender é "ter o poder de lidar com as impressões dos sentidos e compô-las em totalidades". É isso que os pintinhos fazem quando escolhem e comem algumas coisas, refugando outras. Eles compreendem o que é bom para eles e o que não é. Os bebês têm a mesma capacidade. Evidentemente, essa compreensão limita-se àquelas impressões sensoriais cujo significado já foi apreendido pela mente humana ao longo da evolução da espécie. Por trás de uma criança — ou de um pintinho, nesse caso — estão milhões de anos da história evolutiva que informaram seu corpo-mente do que significa ser criança ou pintinho. A compreensão difunde-se pelos tecidos do corpo, o qual sente e reage com inteligência ao ambiente

Medo da vida

natural. Seifritz, que passou muitos anos estudando os fungos lodosos, comenta a respeito do protoplasma: "Não posso dizer que o protoplasma seja inteligente, mas ele faz coisas inteligentes".

Interessantemente, Jaynes também faz relações com essa herança do passado. Na hierarquia de poder dos reinos bicamerais, o homem está abaixo de seu deus. Uma vez que os deuses, segundo o autor, são uma função do hemisfério direito do cérebro, o qual busca totalidades, podemos relacionar a compreensão a esse hemisfério — em oposição ao conhecimento, que seria uma função do poder analítico do hemisfério esquerdo.

O conhecimento pertence ao segundo estágio da vida, aquele que é exclusivamente humano. O dicionário o define como familiaridade com fatos, verdades e princípios oriundos de estudos e investigações[85]. Envolve a aquisição consciente de informações, o uso da linguagem e de outros símbolos. Se a compreensão se relaciona aos processos sensíveis do corpo, o conhecimento diz respeito aos processos de pensamento. Em termos gerais, a compreensão é uma sensação de baixo, que parte do corpo, ao passo que o conhecimento é uma visão de cima, oriunda da cabeça ou da mente. A distinção entre compreensão e conhecimento fica clara quando consideramos o sexo. Acredito que uma criança compreende o que é o sexo. Isso não deveria nos surpreender. Não faz tanto tempo assim que ela foi concebida num ato sexual e está ainda mais próxima do momento de seu nascimento, produto final desse ato. O sexo faz parte de sua natureza, mas nesse estágio ela não tem conhecimento dessas coisas.

O conhecimento é função do ego, o qual, à medida que se desenvolve, acaba por adotar uma posição objetiva e superior com respeito ao corpo. Seria muito bom se nosso conhecimento aumentasse à proporção que nossa compreensão se aprofundasse, mas infelizmente isso é raríssimo. Em geral, o que pensamos que conhecemos contradiz nossa compreensão, e no conflito entre ambos tendemos a confiar plenamente no conhecimento, negando a compreensão. Vamos a um exemplo. Sabemos que o poder é uma força importante neste mundo e que sem ele somos vulneráveis. Portanto, dispomo-nos a enormes sacrifícios para obtê-lo. Sacrificamos nosso prazer, nossa integridade e nossa paz de espírito pelo poder, que nos chega na forma de dinheiro e de sucesso. *Compreendemos* que o prazer, a integridade e a paz de espírito são essenciais a nosso bem-estar, mas não *conhecemos* que isso é assim. Não se trata de um fato comprovável como o efeito do poder. Portanto, nossa tendência é ignorar essa compreensão.

Eis outro exemplo. Os pediatras estudaram as necessidades nutricionais de bebês por um longo tempo e adquiriram conhecimento sobre o assunto. Os povos tradicionais não tinham esse conhecimento, mas compreendiam qual era a melhor forma de alimentar seus filhos — e isso funcionava. Contudo, conforme nosso conhecimento aumentou, diminuiu o aleitamento de bebês. As pessoas dão mais crédito ao conhecimento do que à compreensão. Ainda outro exemplo: todos compreendemos que o ser humano faz parte da natureza e que sua existência depende do equilíbrio ecológico desta. Porém, depois que chegamos ao conhecimento das leis naturais e aprendemos a controlá-las para satisfazer nossas necessidades, a tendência é negligenciarmos a compreensão inerente à nossa natureza animal.

Por quê? Bem, conhecimento é poder, poder de controlar os resultados manipulando as causas. Isso dá ao homem a impressão de ser como Deus, pois mitiga suas ansiedades e atenua sua insegurança. A compreensão não oferece recompensas tão quiméricas. Porém, são quiméricas apenas porque, nosso poder aumentando, parece que sofremos mais ansiedade e insegurança do que antes. E um número cada vez maior de pessoas precisa de terapia para lidar com essas disfunções.

O problema de nossa confiança no conhecimento e no poder é que o primeiro é imperfeito e incompleto, enquanto o segundo é por demais limitado. Só Deus é onisciente e onipotente, e é ilusório acreditar que podemos nos tornar deuses. Nosso conhecimento deve permanecer sempre parcial porque somos apenas uma parte da ordem total da natureza. Só conseguimos enxergar um aspecto por vez. Na física, isso é conhecido como princípio da incerteza. Segundo esse princípio, no caso de partículas muito diminutas, como os elétrons, se conhecermos sua posição não poderemos determinar a direção de seu movimento ou sua velocidade. Se soubermos com precisão esses dois elementos, não conheceremos sua posição. Infelizmente, somos levados a crer que o conhecimento é infalível.

Quando os fatos são obtidos por meio de um estudo pessoal de investigação e pesquisa, o conhecimento assim adquirido é razoavelmente seguro. Contudo, uma porção excessiva de conhecimento que damos por certo é composto de pronunciamentos de "autoridades" que, com exagerada frequência, falam como se tivessem a onisciência de Deus. E quando o conhecimento é apresentado na forma de livro, as pessoas respeitam-no como se fosse sagrado. Isso é perigoso porque subverte o papel da compreensão. Em vez de basear-

Medo da vida

mos o conhecimento na compreensão, tentamos derivar nossa compreensão do conhecimento. É a mesma coisa que virar uma casa de ponta-cabeça e apoiá-la sobre o telhado. Pai algum consegue compreender seu filho lendo livros de psicologia infantil, como terapeuta algum consegue compreender um paciente estudando livros de psicologia clínica. A compreensão é um processo empático que depende da resposta harmônica de um corpo a outro.

Não estou falando aqui em negar o valor do conhecimento. É apenas uma questão de prioridades. Quando trabalho com um paciente, confio plenamente em minha resposta empática à pessoa. Através de meu corpo, posso sentir como o outro se porta, como se coloca no mundo. Enquanto eu não sentir a pessoa, não posso fazer nada, pois só teria o conhecimento em que me basear — e meu conhecimento talvez não seja relevante para o momento em que aquele paciente se encontra. A resposta empática vem espontaneamente de meu inconsciente e, quando isso ocorre, posso então usar o conhecimento para interpretar minha reação ao paciente. Para tanto, devo confiar em minha sensibilidade. Não agir assim é estupidez.

Retornemos agora ao terceiro estágio do homem, aquele em encontramos uma síntese do conflito entre conhecimento e compreensão. Essa síntese é chamada de sabedoria, algo que associamos aos idosos. A sabedoria é a percepção de que o conhecimento não fundamentado em compreensão é destituído de significado, pois não tem lastro no todo. Por outro lado, a compreensão sem conhecimento é estéril, pois carece da informação factual necessária ao controle de uma situação ou para efetivar uma mudança. Uma pessoa de mais idade já viveu no presente quando criança, olhou para o futuro quando adulta e agora, olhando para trás, percebe do que se trata. Sabedoria é perceber que a vida é uma viagem cujo significado se encontra no próprio ato de percorrê-la — e não no seu ponto de chegada. A pessoa sábia é como a Esfinge: reconciliou dentro de si as forças opostas na natureza humana, o corpo animal e a mente divina.

Basicamente, a terapia diz respeito à aquisição da sabedoria. O paciente lança o olhar sobre o passado para compreender a si mesmo. Essa compreensão, quando somada ao conhecimento da vida, produz sabedoria. Uma vez que o passado está enterrado dentro do *self*, no inconsciente, olhar para trás significa também olhar para dentro. A compreensão que se atinge nessa busca é chamada de *insight*. Em bioenergética, essa busca é conduzida ao longo de dois caminhos paralelos: pela análise de lembranças, sonhos,

Alexander Lowen

associações e da situação transferencial; e através do corpo, depositário de todas as experiências. Descrevi a abordagem bioenergética em outro livro, o qual indico aos leitores.[86]

Não é preciso chegar à velhice para adquirir certa sabedoria. Ela se desenvolveria naturalmente se o conhecimento que obtemos fosse integrado à compreensão havida, se cabeça e corpo estivessem de fato unidos. Mas não é assim que funciona nossa cultura, a qual separa esses aspectos do homem. Hoje, para chegar à sabedoria, é preciso ter vivido o bastante para ser capaz de olhar para trás, para o passado, com alguma objetividade. Isso explica por que Jung acreditava que a análise funciona melhor nas pessoas com mais de 40 anos. Explica também por que é difícil fazer análise convencional com crianças e adolescentes. As crianças vivem plenamente no presente, enquanto os olhos dos adolescentes estão voltados para o futuro. E é assim que deve ser, pois os jovens precisam de sonhos e as crianças precisam de inocência. Mas em geral eles também necessitam de ajuda, e há inúmeras formas de ajudá--los. O trabalho com o corpo, em minha opinião, é uma das melhores. A terapia familiar é outra abordagem efetiva que, centrando-se na interação entre pais e filhos, abre as portas da comunicação entre eles.

A conquista da sabedoria é um processo que implica ver e aceitar as contradições na natureza humana, inclusive na de nossos pais. Primeiro ficamos zangados, até furiosos, por sua falta de amor, por sua manipulação, por sua insensibilidade. Sentimos a tristeza oriunda de sua falta de entrega e experimentamos o medo de que sua rejeição e hostilidade aumentem. Choramos, gritamos e nos enfurecemos por causa da dor instalada em nosso corpo que provém desses traumas iniciais. São sensações válidas, pois são nós e nós somos elas. Toda sensação constitui uma autopercepção (sentir é perceber o *self* em movimento). Negar ou suprimir sensações rebaixa e amortece o *self*. Mas, com o tempo, conforme nossa dor é descarregada, também começamos a compreender a situação existencial de nossos pais. Então, à medida que nos libertamos do vínculo com o passado, percebemos e sentimos que nossos pais nos amaram tanto quanto puderam. Pois não há vida sem amor.

Sabedoria significa ver o âmago das coisas sob a superfície de nossas contradições, onde não há bom ou mau, certo ou errado. Significa ver o ser humano como o animal que é, lutando para obter segurança e ainda ser livre, ser produtivo mas também jovial, buscar prazer mas também conhecer a dor, ansiar pela transcendência e não obstante contentar-se por estar contido num

Medo da vida

corpo finito. É saber que o amor não existe sem a possibilidade do ódio. É saber que há a hora de viver e a hora de morrer. É conhecer a glória do desabrochar da vida que parece esmaecer depressa demais, mas deixa atrás de si uma semente que brotará no momento certo. É saber que existimos para celebrar a vida.

RECONCILIANDO CONTRADIÇÕES

A natureza humana é cheia de contradições. Uma delas gira em torno da muito debatida questão do livre-arbítrio. O nosso comportamento é uma questão de escolha ou está condicionado e determinado por experiências passadas?

Todos acreditamos que, dentro de determinados limites, escolhemos conscientemente como reagir às situações. Não é verdade que escolhemos deliberadamente as roupas que vestimos pela manhã, os alimentos que ingerimos, a carreira que seguimos, a pessoa com quem nos casamos? Não é verdade que podemos escolher entre sermos honestos ou não, gentis ou cruéis, generosos ou egoístas? Negar que as pessoas fazem escolhas na vida vai contra nossas experiências. Em inúmeras ocasiões, ao longo do dia, consciente e deliberadamente escolhemos fazer certas coisas e não outras. Enquanto estivermos conscientes de nossas faculdades e em pleno uso delas, parece-nos que temos escolha.

Contudo, todas as evidências analíticas mostram que nosso comportamento é determinado por experiências passadas. Os que, dentre nós, praticam alguma forma de terapia analítica estudam o passado do paciente para compreender por que ele se sente e se comporta da maneira como faz no presente. Se investigarmos seu inconsciente com apuro e cuidado, chegaremos a algumas respostas que explicam seu comportamento. Eis um exemplo.

A pessoa vem procurar ajuda porque não consegue estabelecer relações significativas com ninguém. Sente medo da rejeição, sente-se rejeitado e age de um modo que provoca rejeição. Não consegue se abrir e ir em busca dos outros. Embora deseje desesperadamente fazer contato com outrem, afasta-se e se fecha quando esse contato lhe é oferecido. Por quê? Num caso desses, a análise invariavelmente revela que a pessoa passou por uma grave rejeição no início da infância, tão dolorosa que determinou seu fechamento e sua contração numa postura autodefensiva. Quando adulta, sente que não deve se arriscar a outra rejeição porque talvez não sobreviva a ela. Evita o perigo mantendo-se distante e retraída. Não dói ser rejeitada por não se abrir. Só dói quando ela se abre, vai em busca de alguém e então é repudiada. Enquanto permanecer contraída, não há esperança nem dor, só solidão.

Pode-se falar em escolha num caso assim? A pessoa tem alguma escolha quando se trata de pôr ou não a mão no fogo? Se ela já se queimou por encostar a mão no fogão, tomará cuidado quando tocar qualquer fogão de novo. Mas somente um tolo se arriscaria se houvesse se queimado duas vezes. As experiências passadas estruturam nosso comportamento para garantir a sobrevivência. Não nos fechamos, nos encouraçamos ou nos retraímos por escolha, mas por necessidade. Ninguém escolhe deliberadamente um estilo neurótico de vida, pois se trata de uma limitação ao seu ser. O processo de formação da couraça muscular é um meio de sobrevivência, uma forma de evitar a dor intolerável. Então, quando o fechamento ou encouraçamento se estrutura no corpo — ou seja, se torna inconsciente —, não há escolha, no presente, entre nos abrirmos e irmos em busca de alguém ou não. Uma porta trancada não pode ser aberta sem a chave.

A psicologia, nessa situação, costuma ter pouca serventia. A pessoa pode ser levada a tomar consciência de que, em seu estado fechado, sempre se sentirá rejeitada; de que, se não se entregar, inevitavelmente outras a rejeitarão. Mas ela não consegue mudar seu jeito de ser tomando uma decisão a esse respeito. Afinal, o controle consciente do comportamento limita-se às ações da vontade. A mente consciente, agindo por meio do ego, comanda os movimentos voluntários do corpo. Mas esse comando foi abandonado no que tange aos movimentos relativos a sensações suprimidas. A supressão de sensações desencadeia um estado de contração crônica nos músculos que expressariam tal sensação. A tensão muscular crônica é inconsciente; ou seja, a pessoa não sente a tensão ou o músculo, e portanto não controla seu movimento. Além disso, a sensação em geral não se submete à vontade; o indivíduo pode se obrigar a realizar o movimento de ir em busca de alguém, mas sem senti-lo esse momento é mecânico e ineficaz. É impossível afetar *diretamente* os processos corporais inconscientes que moldaram a personalidade e determinaram suas respostas.

Consideremos o caso de alguém que se defronta com uma necessidade incomum de poder e controle. Invariavelmente, a análise demonstrará que, quando criança, essa pessoa sofreu de tamanha impotência e desamparo que sentiu sua sobrevivência ameaçada. Portanto, sua motivação para o poder

Medo da vida

pode ser compreendida como meio de assegurar sua sobrevivência. Mais uma vez, não se trata de escolha e sim de necessidade. Também podemos tomar o caso de um indivíduo cujo comportamento é submisso e passivo. Será resultado de uma escolha? Uma vez mais, a análise revelará que não, que esse padrão de comportamento foi adotado para que ele sobrevivesse. Quando criança, vivendo a situação familiar, ou se submetia e sobrevivia ou se revoltava e perecia. Isso não pode ser considerado uma escolha.

Essas descobertas analíticas (algumas das quais cobrem um período de setenta e cinco anos) não podem ser postas em dúvida. Existem evidências em abundância para comprovar que até mesmo as assim chamadas escolhas de carreira profissional, de companheiro, de lugar para morar etc. são em grande medida determinadas por nossas primeiras experiências de vida. À medida que vamos nos conhecendo através da análise, percebemos quanto de nossas reações adultas são condicionadas por acontecimentos da infância. Hoje não consigo comer aveia porque, quando criancinha, me sufocava com os grumos do mingau. Apesar disso, minha mãe insistia para que eu comesse. Inúmeros exemplos desse tipo de condicionamento podem ser encontrados na história pessoal de qualquer um. Isso nos faz pensar: até que ponto fizemos de fato escolhas na vida?

Contudo, a aceitação do conceito de determinismo representa um grande dilema. Se o comportamento é, em grande parte, predeterminado, pouco sobrando para a vontade, até que ponto somos responsáveis por nossas ações? Que posição adotaremos diante do comportamento criminoso que, diante de uma análise profunda e abrangente do passado do indivíduo, é comprovadamente visto como condicionado por experiências dos primeiros anos de vida? Diremos que esse comportamento não deve ser punido porque a pessoa não pode ser considerada responsável por situações nas quais não teve escolha?

Evidentemente, a sociedade só pode funcionar com base no pressuposto de que um indivíduo adulto é responsável por suas ações. A convivência social se tornaria impossível se assim não fosse. Mas esse pressuposto implica a existência de livre-arbítrio e da oportunidade de escolher entre certo e errado. Segundo o Gênesis, quando o ser humano comeu o fruto da árvore do conhecimento, tornou-se semelhante a Deus, passando a distinguir o bem do mal. Deixou de lado a inocência que caracteriza o animal e, procedendo assim, perdeu a bênção paradisíaca da ignorância. Com esse conhecimento, tornou-se *Homo sapiens*. Ao discernir o certo do errado, ele pode ser tido como responsável por seus atos. É com esse princípio que perdoamos os crimes cometidos por crianças pequenas, ainda consideradas animais, e pelos insanos, que não sabem julgar.

É impossível resolver as contradições entre determinismo e livre-arbítrio. Olhando *para trás*, parece de fato que nosso comportamento é predeterminado. Olhando *para a frente*, parece que, como distinguimos entre certo e errado e temos vontade, podemos usar construtiva ou destrutivamente esse conhecimento. Se dissermos que as duas visões da condição humana são válidas e que é só uma questão de como as olhamos, teremos chegado a algum nível de sabedoria. Teremos conciliado a contradição. Sabedoria é a capacidade de olhar para a frente e para trás, de enxergar os dois caminhos sem ilusões.

Mas não seria ilusão pensar que o homem sabe distinguir o certo do errado? Ele é instruído a respeito de algumas regras de conduta por seus pais, que as receberam de seus progenitores. Tais regras variam de uma cultura para outra, mas ainda assim cada cultura acredita que elas se baseiam no conhecimento de certo e errado. Se isso fosse verdade, o homem seria como Deus. Mas se tal crença é ilusória, podemos admitir que talvez a ilusão seja necessária para dotar tais regras de uma autoridade superior. As sociedades adotam determinadas normas de comportamento para facilitar a convivência, e se a comunidade prospera tais regras aos poucos se tornam uma verdade estabelecida. Então se esquece que elas foram consagradas pelo uso e pelo costume, não ditadas por leis divinas. A questão importante a respeito de qualquer regra de conduta é se promove ou não o bem-estar da comunidade. O sábio aceita essa contradição e consegue viver com ela. Não se incomoda com declarações do tipo "parece que". Não alimenta ilusões a respeito da infalibilidade do conhecimento humano.

A questão do livre-arbítrio *versus* determinismo não é apenas filosófica. Encontra-se no âmago de toda tarefa terapêutica. Até que ponto o paciente tem escolha diante de seu comportamento neurótico? Ao trabalhar com o paciente, sempre parto do pressuposto de que ele é impotente para mudar sua situação. Se eu não acreditasse nisso, teria de acusá-lo de fingir que está doente pelos ganhos secundários que a doença lhe proporcionaria. Fingir-se de doente é uma maneira de chamar atenção. E o comportamento autodestrutivo é uma maneira de se vingar de alguém. Por exemplo, a criança não quer jantar para provocar a mãe. Mas, nesse caso, podemos supor que o comportamento negativo foi adotado porque uma atitude positiva seria ainda mais

Medo da vida

dolorosa. A criança pode abrir mão do jantar se o ato de comer exigir que ela também engula humilhação ou mágoa. Também podemos compreender que a criança que precisa se fingir de doente para obter atenção está de fato adoecida, no fundo do coração, pela falta de atenção.

Mas se o paciente é incapaz de superar sua neurose, que responsabilidade ele carrega? Como qualquer outro adulto, ele é também responsável por sua vida, claro. Ninguém pode respirar por ele, sentir por ele, viver por ele. Se ele não viver sua vida, estará perdido. Essa responsabilidade ele deve a si mesmo. Parte dela implica autocompreensão, o que demanda sintonizar medos, ansiedades e culpas que bloqueiam a vivência de sua plena vitalidade. Ninguém pode superar os próprios temores, pois isso equivale a usar o *self* para subjugar o *self*, o que é impossível. O paciente não melhora passando por cima de suas dificuldades, mas aceitando-as e compreendendo-as. Aprende que seus medos e angústias derivam de situações antigas, que não existem mais exceto em sua imaginação. Se ele conseguir abrir mão das defesas a essas situações, poderá experimentar a libertação dos medos, ansiedades e culpas que limitam seu ser.

Abandonar o estado de autodefesa não exige esforço da vontade. É o que nós, terapeutas, descrevemos como "entregar-se". No mínimo, esse entregar-se representa uma entrega da vontade, a rendição aos processos espontâneos e naturais do corpo e da vida. Embora o sistema defensivo tenha se desenvolvido originalmente como meio de sobrevivência, no presente constitui uma defesa contra a vida e representa o medo que se sente dela. Foi erguido por força da vontade e sua persistência está vinculada ao uso contínuo dela, embora tal uso seja inconsciente. O paciente precisa se tornar consciente de que está usando a vontade, o esforço ou fazendo algo inconscientemente para se defender da vida.

Vamos a um exemplo. O mecanismo básico para a supressão de sensações é a inibição da respiração. Ao reduzirmos a recepção de oxigênio, diminuímos a queima metabólica e baixamos o nível de energia. Por sua vez, isso reduz a intensidade das sensações e torna mais fácil suprimi-las ou controlá-las. Portanto, para mobilizar as sensações suprimidas é preciso fazer o paciente respirar mais profundamente. Foi essa técnica que Reich utilizou comigo quando fui seu paciente. É uma técnica potente, e às vezes sensações intensas emergiam de meu interior.[87] Contudo, muitas outras vezes eu ficava deitado na cama, respirando, sem que nada acontecesse. Respirava de modo muito superficial. Reich, que se sentava de frente para mim, instruía-me então a respirar mais fundo. Eu fazia um esforço para corresponder à instrução, mas isso também não adiantava. O esforço demandava o uso da vontade, e esta acabava inibindo as sensações e emoções por causa do controle consciente nela envolvido. Pelo mesmo motivo, exercícios respiratórios não suscitam sensações. Trata-se de deixar a respiração acontecer em vez de realizá-la.

Eu devia me entregar, ceder à respiração espontânea de meu corpo, pois só assim conseguiria atingir o potencial máximo de minha potência orgástica. O orgasmo completo é a mais intensa das atividades espontâneas do corpo. Não se "faz" um orgasmo e não se tem de "fazer" respiração. Esta última, como o primeiro, é uma atividade involuntária, natural, do corpo. Minha respiração era superficial porque eu inconscientemente a restringia; continha parcialmente o fôlego por medo de ceder e me entregar aos processos involuntários do meu corpo, que então me dominariam. Essa percepção permitiu-me a entrega necessária e eu comecei a chorar. Tornei-me consciente de quanto refreava a expressão de sentimentos e sensações. "Conter" com músculos tensos é um ato do fazer, uma ação da vontade. Entregar-se é cessar de fazer aquilo que impede a vida de fluir. A vida é um movimento espontâneo que não exige o uso da vontade.

A vontade é uma função do ego e representa o controle egoico sobre o movimento volitivo. Por meio desse controle, o ego pode mobilizar ações que vão em sentido contrário ao das sensações corporais. A pessoa pode querer deixar uma corrida, mas a vontade pode levá-la à vitória. Alguém pode estar morto de medo diante do perigo, mas com força de vontade suficiente consegue dominar esse medo e se salvar. A vontade não é uma força negativa, embora seja por vezes usada contra nossos interesses. Trata-se de uma força extra que orienta o corpo quando as sensações forem impróprias para a tarefa. Em geral, só é usada em emergências.[88] Quando a vontade assume o comando, o corpo é subjugado pelo ego, como um cavalo que obedece aos arreios manipulados pelo cavaleiro. É também pela vontade que somos subjugados pelo sistema patriarcal e por seus valores: poder, produtividade, progresso.

A contradição do pensamento moderno é achar que poder e produtividade nos tornam livres. A lógica por trás dessa crença é a de que, com poder suficiente, podemos fazer tudo que desejarmos. Não há dúvida de que a capacidade do ser humano para *fazer* tenha aumentado consideravelmente à medida que seu conhecimento e poder cresceram. E, de certo ponto de vista,

Medo da vida

pode-se argumentar que sua maior mobilidade e seu âmbito de ação mais amplo representam mais liberdade do que a que os antepassados usufruíram. Jaynes descreve os primeiros homens civilizados como escravos dos deuses. Dizemos que os animais são escravos dos próprios instintos. Mas estamos igualmente presos a nosso sistema pelo sentimento de culpa, como o assinalou Freud. Estamos literalmente presos por nossas tensões musculares crônicas que limitam nossa respiração, deprimem nossa energia e inibem a livre manifestação de sensações e sentimentos. Na realidade, somos dominados por um ego que pode ser tão tirânico quanto qualquer déspota.

O dilema humano emerge porque o esforço para superar a natureza ou o destino podem levar a um destino mais terrível do que aquele que tentamos evitar. Assim, parece que quanto maior é a segurança externa que erigimos para nós mesmos, maior nossa insegurança interior. Da mesma forma, parece que quanto mais liberdade externa conquistarmos, menos liberdade interna teremos.

Uma das contradições da natureza humana é que a consciência da liberdade está condicionada a sua perda. Pensamos num animal que vive em estado natural como um ser livre e selvagem porque pode fazer o que quer. Age livremente, baseando-se em suas vontades. Contudo, o animal em si não tem consciência de ser livre. Essa consciência só surge quando o estado de liberdade é contrastado com seu oposto. Só quando perdemos a liberdade temos consciência do que ela significa. A consciência se desenvolve pela identificação de opostos.[89] De acordo com o mesmo princípio, a ideia do amor só surge quando da experiência de perdê-lo. O bebê que não tiver vivido essa perda só tem consciência do prazer e da satisfação de seu ser. Como o animal, a criança vive na bênção da ignorância: inocente e desconhecendo seu destino. O adulto que desenvolveu a consciência do ego olha para o futuro e planeja o destino. Mas, por meio dessa mesma habilidade, arrisca-se a perder a liberdade na luta travada contra ele.

O conceito de liberdade está associado à ideia de escolha — no sentido de que, sem o direito de escolher, não existe liberdade. Sem dúvida, negar a alguém esse direito quando há disponibilidade de escolhas é limitar sua liberdade. Por outro lado, a ausência de escolhas não representa perda de liberdade. Por exemplo, em lares nos quais todos comem aquilo que tiver sido preparado, ninguém se sente tolhido por falta de escolhas. Na verdade, a existência de escolhas é quase sempre vivida como restrição devido à necessi-

Alexander Lowen

dade de escolher. Tentar escolher uma entrada num cardápio em que todas as entradas são atrativas pode até ser ligeiramente doloroso. Não nos sentimos livres enquanto essa escolha não é feita. Portanto, se liberdade significa escolha, o que exige uma decisão, acabamos com um fardo que é uma perda de liberdade. A vida é mais fácil e cheia de prazer quando não precisamos tomar uma decisão porque o desejo está tão claro e forte que não há mais escolhas comportamentais a fazer.

Pessoalmente, odeio tomar decisões. Sinto-me acuado pelo processo. Poucas vezes tomei decisões acertadas na vida. Todas as mudanças benéficas que fiz, aquelas que surtiram efeito construtivo em minha vida, não resultaram de escolhas deliberadas. Agi porque meu desejo era tão forte que não me deu escolha. Não escolhi minha esposa; apaixonei-me por ela. Não escolhi me apaixonar; aconteceu de repente, vindo do nada. E por isso não houve nada por que me lamentar e nenhum "e se…" para macular meu comprometimento com o casamento. Tampouco escolhi minha profissão. Nunca tinha pensado seriamente em ser médico até encontrar Wilhelm Reich e me envolver com sua abordagem terapêutica. Assim que isso aconteceu, senti que precisava me tornar médico. Olhando para trás, parece uma questão de destino. Não houve escolha. Se não há o momento de pesar alternativas, não há ambivalência e nosso compromisso vem do fundo do coração.

Em situações nas quais a ação flui diretamente da sensação, vivenciamos melhor a *sensação* de ser livres. Interrompendo-se esse fluxo, a sensação de liberdade fica suspensa. Devíamos pensar na liberdade como equivalente a ser. A liberdade é como um rio que corre montanha abaixo, em direção ao mar. O rio está simplesmente obedecendo à lei da natureza, à gravidade, mas, nesse processo de cumprir seu destino para chegar ao oceano, é livre. Perde a imagem de liberdade quando é represado. Interromper o fluxo denota perda de liberdade. O rio, em seu fluxo para o mar, está simplesmente sendo um rio. Deixa de ser rio quando é represado e vira lago. Também existe vida fluindo dentro daquele que escoa através do tempo como o rio escoa através do espaço. Seu destino é fundir-se, ao final da existência, com o grande oceano. Podemos ir com a corrente ou tentar detê-la ou pará-la. Nesse caso, perderemos nossa liberdade e ainda assim não teremos vencido o destino.

É uma aparente contradição dizermos que o máximo de liberdade é usufruído quando não temos escolha, quando estamos simplesmente satisfazendo nosso ser, pois a consciência da liberdade está associada à ideia de

Medo da vida

escolha. Essa contradição, como a anterior, deriva da natureza dual do ser humano. Como criança ou animal, ele é livre, mas não sabe disso. Como adulto que aspira a ser deus, iguala a liberdade com a capacidade de afirmar a própria vontade. As duas posições são igualmente válidas. Liberdade na natureza é diferente de liberdade na cultura. Nessa segunda situação, a incapacidade de afirmar a própria vontade denota submissão à vontade de outra pessoa. Configura uma perda de liberdade, já que nega o direito do indivíduo de exprimir seus sentimentos e sensações. Ele pode não ter o direito de fazer o que quer, mas insistimos em que tenha o direito de *dizer o* que quer. Na natureza ou na cultura, a liberdade não pode ser apartada do direito à autoexpressão.

Na maioria dos casos, é esse o direito negado ao indivíduo. Ele é condicionado a aceitar os valores de uma cultura que coloca o poder acima do prazer, a produtividade acima da criatividade, o progresso material acima da harmonia espiritual. É doutrinado a acatar a ideia de que pensar é superior a sentir, que realizar feitos é o objetivo da vida. Não sente a perda da liberdade ao ser subjugado pelo sistema industrial. Não estou defendendo que desistamos de nossas aspirações, neguemos nossa mente e voltemos ao estágio de puros animais. Isso não seria sábio. Sabedoria é equilíbrio, e a postura das três pernas (ancião), assim como a banqueta de três pernas, oferece o melhor equilíbrio. Quando atingimos a velhice, sabemos que o fazer só é válido quando favorece o ser, e que pensar só faz sentido se derivar do sentir. Sabemos que os computadores não podem dar respostas aos problemas humanos. Estes devem ser enfrentados por pessoas que sentem e pensam. Hoje, temos necessidade de mais sentimento.

Quando as sensações e sentimentos são fortes, sabemos o que queremos. Em seguida, só precisamos pensar na forma de obter o que desejamos. Mesmo aí, no entanto, nossas sensações e sentimentos podem nos servir de guia. O resultado é um tipo de comportamento aberto, direto e, na maioria dos casos, eficiente. As dificuldades surgem quando as sensações e os sentimentos são ambivalentes ou quando estão suprimidos e a pessoa não sabe o que quer. Nesse caso, ela pensa e toma decisões que jamais darão certo porque os conflitos subjacentes à ambivalência ou à supressão de sentimentos não terão sido resolvidos.

Para que a terapia ajude o paciente a se tornar livre (nenhum outro objetivo tem significado), devemos ajudá-lo a restabelecer a identidade com sua natureza animal. Em decorrência da ciência e da tecnologia modernas, tornamo-nos alienados da natureza; o resultado é que ficamos presos nas armadilhas de um mundo feito pelo homem, com a correspondente perda da liberdade.

É a perda da liberdade, a sensação de estar preso numa armadilha, a responsável pela violência no mundo de hoje. Restrinja-se a liberdade de qualquer animal e teremos uma criatura violenta em nossas mãos. O ser humano não é exceção. Não podemos culpar fatores econômicos pela violência. As pessoas têm vivido pacificamente em suas comunidades sob uma penúria econômica muito maior. Injustiças podem provocar revolta e rebeliões, mas a violência tem propósito e direção. Boa parte da violência no mundo moderno é insensata e destrutiva. E, no entanto, não é antinatural. Animais presos lutarão uns contra os outros quando não conseguirem dirigir sua agressividade contra aquele que lhes causou a perda da liberdade.

Existe ainda outra contradição na natureza humana que se relaciona a tudo isso e se manifesta no conflito entre o indivíduo e a comunidade. O homem é um animal social; vive em grupos. O grupo, e posteriormente a comunidade, foram necessários à sua sobrevivência. Foi no contexto comunitário que a fala e a função do pensamento abstrato se desenvolveram. A comunidade estável funcionou como a matriz do crescimento cultural, que então permitiu que o ser humano expandisse seu ego e adquirisse um senso de vontade. Com efeito, a comunidade e a cultura têm servido para ampliar nosso senso de individualidade. Somos indivíduos independentemente do fato de pertencermos ou não a uma comunidade; mas é apenas pelo referencial de comunidade que tomamos consciência da nossa individualidade ou de nós mesmos.

Contudo, o foco sobre o *self* ou sobre o ego acaba distanciando as pessoas e diminuindo as forças congregadoras que mantêm a comunidade unida. O conflito entre individualidade e comunidade se evidencia sobretudo em nossa cultura, em que o impulso para posturas centradas no ego está causando uma ruptura no funcionamento comunitário. Comunidade alguma pode existir se cada um de seus membros se interessar apenas por seu bem-estar pessoal, sem que ninguém deseje sacrificar qualquer aspecto de sua individualidade em nome do grupo. O pensamento político atual vê a sociedade ou a comunidade como benéfica ao indivíduo. Embora isso seja verdade, esse tipo de pensamento deixa de reconhecer a relação interdependente dessas forças.

Medo da vida

Quando as comunidades se desintegram, a individualidade se deteriora. As pessoas perdem seu senso de valor individual e tornam-se unidades de uma massa. Sentem-se alienadas e não únicas. Ou passam a uma atitude egocêntrica e tentam criar uma imagem que possa distingui-las da multidão. Talvez se tornem ricas e famosas, obtendo assim destaque, mas não serão singulares, pois apenas representam um estrato diferente da estrutura de massa.[90] Nenhum grupo é mais homogêneo do que o das personalidades midiáticas, que devem todas viver segundo a mesma imagem: a imagem do sucesso.

Para existir, toda organização social deve impor certas restrições à liberdade de seus membros. A fim de aperfeiçoar o objetivo comum, precisa limitar os direitos individuais. Se as restrições forem por demais severas ou os limites por demais estreitos, a liberdade individual se restringe a tal ponto que o senso de individualidade se reduz. Mas a ausência de limites pode exercer um efeito igualmente danoso sobre o *self*. Um corpo líquido que flui montanha abaixo não é um rio a menos que as margens o contenham; do contrário, será uma inundação. A falta de estrutura conduz ao caos, não à liberdade. Sem limites, o *self* não pode ser definido.

Essas ideias têm grande relevância na educação de filhos. Vimos que uma estrutura autoritária de família pode esmagar o espírito das crianças. Pareceria psicologicamente desejável, então, dar a elas completa liberdade, estimulando sua autoexpressão e apoiando sua independência. Infelizmente, a atmosfera permissiva também não parece funcionar. A família é uma pequena comunidade e depende da cooperação de cada membro. Mas tal cooperação não pode ser uma questão de escolha. Cada participante tem um dever para com a família que define seu papel dentro da comunidade. Sem a responsabilidade (capacidade de responder às necessidades do grupo), somos como folhas arrancadas pelo vento. Percebemos então que lares centrados na criança não produzem indivíduos com senso forte e seguro de *self*. É um paradoxo da vida que a liberdade dependa de limites e de estrutura.

A SABEDORIA DA ESFINGE

A Esfinge foi originalmente uma deidade egípcia cuja melhor representação está na famosa estátua descoberta nas proximidades da pirâmide de Quéops, em Gizé. Data de aproximadamente 2.000 a.C. Conhecida como a Grande Esfinge, ela tem cabeça humana e corpo de leão. Essa combinação representa a união de duas virtudes importantes. O leão denota coragem, haja vista a

Alexander Lowen

expressão "coração de leão". A cabeça humana denota inteligência. A junção entre humano e animal representa a reconciliação dos aspectos antitéticos da natureza humana. Outra interpretação é sugerida por John Ivinny, baseando-se numa inscrição que descreve a Esfinge como representante de três deuses num só. Diz: "O todo é, assim, um símbolo da ressurreição, ou do ciclo solar de nascimento, morte e renascimento humano."[91]

Há outro aspecto da Esfinge que merece ser analisado. Seus olhos e ouvidos estão abertos, mas sua boca está fechada. Isso poderia significar que ela vê e ouve tudo, mas nada diz. Dizemos que alguém parece uma esfinge quando mantém a boca fechada para guardar um segredo. A Esfinge pode ser considerada a guardiã de um segredo eterno, assim como a Grande Esfinge é considerada a guardiã da pirâmide de Quéops.

Se for esse o caso, podemos adivinhar seu segredo? Que sabedoria tem a Esfinge para nos oferecer? Gostaria de sugerir, primeiro, que ela simboliza a ideia de imutabilidade dentro da mudança. A pirâmide pode ser um símbolo de permanência estática, enquanto a Esfinge representaria a permanência dinâmica: o nascer e o pôr do sol, as marés alta e baixa; o nascimento, a morte e o renascimento. Nenhum dia é igual a outro; vida alguma é idêntica à que a precedeu; tudo muda, mas o processo é sempre o mesmo, imutável. Os franceses têm um ditado que expressa maravilhosamente essa ideia: *Plus ça change, plus c'est la même chose.*[92] Esse é um comentário sábio porque só olhando para trás é que se pode ver que, abaixo da superfície, a vida continua a mesma para todas as gerações. Todas lutam contra os mesmos problemas: ganhar o próprio sustento, ter uma família, enfrentar as doenças, a senescência, a morte. Quando eu era jovem, minha mãe me advertiu dizendo: "Você pensa que será diferente quando tiver sua família. Você vai ver". Foi diferente, mas não tanto. Provavelmente, ela teve a mesma experiência comparando sua vida com a de sua mãe.

Minha segunda sugestão é a de que a Esfinge simboliza a ideia da mudança dentro de uma ordem eterna. O fato de a estátua representar criaturas vivas denota, para mim, mudança. Tudo na vida muda com o tempo; somente a ordem é imutável. A pirâmide não permite essa interpretação. Ela e o faraó mumificado em sua tumba representam a ordem eterna, ou seja, Deus. Criaturas e criações humanas são não permanentes. É ilusão pensar o contrário.

Ambas as sugestões podem ser vistas como princípios capazes de orientar o comportamento humano. O objetivo deles seria manter o homem em

Medo da vida

contato com a realidade de seu ser para impedir a egomania que poderia destruir sua humanidade. Dado o poder que o ego consegue controlar no mundo moderno, é fácil perder nossa humildade e nos enxergarmos como divinos. Isso significa que assumimos responsabilidade pelo nosso destino. Nossa cultura doutrinou-se com a ideia de que o sucesso ou o fracasso está em nossas mãos. O resultado? Ficamos sobrecarregados com o equivalente moderno da culpa: o medo do fracasso.

Todo paciente sofre de medo do fracasso ou se sente fracassado. Ele vem à terapia queixando-se de depressão, ansiedade ou uma sensação geral de mal-estar e insatisfação. Porém, por trás da queixa existe uma sensação de fracasso como amante, como cônjuge, como pai ou mãe, como profissional ou empresário. Às vezes, a dissolução de um casamento leva a pessoa à terapia em virtude da sensação de fracasso, embora ela raramente o admita. Contudo, em todos os casos, o paciente quer ajuda para superar seu fracasso e tornar-se bem-sucedido. O êxito está associado a sentir-se bem e leve, enquanto o fracasso significa sentir-se mal e pesado. Todos queremos voar muito alto nas asas do sucesso. Em minha opinião, essa é a receita certa para a neurose.

O que é sucesso ou fracasso? Consideremos o caso a seguir. A pessoa em questão fizera terapia comigo por um curto período. Estava com dificuldades conjugais e sentia-se confuso a respeito de seu papel como homem. Certa sessão, apareceu queixando-se de problemas sexuais. Na noite anterior, ele e a esposa tinham ido a uma festa em que aconteciam trocas de casais. Isso aconteceu há alguns anos, quando noitadas como essa eram consideradas sinal de liberação. Sua esposa saiu com determinado homem, enquanto ele e outra mulher foram transar em outro quarto. Mas, embora ele tentasse ao máximo, teve dificuldade de conseguir e manter uma ereção. Sentiu-se humilhado, um fracasso. Queria saber o que estava errado com ele.

Sugeri que o paciente não ficara suficientemente excitado com a parceira a ponto de ter relações com ela. Ele não havia dito nada que indicasse que a mulher fosse atraente ou desejável. Em resposta, assegurou-me que queria fazer sexo com ela. Talvez ele o quisesse, mas evidentemente esse desejo não foi manifesto por seu órgão genital. Ele ficou zangado comigo por ter-lhe dito isso. Apontei-lhe que seu desejo podia ter estado em sua mente, mas não em seu corpo, que seu interesse por sexo com aquela mulher provinha do ego e não da paixão. Ele queria provar alguma coisa a ela e, provavelmente, também a si mesmo, e falhara nesse sentido.

Pouquíssimas vezes ouvi homens se queixando de falta de satisfação sexual numa relação. Sejam quais forem suas dificuldades — perda da potência erétil ou ejaculação precoce —, elas são consideradas falta de masculinidade, incapacidade de levar aquilo a cabo ou de estar à altura de determinada imagem. Evidentemente, esses problemas sexuais denotam um distúrbio na personalidade que pode ser julgado como fraqueza masculina. Mas considerar um distúrbio de personalidade sinal de fracasso é, em si, uma clara indicação de neurose.

Consideremos essa questão do fracasso no contexto de uma função corporal diferente. Uma das queixas mais comuns nos pacientes é cansaço. Com frequência, a sensação de cansaço torna-se mais aguda conforme a terapia progride, podendo chegar à exaustão. Essa sensação de fadiga quase nunca é aceita pelo paciente como reação corporal normal. Invariavelmente, é considerada sinal de fraqueza, que denotaria fracasso da terapia e da vontade individual. O indivíduo diz que perdeu seu antigo ímpeto, que não é tão capaz quanto antes de fazer coisas. A implicação aí é que estar cansado é "errado", um sinal de fracasso. Crê-se que devemos ser ativos, produtivos e eficientes. Essa imagem constitui um ideal de ego que incorporamos dos ensinamentos recebidos em casa e na escola. Uma vez que, conscientemente, o indivíduo se identifica com seu ego, usa a vontade para motivar-se à realização desse ideal. Por definição, ideais nunca são atingidos. Isso significa que a pessoa é motivada por uma força contínua a fazer, a produzir, a atingir (seja o que for necessário para satisfazer essa imagem). O impulso é uma compulsão e constitui comportamento neurótico. Não admira que a pessoa esteja cansada. Sentir-se cansado pode ser interpretado como declaração do corpo no sentido de que ele está "cansado" de ser subjugado pelo ego para satisfazer uma imagem que não tem relação com as necessidades corporais. Não há sentido em realizar coisas se essa realização nada faz para favorecer o prazer de ser.

A maioria dos pacientes acredita que estar cansado é um sintoma neurótico. Eles consideram que saúde emocional é a capacidade de ir, fazer e produzir. É praticamente irrelevante para onde estão indo ou o que estão fazendo. Essa é a geração "da ação", determinada a atingir recordes. Seu ideal é o super-homem, quase um deus. Inconscientemente, comparam-se às máquinas que dominam o mundo industrial. O único resultado possível dessa situação? Pessoas entrando em colapso. Ficam cansadas do esforço para atingir objetivos inatingíveis, o ideal, e se deprimem com seu fracasso. Tanto o cansaço quanto a depressão podem ser positivos se elas reconhecerem a relação desses

Medo da vida

sintomas com seu estilo de vida. O cansaço pode levar o indivíduo a tomar consciência de suas necessidades corporais, a perceber que seu corpo não é uma máquina ou um instrumento do ego. A depressão pode torná-lo ciente de que está buscando uma ilusão, um ideal de ego. Por exemplo, uma de minhas pacientes com depressão contou-me que precisava tomar conta da mãe e da irmã. Sendo a filha mais velha, era a responsável pela família. Esse papel é geralmente atribuído ao filho mais velho. Depois de comentar isso, observou, com sentimentos confusos: "Falhei com ambas. Eu devia ser Deus todo-poderoso!" Sentia-se tanto culpada quanto ressentida. Não reconhecia que, na tentativa de desempenhar esse papel impossível, havia desperdiçado boa parte da vida e se tornara deprimida.

É significativo que a sensação de cansaço fique mais intensa depois que a terapia já avançou substancialmente. Enquanto a neurose está a todo vapor, somos como o alpinista que não ousa se soltar porque não sabe onde está o chão. Também o neurótico, como vimos, se segura com unhas e dentes, ou protege ferozmente sua sanidade. Tampouco ele pode se permitir sentir-se cansado porque isso ameaçaria sua sobrevivência. Só depois que está a salvo em solo firme a pessoa se dá ao luxo de se entregar à sensação de exaustão. Tanto o alpinista quanto o neurótico têm todos os motivos para estar exaustos. O neurótico também está se segurando fisicamente na forma de tensões musculares crônicas destinadas a suprimir as sensações. A exaustão de fato detém o impulso compulsivo para ir e fazer. Ceder ao cansaço, que constitui uma entrega ao corpo, teria o mesmo efeito: permitiria à pessoa recuperar suas energias e renovar seu entusiasmo pelo viver.

A depressão e o cansaço são endêmicos em nossa cultura, e isso até certo ponto indica como a busca do sucesso é insidiosa. A maioria de nós está presa à imagem do sucesso porque associa sucesso a felicidade, muito embora saibamos que pessoas bem-sucedidas não são mais felizes do que as outras e, muitas vezes, têm até mais problemas. Ainda assim, a ideia de que sucesso representa a realização total tem forte apelo entre nós, o que só pode ser entendido se o fracasso for comparado à morte. Uso "morte" no sentido de algo terrível que acontecerá ao indivíduo. Até pouco tempo eu não tinha certeza de qual era a calamidade que assombrava o mais recôndito do inconsciente das pessoas. Muitas delas temem que, ao se entregar, morrerão. Vimos que o medo da vida se traduz em medo da morte. Mas eu não acreditava que o medo da morte fosse tão universal quanto o medo do fracasso.

A resposta ficou clara quando um paciente realizou um exercício de cair.[93] Já falei sobre ele, mas o repito aqui por uma questão de comodidade. Nesse exercício, a pessoa fica em pé apoiando todo o peso em uma das pernas, que está fletida, enquanto a outra toca o chão de leve, atrás, para dar equilíbrio. A pessoa é instruída a permanecer nessa posição tanto tempo quanto possível. Logo ela se torna bastante dolorosa e, mais cedo ou mais tarde, a pessoa vai ao chão. Para impedir que se machuque, um colchão é colocado à sua frente. Esse exercício é importante pela vivência da ansiedade da queda e pelo entendimento do que isso representa para o paciente. Quando o esforço para não cair fica intenso, incentivo-o a expressar todos os seus pensamentos a respeito do que essa queda significa.

Quando esse paciente tentou o exercício pela primeira vez, caiu depressa demais, indicando quanto tinha medo de confrontar sua ansiedade. Repetiu-o mais duas vezes. Na terceira, ficou em pé mais tempo, o que aumentou consideravelmente a dor. Dominando sua vontade, exclamou: "Não vou cair. Não vou cair". Quando perguntei o que significava cair, ele disse: "Cair é falhar. Tenho medo de falhar". Perguntei: "Por quê? Que perigo existe em falhar?" Respondeu: "Se eu falhar, ficarei destruído." Cair também acarreta o risco de destruição. Quando caiu, rompeu em soluços intensos. Deitado no colchão, comentou que se sentia muito relaxado. Seu medo de ser destruído mostrou-se irracional, mas ele efetivamente rompeu numa crise de choro. Para mim, ficou claro então que cair ou fracassar evoca o medo de ser destruído.

Se perguntarmos de onde vem esse medo, a resposta é: da situação edipiana. Nesse contexto, contudo, o termo inclui todos os acontecimentos que, na educação da criança, culminam na experiência da situação edípica. Por volta dos 6 anos de idade, quase todas as crianças em nossa cultura foram "domesticadas" em seus valores e costumes. O passo final desse processo é a ameaça implícita da castração experimentada na situação edipiana. Mais, tarde, devido ao fato de terem sido "dobradas", algumas se tornam revoltadas e violentas. A maioria, no entanto, se submete, aceitando as exigências da cultura e tornando-se produtora, realizadora, lutadora em busca de sucesso e poder. Negam que foram subjugadas ou que a castração ocorreu. No entanto, nessas pessoas o medo do fracasso é mais acentuado; o sucesso endossa sua negação.

Existe ainda outra forte motivação para o desejo de sucesso: a necessidade de aprovação. Aquele que se esforça para obter sucesso está tentando provar aos pais que é digno de seu amor. Tem razão em presumir que o amor dos

Medo da vida

pais está condicionado por e depende da aceitação de seus valores e da submissão à sua autoridade. Mas quando o sucesso é alcançado, não satisfaz a necessidade. A pessoa conquista a aprovação, mas não o amor. Ou então ela é amada por seu sucesso, mas não por ser quem é. Como essa conquista não atingiu seu objetivo principal, a pessoa precisa tentar mais e mais, esforçar-se para chegar mais longe. Quando se tenta chegar ao pote de ouro no fim do arco-íris, a busca é interminável.

Seja qual for a motivação para o desejo de sucesso, este termina em fracasso. O indivíduo pode até atingir sucesso aparente aos olhos do mundo, mas é um fracasso aos próprios olhos, admita-o ou não. Não conseguiu provar que não foi castrado e que era digno de amor. Sente que seu comportamento é neurótico, mas espera provar que, com seu sucesso, "está tudo bem". Como pode alguém provar que não é neurótico? A necessidade de provar, por si, revela a sensação neurótica de inferioridade e de insegurança. A pessoa saudável não fica tentando provar que é o que é. Aceita seu ser, qualquer que este seja, e aceita seu destino, seja ele qual for. Os outros animais não são perturbados por esse problema. O cão está contente em ser apenas cão. Por que o animal humano não se satisfaz em apenas ser? O homem foi o único animal a ser expulso do paraíso por comer a fruta da árvore do conhecimento. Imagino que esteja tentando provar que consegue construir um paraíso melhor do que aquele do qual foi expulso.

Talvez pareça, pelo que expus até aqui, que estou defendendo o abandono de todo esforço e de todas as realizações humanas. Minha tese não é essa, nem seria essa uma atitude sábia. Entregar-se não quer dizer regredir a uma forma infantil de ser. Fazer e realizar são atos neuróticos somente quando são usados para substituir o ser. Existe prazer em fazer, mesmo quando isso exige esforço, desde que a atividade não seja compulsiva. O sucesso é doce quando vem por si mesmo, mas amargo quando nos sacrificamos em nome dele. Inclusive quando o sucesso vem por si próprio não o vivemos como tal. Simplesmente dizemos: "Me aconteceu uma coisa boa". E, uma vez que não há esforço, também não pode haver fracasso. Quando a vida não é medida em termos de realizações, não há nem sucesso nem fracasso, simplesmente o prazer e a dor de ser e fazer.

A glória do homem está em sua aspiração a ser divino, não em suas conquistas. Tal aspiração se reflete em seu porte: ele fica em pé sobre as pernas, de cabeça erguida, age com dignidade e movimenta-se com elegância, olha para a Terra com sua miríade de criaturas e vê como ela é linda. Somente ele dentre todos os animais pode apreciar a magnificência e o esplendor da criação de Deus. Nessa apreciação, ele é verdadeiramente divino. Mas se tiver a arrogância de pensar que pode fazê-lo melhor, torna-se demoníaco. Lúcifer era um dos anjos em que Deus confiava. Seu nome significa "luz", a luz da consciência e da inteligência. Ele era uma luz brilhante no reino dos céus que ousou desafiar a Deus querendo ser-lhe superior. De forma semelhante, o ego inflado do homem moderno torna-se demoníaco quando não se subordina à primazia do corpo.

A tentativa de transcender nossa natureza animal deve terminar em fracasso. Somos fundamentalmente animais, diferentes em grau, mas não em gênero. Nascemos e morremos como eles o fazem. Todos partilhamos da grande aventura de viver. O que fazemos não é importante; o que conta é como levamos a vida. Não é o fim que importa (todos chegamos ao mesmo fim), mas a viagem em si. As conquistas podem acrescentar tempero à vida, mas não implicam viver. O viver acontece em nível corporal ou animal. E, nesse nível, o importante é sentir. Somente organismos vivos podem sentir. A questão não é se conseguimos ou não algo melhor, mas sim se vivemos a vida plenamente. Viver plenamente é ter as sensações e todos os órgãos dos sentidos à nossa disposição para a experiência de existir.

Sucesso e fracasso são conceitos do ego. Em nível corporal, o sucesso é vivido como ascensão e o fracasso como queda. Cair faz parte da vida. Se não há queda, não há como subir. Se não há morte, não pode haver renascimento. Subir e descer, expandir e contrair: a vida consiste nisso. Se temos medo da vida, tememos cair. Temos medo de cair no sono e de cair de amores por alguém. Pessoas abençoadas com saúde e que viveram plenamente o dia alegram-se com a chegada do doce descanso provido pelo sono. Ao se entregarem ao esquecimento que ele proporciona, acordam pela manhã rejuvenescidas e descansadas. O melhor exemplo desse ciclo da vida é a função do falo. Sobe com o desejo e cai quando o desejo desemboca em satisfação. Quem gostaria de ter uma ereção perpétua? Quem gostaria de ser impelido por um desejo que jamais pudesse ser satisfeito? Como é lindo subir e voar nas asas do desejo quando sabemos que sua realização é possível e que retornaremos à terra em segurança...

A descida é a parte importante, pois é aí que o verdadeiro prazer e a real satisfação são vividos. Subir é excitação e tensionamento, enquanto descer é

Medo da vida

satisfação e descarga. As crianças conhecem essa vivência nos balanços; o prazer e a excitação da descida é o que buscam, aquela adorável sensação na boca do estômago quando se mergulha como se numa queda. Quanto mais alto sobe o balanço, maior o prazer quando desce. Andar na montanha-russa oferece experiência semelhante. Há excitação, tensão e prazer antecipatório na subida. Depois, quando o carrinho chega ao ponto mais alto e vai lentamente passando por ali, rumo à descida, conhece-se a excitação da queda. E, depois que a corrida acabou, sentimos satisfação, como se houvéssemos realizado algo significativo.

Bem, suponhamos que o balanço ou o carrinho da montanha-russa ficassem detidos no alto — o que sentiríamos? Ficaria faltando a verdadeira excitação da descida. Teríamos, sem dúvida, a satisfação de estar "acima" dos que ficaram embaixo, olhando-os do topo. Mas tal satisfação limita-se ao ego. No que diz respeito ao corpo, ficaríamos "em suspenso" e incapazes de descarregar a excitação resultante da subida. Logo até mesmo a satisfação do ego enfraqueceria e ficaríamos deprimidos.

A aspiração a ser como Deus se expressa em alguns atos criativos. Não importa o que se cria. É o ato da criação que é divino, não seu produto. Assim, o simples ato de fazer vinho ou pão, usando a própria imaginação para efetuar uma transformação na natureza, é o tipo de criatividade que está associado à divindade. Jardinagem e agricultura são atividades similares. Em todas elas, existe uma subida e uma queda de excitação, um acúmulo e uma descarga de tensão. Ao se fazer pão, por exemplo, a excitação cresce até que este saia do forno. Nesse ponto, voltamo-nos para a satisfação de consumi-lo, o que configura o prazer da descida. Pensem em como ficaríamos frustrados se não tivéssemos permissão para comer o pão que nossa mãe assou.

Nos casos em que existe uma íntima ligação entre consumo e produção, como acontece em comunidades simples ou em áreas rurais, as pessoas não ficam preocupadas com seus feitos e realizações. A recompensa de prazer e satisfação por seu esforço criativo é imediata. Em nossa cultura tecnológica moderna, o foco incide sobre um futuro indeterminado, em que todos os problemas serão resolvidos, todas as dificuldades superadas. Vivemos em nome de uma utopia, de um novo Jardim do Éden, desta vez realizado pelo homem por meio da ciência. Nesse ínterim, nossos prazeres são intervalos momentâneos; nosso descanso, um repouso temporário antes de retomarmos nossa ascensão. Estamos em suspenso, presos à ilusão do sucesso, e por isso

Alexander Lowen

almejamos chegar cada vez mais alto: maior produção, mais conhecimento, mais poder, mais, mais, mais.

Parecemos nos aterrorizar com descidas. Elas representam a queda, o fracasso, o destino (morte). O Jardim do Éden original foi o lar do homem antes que ele perdesse a inocência e caísse em desgraça, ou seja, enquanto ainda era animal e não tinha começado a subir[94]. A inocência nunca será recuperada. Mas precisamos nos iludir que algum dia chegaremos à morada dos deuses enquanto vivermos? Não bastaria aceitar a ideia de que o esforço para transcender o estado animal só é significativo se pudermos descer para gozá-lo? É emocionante deixar a imaginação voar, mas é necessário manter os pés no chão. É excitante pensar, mas a realização e a satisfação são fatos do corpo. A vida do corpo é onde o ser se faz.

Sabedoria é reconhecer que aquilo que sobe deve descer. Fui um jovem moderno, consciente de meu ego, aspirante a subir na vida. Desejava fama e sucesso. Apesar de minha graduação *summa cum laude* em Direito e de meu título de doutor *magna cum laude* na mesma área, o sucesso e a fama na prática da advocacia esquivaram-se de mim. Era a época da Grande Depressão e eu não conseguia nem ganhar meu sustento. Esse fracasso, contudo, foi um feliz acaso. Forçou-me a olhar em outras direções. Perseguindo meu interesse pela relação mente-corpo, deparei com Wilhelm Reich e submeti-me a um treino terapêutico com ele. Meus objetivos eram agora tornar-me médico, praticar terapia reichiana e atingir o máximo da potência orgástica. Mas eu ainda estava comprometido com o impulso da fama e do sucesso.

Agora, depois de ter fundado um instituto e de ter escrito diversos livros, sou visto como famoso e bem-sucedido. Mas, medindo-me pelos olhos da minha ambição juvenil, sou um fracasso. Minhas aspirações não foram realizadas; os sonhos de meus dias de rapaz não se materializaram. Ainda sou uma criatura imperfeita. Não estou sentado em nenhum trono olímpico. Só senti o êxtase do orgasmo completo algumas vezes. Não estou livre de tensões, problemas, preocupações diárias. Meus livros não são os mais vendidos e meu instituto é pequeno e batalhador. Mas sinto um prazer consistente na vida e no trabalho. Contudo, a dor não está de todo ausente. A grande mudança para mim ocorreu há alguns anos, quando aceitei meu fracasso. Desde então, ganhei paz de espírito, contentamento interior e alguma sabedoria. Parte dessa sabedoria consiste em perceber que sucesso e fracasso não são critérios válidos para viver.

Medo da vida

O fracasso sempre teve um efeito positivo sobre mim. Tem sido meu melhor professor. Fez que eu me detivesse um instante e olhasse para o meu comportamento autodestrutivo. Permitiu-me começar tudo de novo, com toda a excitação e o entusiasmo de um recomeço. E, ao aceitar o fracasso, livrei-me da luta para superar uma sensação interna de fracasso. Comecei este estudo discutindo o problema da incapacidade que as pessoas têm de aprender por experiência própria. Acredito que um fator de peso seja sua falta de disponibilidade para aceitar o fracasso. Estão determinadas a ser bem-sucedidas e, por isso, cometerão os mesmos erros. Aceitar o fracasso não denota resignação, mas autoaceitação. Nenhuma mudança real de caráter acontece na terapia até que o paciente aceite a si mesmo como fracassado. Essa aceitação libera a energia vinculada à luta pelo sucesso e para pôr a si mesmo à prova, tornando-a então disponível para o crescimento. Da mesma maneira, a aceitação do destino muda o próprio destino. Ao desistirmos do esforço para superá-lo, deixamos de lado nossa estrutura neurótica de caráter e então um caráter saudável pode se desenvolver, determinando um destino diferente.

Notas

Introdução

1. O leitor deverá procurar em meu livro *O corpo em terapia* (São Paulo: Summus, 1977) uma apresentação mais elaborada deste conceito. [N. A.] Uma nova edição de *O corpo em terapia* será lançada brevemente pela editora Summus [N. T.]
2. *Ground* significa solo, chão, área, espaço, superfície, base, fundamento, entre outros sentidos. *Grounding*, ligação à terra. Em linguagem bioenergética, designa o contato com o chão e, a partir deste, a conscientização do corpo "bem plantado no chão". O uso consagrou entre nós o termo na sua forma original. [N. T.]

Capítulo 1

3. Veja em meu livro *O corpo em depressão* (São Paulo: Summus, 2021) uma discussão completa das causas e do tratamento da depressão.
4. FREUD, Sigmund. *Totem and tabu*. Nova York: Norton & Co., 1950, p. 132. [Ed. bras.: "Totem e tabu". In: *Totem e tabu, contribuição à história do movimento psicanalítico e outros textos (1912-1914)*. São Paulo: Companhia das Letras, 2012. Obras Completas, v. 11.]
5. FREUD, Sigmund. "The interpretation of dreams". In: *Basic writings of Sigmund Freud*. Nova York: Random House, 1938, p. 308. [Ed. bras.: "A interpretação dos sonhos". In: *A interpretação dos sonhos (1900)*. São Paulo: Companhia das Letras, 2019. Obras Completas, v. 4.]
6. *Ibidem*, p. 308.
7. FENICHEL, Otto. *The psychoanalytic theory of neurosis*. Nova York: W. W. Norton & Co., 1945, p. 91. [Ed. bras.: *Teoria psicanalítica das neuroses*. Rio de Janeiro: Atheneu, 2000.]
8. *Ibidem*, p. 97.
9. *Ibidem*, p. 95.
10. ERICKSON, Erik. *Childhood and society*. Nova York: W.W. Norton & Co., 1950, p. 86. [Ed. bras.: *Infância e sociedade*. Rio de Janeiro: Zahar, 1971.]
11. REICH, Wilhelm. *The impulsive character*. Trad. Barbara G. Koopman. Nova York: New American Library, 1974, p. 17. [Ed. bras.: *O caráter impulsivo*. São Paulo: WMF Martins Fontes, 2009.]
12. REICH, Wilhelm. *The function of orgasm*. Nova York: The Orgone Institute Press, 1942, p. 20. [Ed. bras.: *A função do orgasmo*. São Paulo: Brasiliense, 2004.]
13. FREUD, Sigmund. "The passing of the Oedipus complex". *Collected Papers*, v. 11. Londres: Hogarth Press, 1953, p. 276. [Ed. bras.: "A dissolução do complexo de Édipo". In: *A interpretação dos sonhos (1900)*. São Paulo: Companhia das Letras, 2019. Obras Completas, v. 4.]
14. *Ibidem*, p. 273.
15. FENICHEL, *op. cit.*, p. 170.
16. REICH, Wilhelm. *Character analysis*. 3.a ed. Nova York: The Orgone Institute Press, 1949, p. 156. [Ed. bras.: *Análise do caráter*. 3. ed. São Paulo: WMF Martins Fontes, 2020.]

Alexander Lowen

Capítulo 2

17. Freud, "The interpretation of dreams", *op. cit.*, p. 307.
18. Freud, Sigmund. *Beyond the pleasure principle*. Nova York: Liveright Publ. Co., 1950, p. 23. [Ed. bras.: "Além do princípio do prazer". In: *História de uma neurose infantil ("o homem dos lobos"), além do princípio do prazer e outros textos: (1917-1920)*. São Paulo: Companhia das Letras, 2010. Obras Completas, v. 14.]
19. *Ibidem*, p. 26.
20. *Ibidem*, p. 47.
21. No original, os termos usados são *fate* (destino, sina, fado) e *destiny* (destino, destinação, meta). [N. R. T.]
22. Para uma descrição completa dos diferentes tipos de caráter e de como estão estruturados no corpo, por meio de diversos padrões de tensão muscular, veja meu livro *Bioenergética* (São Paulo: Summus, 2017).
23. Freud, Sigmund. "Character and anal eroticism". Collected Papers, v. II. Londres: Hogarth Press, 1953, p. 45-50. [Ed. bras.: "Caráter e erotismo anal". In: *O delírio e os sonhos na Gradiva, Análise da fobia de um garoto de cinco anos e outros textos: (1906-1909)*. São Paulo: Companhia das Letras, 2015. Obras Completas, v. 8.]
24. Abraham, Karl. "Oral erotism and character". *Selected papers on psychoanalysis*. Nova York: Basic Books, 1953, p. 404.
25. Reich, *Character analysis, op. cit.*, p. 44.
26. Lowen, *O corpo em terapia, op. cit.*
27. Reich, *Character analysis, op. cit.*, p. 148.
28. Freud, *Beyond the pleasure principle, op. cit.*, p. 22.
29. Lowen, *O corpo em terapia, op. cit.*
30. Fenichel, *op. cit.*, p. 91.

Capítulo 3

31. Para uma discussão mais completa desse exercício, com exemplos, veja meu livro *Bioenergética* (São Paulo: Summus, 2017), p. 195-205.
32. *Ibidem*, p. 14-18.
33. Groddeck, G. *The book of the it*. Londres: Vision Press, 1956. [Ed. bras.: *O livro disso*. 4. ed. São Paulo: Perspectiva, 2008).]
34. Em inglês, os nomes mais comuns são John e Peter. [N. T.]
35. Lawrence, D. H. *Lady Chatterley's lover*. Nova York: Grove Press, 1957, p. 158. [Ed. bras.: *O amante de Lady Chatterley*. São Paulo: Penguin/Companhia das Letras, 2010.]
36. Expressão francesa que significa, literalmente, "a pequena morte", e se refere à experiência de perda temporária da força vital que ocorre após o orgasmo. [N. R. T.]
37. No original, "My sin is being me". Note-se que o "quem sou", aqui, refere-se ao "mim" (estado passivo do ser), anterior ao "eu" (estado ativo). [N. R. T.]
38. Veja meu livro *O corpo traído* (São Paulo: Summus, 2019) para uma descrição desse problema de caráter.
39. Fromm, Erich. *To have or to be*. Nova York: Harper & Row, 1976, p. 89. [Ed. bras.: *Ter ou ser?* Rio de Janeiro: Zahar, 1977.]
40. No original, "let it be, essa antítese fica mais clara, já que o verbo "to be" pode significar "ser" ou "estar". [N. R. T.]
41. A palavra "isso" (*it*, no original) é usada no sentido de George Groddeck, em que o *self* é objetivamente considerado pelo eu. "Isso" (*it*) representa a força vital do corpo.
42. No original: "We hold ourselves up, hold ourselves in, hold ourselves back etc." [N. T.]

Medo da vida

Capítulo 4

43. KEATS, John. "Ode a um rouxinol". In: LORD BYRON; KEATS, John. *Byron e Keats – Entreversos*. Trad. Augusto de Campos. Campinas: Editora Unicamp, 2009. [N. R. T.]

44. Veja Alexander e Leslie Lowen, *Exercícios de bioenergética — O caminho para uma saúde vibrante* (São Paulo: Ágora, 1985), para uma descrição ilustrada de como é usado o banquinho bioenergético.

45. BAR-LEVAV, R. "Behavior change — Insignificant and significant, apparent and real". In: Burton, A. (org.). *What makes behavior change possible?* Nova York: Brunner-Masel, 1976, p. 288: "Deixar de lado traços de personalidade que sempre foram considerados essenciais à sobrevivência é um processo assustador e doloroso".

46. LOWEN, Alexander. *Amor e orgasmo*. 4. ed. São Paulo: Summus, 1988, p. 52.

47. Veja meu livro *O corpo traído, op. cit.*, para uma discussão mais completa do processo subjacente ao surto psicótico.

48. Veja Lowen, *Exercícios de bioenergética, op. cit.*

49. LAING, R. D. *The divided self*. Prefácio. Londres: Penguin Books, 1965. [Ed. Bras.: *O eu dividido*. Rio de Janeiro: Vozes, 1973.]

50. REICH, *Character analysis, op. cit.*, p. 401.

Capítulo 5

51. Descrevi algumas de minhas experiências como paciente de Reich em *Bioenergética, op. cit.*

52. WINNICOTT, D. W. "O medo do colapso". In: *Explorações psicanalíticas*. Org. Claire Winnicott, Ray Shepherd e Madeleine Davis. Trad. José Octavio de Aguiar Abreu. Porto Alegre: Artes Médicas, 1994, p. 71.

53. *Ibidem*, p. 73.

54. Veja meu livro *Bioenergética* (*op. cit.*), p. 245-51, para uma descrição completa.

Capítulo 6

55. SHELDON, W. H. *The varieties of human physique*. Nova York: Harper and Brothers, 1940.

56. Veja, por exemplo, *O corpo em depressão, op. cit.*

57. FREUD, *Beyond the pleasure principle, op. cit.*, p. 19.

58. O dr. Michael Conant, um de meus colegas na análise bioenergética, fez um interessante comentário após ler este trecho: "Para mim, o *b* é um beijo que se lança à vida, enquanto o *d* tem uma natureza dura e escarnida".

59. Este é o exercício básico de *grounding* usado na análise bioenergética. Está descrito e ilustrado em Alexander e Leslie Lowen, *Exercícios de bioenergética, op. cit.*

60. WINNICOTT, *op. cit.*, p. 74.

61. *Ibidem*, p. 75.

Capítulo 7

62. WINNICOTT, *op. cit.*, p. 74.

63. Fromm, Erich. *The forgotten language*. Nova York: Rinehart & Co., 1951, p. 202. [Ed. bras.: *A linguagem esquecida*. 8. ed. Rio de Janeiro: Zahar, 1983.]

64. *Ibidem*, p. 234.

65. NEUMANN, Erich. *The origin and history of consciousness*. Nova York: Pantheon Books, 1954, p. 39. [Ed. bras.: *História da origem da consciência*. 3. ed. São Paulo: Cultrix, 2003.]

66. *Ibidem*, p. 167.

67. *Ibidem*, p. 81.

68. *Ibidem*, p. 168.

69. JAYMES, Julian. *The origin of consciousness in the breakdown of the bicameral mind*. Boston: Houghton Mifflin Co., 1976, p. 73.

Alexander Lowen

70. *Ibidem*, p. 119.
71. A razão bioenergética que justifica esse procedimento está descrita em meu livro *Bioenergética, op. cit.*
72. Citado em Fromm, *The forgotten language*, p. 224.
73. FREUD, Sigmund. *Civilization and its discontents*. Londres: The Hogarth Press, 1953, p. 123. [Ed. bras.: "O mal-estar na civilização". In: *O mal-estar na civilização, novas conferências introdutórias à psicanálise e outros textos (1930-1936)*. São Paulo: Companhia das Letras, 2010.
74. *Ibidem*, p. 63.
75. *Ibidem*, p. 118.
76. FROMM, *To have or to be, op. cit.*, p. 79.
77. BRONOWSKI, Jacob. *The ascent of man*. Boston: Little, Brown & Co., 1973, p. 62.
78. *Ibidem*.
79. *Ibidem*, p. 64.
80. REICH, *A função do orgasmo, op. cit.*, p. 117.
81. *Ibidem*, p. 118.
82. NEUMANN, *The origin and history of consciousness, op. cit.*, p. 188.

Capítulo 8
83. FROMM, Erich. *The heart of man, its genius for good and evil*. Nova York: Harper & Row, 1964, p. 116.
84. VAN DER POST, Laurens. *The lost world of the Kalahari*. Londres: The Hogarth Press, 1969, p. 253.
85. A definição dada por mestre Aurélio ao verbete inclui: "[...] 13. Filos. A apropriação de objeto pelo pensamento, como quer que se conceba essa apropriação: como definição, como percepção clara, apreensão completa, análise etc." [N. T.]
86. LOWEN, *Bioenergética, op. cit.*
87. Descrevi alguns aspectos de minha terapia com Wilhelm Reich no primeiro capítulo de meu livro *Bioenergética*.
88. Veja meu livro *O corpo traído, op. cit.*
89. NEUMANN, *op. cit.*
90. Para uma ampla discussão da natureza da individualidade, veja meu livro *Prazer — Uma abordagem criativa da vida* (São Paulo: Summus, 2020).
91. IVINNY, John. *The sphinx and the megaliths*. Nova York: Harper & Row, 1975, p. 15.
92. Quanto mais as coisas mudam, mais permanecem iguais. [N. T.]
93. Veja meu livro *Bioenergética* (*op. cit.*) para uma discussão aprofundada do significado e do uso desse exercício na ansiedade da queda.
94. BRONOWSKI, *op. cit.*

www.gruposummus.com.br